PASSEPORT DIPLOMATIQUE

Gérard Araud a effectué une brillante carrière au Quai d'Orsay, qui lui a permis de traiter de la plupart des grands problèmes internationaux, du Moyen-Orient à la sécurité internationale. Il a vu de l'intérieur fonctionner la diplomatie française pendant près de quarante ans et a servi dans les grandes organisations internationales, de l'OTAN à l'Union européenne et aux Nations unies. Enfin, il a terminé sa carrière comme ambassadeur à Washington, ce qui lui a permis d'observer de près la présidence Trump. Il fournit dans *Passeport diplomatique* une analyse approfondie des évolutions récentes de la politique internationale, sans négliger les aspects humains au sein d'une grande Maison, le Quai d'Orsay, qui reste souvent méconnue de l'extérieur. Il est chroniqueur au *Point*.

GÉRARD ARAUD

Passeport diplomatique

Quarante ans au Quai d'Orsay

GRASSET

© Éditions Grasset & Fasquelle, 2019.
ISBN : 978-2-253-10151-2 – 1re publication LGF

À mes parents,
À Pascal qui m'a ancré dans la réalité.

Introduction

Rien ne me destinait à être diplomate. Au moment de prendre sa retraite, il est rassurant de conclure qu'on a été à la hauteur d'un héritage ou qu'on a répondu à une vocation. Or, d'héritage et de vocation, je n'en avais pas. Provincial, issu de cette classe moyenne qui a tout dû aux Trente Glorieuses, je n'avais qu'une passion, l'histoire. Un professeur avait dit à mes parents que je devrais «faire l'ENA» mais nous n'avions pas la moindre idée de ce que c'était. Quant à devenir professeur d'histoire, j'étais, selon mon père, trop bon élève pour m'en contenter. Il ne connaissait pas l'ENA mais révérait l'École polytechnique – ah, le défilé du 14 Juillet à la télévision ! – et mes parents – c'était une autre époque – décidèrent donc que j'intégrerais une préparation aux grandes écoles scientifiques, ce que je fis bon gré mal gré après le bac. Peu doué pour les sciences, j'entrai néanmoins à Polytechnique en 1973. J'y étais parvenu en mettant ma vie entre parenthèses, en apprenant mes cours par cœur, en faisant tous les exercices imaginables et avec un peu de chance. Dès que je fus à l'X, ma seule préoccupation fut d'en sortir sans devenir ingénieur. Mes parents étaient fiers, heureux et rassurés. Il me fallait me dégager de ce piège et vivre enfin ma vie.

J'étais à Paris. J'appartenais à la dernière promotion de l'École à effectuer ma scolarité rue de la Montagne-Sainte-Geneviève avant son transfert sur le plateau de Palaiseau, où les élèves échangèrent les cinémas du Quartier latin contre des champs de betteraves. Je rejoignis Sciences-Po et, finalement, je fus admis à l'ENA. Bac + 10 dont six années de mathématiques à haute dose pour en arriver là, le parcours n'était pas optimal.

Cela étant, cette formation scientifique ne m'a pas été totalement inutile. Qu'on en juge : je fus, un jour, convoqué chez le secrétaire général du Quai d'Orsay, personnage fort important pour le jeune diplomate que j'étais. Immense bureau historique, pénombre, silence ; je m'avance respectueusement.

« Vous sortez de Polytechnique ?

— Oui, Monsieur l'ambassadeur.

— N'est-ce pas que l'expression "plus petit dénominateur commun" n'a pas de sens ?

— Oui, Monsieur l'ambassadeur, c'est "plus grand dénominateur commun" qui est correct. Le plus petit dénominateur commun est toujours un.

— Merci, vous pouvez disposer. »

Je cachai aux yeux de l'huissier en habit et chaîne dorée mon fou rire, en sortant.

Comme la plupart de mes condisciples, je trouvais l'ENA sans intérêt intellectuel à part les stages qui,

10

en ce qui me concerne, me conduisirent à la préfecture de Saint-Lô dans la Manche et à l'ambassade de France à Lisbonne ; une machine à classer dont la conclusion fut au printemps 1982 que mon rang me permettait de rejoindre la direction du Budget ou le Quai d'Orsay. J'étais malheureux dans ma vie privée ; une visite au ministère des Finances m'épouvanta par la grisaille et l'uniformité des couloirs… et des fonctionnaires. Le ministère des Affaires étrangères nous permettait alors de partir immédiatement en poste. Je choisis d'être diplomate par désir d'exil. C'est, après tout, une raison comme une autre. Deux mois plus tard, j'atterrissais à Tel-Aviv.

Je n'ai pas regretté ma fuite. Près de quarante années d'errance diplomatique ont suivi, dont les deux tiers à l'étranger. J'organisais ma carrière autour de deux pôles, le Moyen-Orient d'un côté et les affaires stratégiques de l'autre. Je voulais, en effet, acquérir des connaissances approfondies sur des sujets donnés. Inutile de le cacher, je suis un technocrate qui excipe de sa compétence pour avoir le droit d'être original, mais un technocrate quand même, qui aime les dossiers techniques et qui estime que la diplomatie sans la technique n'est qu'un bavardage.

Lorsque j'ai pris ma retraite comme ambassadeur aux États-Unis, je ne me voyais pas écrire mes mémoires. Le genre littéraire me laissait sceptique. On y verse facilement dans l'égocentrisme et les potins, et je n'étais pas sûr d'échapper à ces défauts. L'élection de Donald Trump à la présidence des États-Unis, le 8 novembre 2016, m'a cependant convaincu de m'y essayer. J'avais le sentiment qu'être ambassadeur sous Trump, ce n'était pas seulement poursuivre ma mission, de président américain en président américain, mais que c'était entrer dans un nouveau monde dont je voyais seulement l'aube.

Je me rendais compte que ma carrière, commencée un an après l'élection de Ronald Reagan et conclue deux ans après celle de Donald Trump, s'était inscrite dans un moment particulier de l'histoire qu'à défaut d'un autre terme, j'appelle le « néo-libéralisme ». Fondé, en économie, sur la souveraineté du marché, sur la méfiance vis-à-vis de l'État et sur l'ouverture des frontières et, en politique étrangère, sur la conviction de la supériorité des valeurs de l'Occident, ce modèle s'est imposé partout. Il n'y avait plus qu'une superpuissance, les États-Unis ; plus qu'un système, la démocratie libérale ; plus qu'un avenir, marqué par le ralliement de tous à la sphère occidentale. La politique semblait vouée à une oscillation entre un parti conservateur et un progressiste, que séparait seulement la taille des mailles du filet de sécurité qu'offrait l'État à ses citoyens. Une élection devenait une bataille de chiffres. C'était l'heure de la démocratie « apaisée ». Nous sortions lentement de l'histoire.

J'avais entendu les premiers craquements de ces certitudes après la désastreuse invasion de l'Irak en 2003. De leur côté, les puissances émergentes, portées par leur croissance économique, réclamaient leur place au soleil et défendaient par tous les moyens leur souveraineté. Aux Nations unies, j'ai senti à quel point la crise économique de 2008 avait affaibli l'aura de l'Union européenne, de solution devenue problème, au fil des sommets sur la crise grecque. La Russie, en Géorgie en 2008 puis en Ukraine en 2014, avait prouvé sa détermination à défendre, par tous les moyens, ce qu'elle percevait comme ses intérêts vitaux. La Chine en faisait autant en mer de Chine du Sud. Cependant, l'Occident gardait une supériorité incontestée qui faisait de son existence même un adversaire redoutable par l'attraction de son mode de vie fondé sur les valeurs démocratiques. Lorsque Chine et Russie accusaient les Occidentaux de comploter pour renverser leur gouvernement, elles ne se rendaient pas compte que c'était le modèle de l'Occident, et non la CIA, qui fascinait leur opinion publique, ce modèle que les médias sociaux diffusaient désormais partout. Les rapports de force matériels avaient peut-être changé mais l'Occident restait la référence qui prouvait qu'on pouvait concilier liberté et prospérité. Encore fallait-il que les Occidentaux croient en leurs propres valeurs. Encore fallait-il qu'ils soient prêts à les défendre.

Or, au sein même des sociétés occidentales, se levaient des vents nouveaux qui remettaient en cause les fondements du moment néo-libéral. La crise de 2008 était passée par là. La classe ouvrière et la classe moyenne des pays riches, qui n'avaient pas profité de la globalisation comme celles des pays pauvres, perdaient confiance dans un système qui favorisait la rente aux dépens du travail, accroissait les inégalités et ne leur laissait plus l'espoir que leurs enfants continueraient leur ascension sociale. Les élites intégrées dans la globalisation ne sentaient pas monter la révolte. Ce fut la contagion populiste à travers les démocraties occidentales. Les formes en étaient différentes, mais la fièvre était la même. Une partie des électeurs entraient en rébellion, exigeaient d'autres solutions, d'autres dirigeants et d'autres politiques, cherchaient des boucs émissaires et menaçaient de renverser la table. Le nationalisme reparaissait. La xénophobie pointait le bout du nez. Comme la crise de 1929, celle de 2008 menaçait les fondements mêmes des sociétés. L'Occident doutait. On devait sourire à Moscou et à Pékin.

Et voici que s'installait un président américain, fruit de cette vague populiste qui, en quelques mois, allait voir en l'Union européenne un adversaire, remettre en cause l'Otan, ne plus faire de distinction entre alliés et les autres, renoncer à l'objectif d'une solution des deux États pour résoudre le conflit israélo-palestinien, dénoncer tour à tour l'accord de Paris sur le changement climatique et celui sur le nucléaire iranien et violer les règles de base du libre-échange. Les certitudes sur la politique étrangère américaine qui avaient accompagné ma vie professionnelle étaient ainsi successivement ébranlées.

Partout, dans le monde occidental, se levaient des partis qui, eux aussi, contestaient l'ordre international que j'avais connu et défendu. À ce populisme, en Europe, correspondaient, en politique étrangère, mépris pour la défense des droits de l'homme, indifférence pour le multilatéralisme, fascination pour la Russie, haine de l'Union européenne et de l'Otan, appel à la fermeture des frontières et retour du nationalisme. La fin de ma carrière diplomatique coïncidait avec un tournant dans la vie internationale.

C'est donc une carrière diplomatique qui s'achève à un moment particulier de l'histoire que je voudrais décrire. Un itinéraire certes personnel, mais éclairant les tensions et les évolutions de notre temps ; une interrogation sur l'ordre ou le désordre du monde qui adviendra de la crise que nous vivons.

I

Métamorphoses du diplomate

Il n'y a pas une manière d'être diplomate, cet étrange métier dont l'objectif premier est de capter la confiance de l'autre, qu'il soit un officiel ou un journaliste. On ne peut y parvenir qu'en étant véridique, et comment l'être sans être soi-même ? Contrairement à un préjugé commun à l'égard des diplomates, mentir est une facilité qui se retourne tôt ou tard contre vous. Tout ce que vous dites doit être vrai ; tout ce qui est vrai, vous n'avez pas à le dire. Le mensonge ne doit être qu'un dernier recours. Il faut, en effet, créer avec l'interlocuteur ce lien intangible de confiance qui permet ensuite de conduire une négociation qui est en elle-même assez difficile pour ne pas y ajouter les difficultés liées à la défiance. Vous pouvez y parvenir, quelle que soit votre personnalité, à condition de savoir canaliser les qualités et dominer les défauts de celle-ci. Dans une négociation, nul ne devinerait mon impatience à me voir écouter religieusement un raisonnement que j'ai déjà entendu maintes fois. Il y a donc autant de manières de négocier ou d'être ambassadeur que de personnalités.

On se moque volontiers du Quai d'Orsay, de son formalisme, de son conformisme et de ses prétentions. Le diplomate lui-même a été et reste la cible des caricaturistes qui le décrivent comme fat, superficiel et pompeux. Je pourrais nourrir ces préjugés à coups d'anecdotes et de plaisanteries. Les curés disent les meilleures blagues anticléricales. Les diplomates peuvent tout aussi bien se moquer d'eux-mêmes. Ce serait injuste de ma part, parce que j'ai été heureux dans cette maison, ce qui était loin d'être acquis du fait de ma personnalité. Je ne disposais d'aucun capital social dans un ministère où les héritiers tenaient encore le haut du pavé. Je ne me satisfaisais pas de la pensée officielle dont j'acceptais d'être le héraut à l'extérieur, mais dont je pensais que rien ne m'obligeait à y adhérer à l'intérieur. J'étais un brin « grande gueule » dans un milieu où on préfère le chuchotement et, en prime, je ne partageais pas toujours les idées de la majorité de mes collègues et je le disais. Malgré tous ces défauts, j'ai fait une « belle carrière » au Quai d'Orsay, qui a ainsi prouvé qu'il n'était pas si fermé et si conformiste que cela.

Le diplomate de 1982 que j'étais, à mon entrée au Quai d'Orsay, ne reconnaîtrait pas son homologue d'aujourd'hui. Le métier a changé du tout au tout. Déjà en 1982, nous n'en étions plus à Talleyrand, mais aujourd'hui nous n'en sommes plus à Couve de Murville.

18

La technologie en est la première et superficielle raison. Lorsque je pris mes fonctions à Tel-Aviv, en 1982, la journée du diplomate tournait autour du télégramme qu'il allait soumettre à la signature de l'ambassadeur. À une époque sans Internet où le téléphone était non seulement écouté par tout le monde mais coûteux, l'information devait donc être transmise par un système de communication protégé dont le produit était le télégramme diplomatique, rédigé à l'ambassade et transmis à Paris par le service du chiffre, barricadé dans une cage de Faraday aux portes blindées. Je vois encore les rouleaux mystérieux de papier qui permettaient le chiffrage. Une secrétaire, de nationalité française, tapait le télégramme sur des feuilles de papier bible où on ne pouvait faire les corrections qu'avec un stylo-feutre orange. Encore fallait-il qu'elles ne soient pas trop nombreuses, parce que le chiffreur pouvait alors refuser le texte, ce qui imposait de le faire retaper. Ainsi présenté, le télégramme était soumis à la signature de l'ambassadeur ou de son premier adjoint, ce qui entraînait des corrections supplémentaires voire des transformations profondes. On conçoit que la lourdeur de l'exercice pesait sur sa fréquence et lui conférait une certaine solennité.

Le télégramme rapportait des conversations, formulait des hypothèses et transmettait des informations. Il lui arrivait de faire concurrence aux journaux, dans les pays où la presse était libre et bien informée.

En tout cas, il était rare, comme l'était l'information, il y a encore peu de temps. Ce fonctionnement ne devait pas avoir beaucoup changé depuis l'invention du télégraphe un siècle plus tôt.

J'étais à Washington lorsque ce poste fit, le premier, en 1988, l'expérience de l'ordinateur. J'appris à taper à la machine, mal et avec deux doigts, mais je pouvais désormais préparer moi-même mes télégrammes sans devoir faire appel à une secrétaire et sans passer par le rite du texte sur papier bible. Tout était plus simple et plus rapide, la rédaction comme la correction. Le volume de la correspondance diplomatique augmenta immédiatement. L'introduction de l'intranet du ministère au cours de la décennie suivante confirma ce bouleversement de la recherche d'une information rare à la gestion d'une information surabondante, d'une information encadrée à une information libre. En effet, les diplomates pouvaient désormais dialoguer directement entre eux sans passer par le filtre de la hiérarchie qui visait les télégrammes. Comme la société, le Quai d'Orsay expérimentait le fonctionnement en réseaux, ce que les ambassadeurs n'apprécient pas toujours puisqu'ils ne peuvent plus contrôler l'analyse que donne leur ambassade de la situation d'un pays. Ils savent qu'à tout moment, ils peuvent être contredits par le message d'un premier secrétaire insolent. L'avis d'un ambassadeur n'est plus sacré, et c'est très bien ainsi.

Sur la base de la correspondance des postes diplomatiques, les directions du ministère des Affaires étrangères rédigent les notes de synthèse pour informer les autorités politiques et éventuellement leur proposer une réaction ou une initiative. Les directions qui traitent des affaires politiques sont organisées soit sur une base régionale (Afrique, Asie/Pacifique, Amériques, Europe de l'Est, Europe de l'Ouest/Union européenne, Afrique du Nord/Moyen-Orient), soit sous un angle fonctionnel (Affaires stratégiques, Nations unies, Coopération de défense). Certains sujets sont à l'intersection des compétences de plusieurs directions avec les inévitables rivalités et différends à la clé, l'arbitrage étant rendu par le directeur général des Affaires politiques ou par le cabinet du ministre. Lorsqu'en tant que directeur des Affaires stratégiques, je traitais des prémices de la crise nucléaire iranienne, en 2002-2003, je devais soumettre mes notes à l'accord de mon collègue directeur d'Afrique du Nord et du Moyen-Orient (ANMO), qui les cosignait. Cette procédure permet, en principe, de combiner les points de vue des spécialistes de la région et de la question, en l'occurrence, d'un côté, le Moyen-Orient et, de l'autre, la prolifération nucléaire, mais elle donne lieu à des affrontements épiques lorsque les personnalités des directeurs concernés s'y prêtent ou lorsque le désaccord sur le fond est réel et insurmontable par des artifices de rédaction. Le ton peut aisément monter, les dossiers voler, les portes claquer. Pour ma part, j'ai toujours évité d'en venir là, quitte à faire des concessions que mon équipe me reprochait ensuite. J'étais et je reste convaincu que, si un dossier est bon, il impose sa logique de lui-même. Le nucléaire iranien en est un excellent exemple : ANMO pouvait rappeler toutes les subtilités de l'équilibre régional mais l'essentiel restait la marche de l'Iran vers l'arme nucléaire et la nécessité absolue de s'y opposer, quel que soit le contexte régional. J'eus aisément le dessus dans les arbitrages sans rompre de lance avec mon ami et collègue, directeur d'ANMO.

Une note rédigée par un « rédacteur », en général un jeune diplomate avec moins d'une dizaine d'années de carrière, sera approuvée par le sous-directeur et, pour les plus importantes, par le directeur. Un stagiaire britannique au Quai d'Orsay, en provenance du Foreign Office, remarquait, dans son rapport final, la lourdeur de cette procédure qui reflète le poids de la hiérarchie, tout en notant avec amusement l'obsession des Français pour le style. En effet, on écrit bien au Quai d'Orsay ou, en tout cas, on y prétend. Pour ma part, j'ai toujours été l'avocat de sujet-verbe-complément et un chasseur infatigable de l'adverbe, ce qui occasionnait des plaisanteries de la part de mes subordonnés. Je me méfie comme de la peste de l'expression trop recherchée ou du mot rare qui attire l'attention du lecteur aux dépens de la substance du texte.

Deuxième différence pour un diplomate entre 1982 et 2019, c'est la démocratisation du ministère dans son recrutement comme dans son fonctionnement. Les « dynasties diplomatiques » ont disparu. Les particules se font rares. Les codes sociaux sont moins prégnants. Le poids de la hiérarchie s'est allégé. Des progrès sont encore possibles mais le ton de la Maison a changé en trois décennies. L'expression des idées comme des revendications y est beaucoup plus libre. Par ailleurs, le ministère s'est engagé dans la féminisation de ses cadres, qui se heurte au petit nombre de femmes dans les effectifs globaux du ministère. Un effort particulier a été accompli par Laurent Fabius ministre. La conséquence, peut-être nécessaire, en est que toute femme diplomate peut aujourd'hui espérer devenir ambassadeur, ce qui est loin d'être le cas des hommes.

L'irruption des médias sociaux

Il n'y a évidemment aucune raison que la diplomatie ne soit pas confrontée au défi que représente l'irruption des médias sociaux dans la vie publique. Elle l'est d'autant plus qu'elle a toujours valorisé la discrétion, voire le secret.

À la suggestion de Paris, je m'y suis essayé et, j'en ai donc «essuyé les plâtres». Le directeur de la communication et de la presse m'avait demandé, en avril 2014, d'ouvrir un compte personnel sur Twitter à côté du site officiel de la mission permanente de la France auprès des Nations unies à la tête de laquelle j'étais à l'époque. Ce n'était pas de ma génération et je n'y avais jamais pensé mais lorsque, cédant à ses objurgations, j'ai finalement accepté, je me suis trouvé en terra incognita. Me contenter de reprendre les déclarations officielles n'aurait eu aucun sens puisque c'était ce que faisait déjà le site de la mission. Je ne recevais aucune instruction et je dus donc improviser. Je créai un compte où se mêlaient goûts personnels, humour, présentation de la France, explication et justification de sa politique, mais aussi discussion avec mes interlocuteurs pourvu qu'ils soient courtois et rationnels. Je découvris rapidement le réservoir de haine et de bêtise que représentent les médias sociaux. Ce qu'exprimaient hier trois alcooliques au comptoir d'un bar est désormais partagé et échangé par des centaines voire des milliers de correspondants qui n'ont même pas l'excuse de l'éthylisme. J'ai réussi à créer une référence pour de nombreux journalistes, commentateurs ou chercheurs américains et français, qui est aujourd'hui souvent prise en exemple à Washington. C'est un moyen pour moi de m'adresser à des dizaines de milliers de lecteurs dans un pays dont la taille défie les modes habituels d'expression d'un ambassadeur. Cela étant, je ne me serais pas lancé dans cette aventure si j'étais allé à Pékin ou à Moscou. Je n'ai pu le faire que grâce à la liberté de ton que permettent les États-Unis.

Le 8 novembre 2016, j'ai compris, à mes dépens, les limites et les risques de l'exercice. J'avais assisté avec mes collaborateurs, à la résidence de l'ambassadeur à Washington, à la soirée télévisée qui avait vu la victoire inattendue de Donald Trump à l'élection présidentielle. Après leur départ, j'étais angoissé, non à cause de ce qui venait de se passer aux États-Unis, mais parce que je voyais dans cette élection, après le référendum en faveur du Brexit, la preuve que les sociétés occidentales traversaient une crise populiste d'une gravité que nul n'avait soupçonnée, une crise qui pouvait emporter la France, à son tour, en

24

mai 2017. J'eus alors la mauvaise idée de twitter mes sentiments : « Après le Brexit, après Trump, un monde s'effondre ; vertige. »

Sur le fond, ce n'était pas une critique du président élu et le message n'eut pas le moindre écho aux États-Unis, mais, manque de chance, il arriva en France, à 8 heures du matin du fait du décalage horaire, au moment des matinales de radio, qui toutes le reprirent. Je l'avais rapidement effacé, mais c'était trop tard. Le scandale éclata. Ce fut une leçon cruelle pour moi : ma hiérarchie ne daigna ni m'appeler pour me demander ce qui m'était passé par la tête ni me défendre lorsque je fus la victime d'une vague d'insultes souvent homophobes de la part de centaines de personnages haineux, drapeau tricolore au vent parce que la direction du Front national m'avait pris pour cible, ce qui était d'autant plus paradoxal que Marine Le Pen avait elle-même commenté l'élection de Trump par la phrase : « [C]'est la fin d'un monde. » La presse française disserta sur moi sans me contacter et sans appeler les correspondants sur place qui pouvaient témoigner que c'était un non-sujet aux États-Unis. J'étais jeté aux bêtes sans pouvoir me défendre ou m'expliquer. J'avais raison dans l'analyse et tort dans l'expression. Oui, nous changions d'époque. La période néo-libérale, inaugurée ici même par Reagan et continuée, sur la gauche, par Clinton, s'achevait. La révolte d'une partie de l'électorat redistribuait les cartes. Tout était désormais possible. La plupart des commentateurs devaient me suivre dans cette analyse, mais avoir raison trop tôt, c'est avoir tort. Je n'aurais pas dû le dire, en tout cas pas dans ces termes, et je me serais épargné ce moment de grande solitude face à la bêtise haineuse des uns et à la lâcheté des autres.

Au-delà même de la question du recours aux médias sociaux, il est indispensable d'entretenir le dialogue entre la diplomatie et le public. J'ai régulièrement contribué, sous pseudonymes, à des articles dans les revues spécialisées, notamment *Commentaire* et *Esprit*. J'ai participé à tous les colloques où j'ai été invité et j'ai été d'une extrême franchise avec les journalistes et les experts que j'ai toujours accepté de rencontrer. Ce n'est pas du bavardage que d'expliquer une politique sans langue de bois en reconnaissant ses limites et ses incertitudes ; ce n'est pas de la faiblesse que d'admettre la contradiction et le désaccord ; ce n'est pas de la naïveté que de parier sur l'intelligence et l'honnêteté de l'interlocuteur. C'est ce que j'ai essayé de faire une fois de plus dans ce livre, où je n'ai caché ni les interrogations, ni les dilemmes, ni même les erreurs, y compris les miennes. Mon paradoxe est de croire, à la fois, en la raison et en la folie des hommes.

Néo-conservatisme ?

Enfin, une autre raison qui différencie le diplomate d'aujourd'hui de celui de 1982 est le cadre intellectuel dans lequel il évolue et dont il subit l'influence. En effet, pour rédiger une note, l'information ne suffit pas. Encore faut-il que celle-ci s'inscrive dans un cadre conceptuel qui lui donne un sens politique. Comme dans toute institution, les notes, les analyses et les conseils prodigués par le ministère des Affaires étrangères reposent sur des présupposés qui sont à ce point instinctifs que nul ne songe à les remettre en cause ni même à les énoncer. Idéologie, air du temps, culture de la Maison et conformisme se conjuguent pour limiter les options offertes au décideur à des antiennes en général bien connues. Ce conservatisme est peut-être plus puissant qu'ailleurs dans la mesure où la diplomatie se doit d'être prudente dans un monde toujours plus ou moins imprévisible et dangereux. Il l'est aussi parce que le Quai d'Orsay est une petite maison où tout le monde se connaît, où le poids de la hiérarchie est donc plus immédiat et où un fonctionnement en circuit fermé ne permet guère aux idées nouvelles de percer. Les diplomates y parlent aux diplomates sans avoir l'opportunité ni souvent le temps d'aller chercher ailleurs des idées nouvelles, que ce soit dans les universités ou les centres de recherche. Il est vrai qu'en France, la coupure est telle entre administration et recherche que si la première est sourde, la seconde est souvent théorique et irréaliste. Cela étant, même filtrées, même amorties, même retardées, les idées nouvelles finissent par s'infiltrer subrepticement dans la pensée du Quai d'Orsay.

Lorsque j'entrai au ministère, en 1982, c'était la fin du gaullisme et le début du mitterrandisme. La synthèse gaullo-mitterrandiste se réalisait alors sous mes yeux de jeune diplomate avec une bonne dose d'antiaméricanisme, que ses sectateurs récuseraient en arguant du comportement de De Gaulle lors des crises de Berlin et de Cuba et de celui de Mitterrand au moment de celles des euromissiles ou du Golfe. Antiaméricanisme il y avait, nourri de la guerre du Vietnam et du ressentiment que suscitait une hégémonie ni toujours légère ni toujours éclairée; un antiaméricanisme certes tempéré par le besoin d'un parapluie militaire face à la menace soviétique. Au fond, la France, entre les deux superpuissances, était le braconnier de la guerre froide. On était donc antiaméricain sans se l'avouer. Il était interdit d'utiliser l'adjectif «occidental» dans notre correspondance. En effet, l'autre versant de cette politique était le tiers-mondisme, c'est-à-dire la défense du droit des peuples à disposer d'eux-mêmes, quel que soit par ailleurs le régime qui s'imposait. Ah! mon étonnement à entendre Claude Cheysson, ministre de 1981 à 1984, louer Mengistu, le dictateur éthiopien qu'il venait de rencontrer, alors que, le jour même, *Le Monde* décrivait les atrocités sans nom dont celui-ci se rendait coupable. Hafez el-Assad bénéficiait de la même indulgence alors qu'il venait de raser la moitié de la ville de Hama, avec des milliers de victimes à la clé: «Au moins, on peut boire du vin à sa table», notait le même ministre, toujours aussi bien inspiré.

Sans m'en rendre compte, j'étais le fils de mon époque, non plus celle des grands combats pour l'indépendance mais celle pour les droits de l'homme et la démocratie. Plus encore que les «nouveaux philosophes», ce fut le spectacle de Raymond Aron et de Jean-Paul Sartre sur le perron de l'Élysée pour se faire les avocats des «boat people», ces

Sud-Vietnamiens qui fuyaient, par mer, leur pays au risque de leur vie, qui m'émut et me mobilisa. Je m'étais tu lorsque mes condisciples avaient applaudi la chute de Saïgon, alors que j'étais convaincu que c'était la dictature communiste qui suivrait, ou lorsqu'ils louaient la « révolution culturelle » chinoise après un séjour de deux semaines en Chine. Les événements avaient confirmé mes pressentiments. Je ne me tairais plus lorsque la dignité humaine serait en jeu. Je savais que la diplomatie, c'était parler au diable, mais rien ne m'obligerait jamais à dire que le diable était un ange. C'était les yeux ouverts que je voulais défendre les intérêts de mon pays. Je voulais « appeler un chat un chat », même s'il fallait ensuite le caresser. Au-delà même de mon métier, cette exigence de lucidité a toujours dominé ma vision du monde, une vision de l'homme, pas particulièrement optimiste – comment pourrait-on l'être après Auschwitz ? Je veux comprendre, et je sais que je n'y parviendrai que lorsque j'aurai exploré les replis sombres de l'humanité, la peur, la soif de pouvoir, l'instinct de survie et les sept péchés capitaux, sans trop tenir compte de la bonne conscience dont l'homme se dote pour justifier ses crimes.

Ce réalisme, ce cynisme, diraient certains, devrait trouver naturellement son sanctuaire au ministère des Affaires étrangères où règne, on le sait bien, l'esprit de Talleyrand. Or, il n'en est rien. Souvent, nos diplomates, à force de connaître une zone géographique, à force de s'imprégner d'une langue et donc d'une culture, passent, sans s'en rendre compte, de l'empathie à la sympathie. À force de fréquenter des complices ou des partisans des bourreaux ou les bourreaux eux-mêmes, ils leur trouvent des excuses ou oublient les cris de leurs victimes. Les télégrammes de nos ambassadeurs à Damas, sous les Assad, ou à Bagdad, sous Saddam, fourniraient ainsi un florilège un peu écœurant de complaisance et d'aveuglement. Dans une note rédigée à Bagdad, dans les années 1980, notre ambassadeur, nommé Courage (*sic*), concluait qu'il n'avait aucune preuve de violation de droits de l'homme dans l'Irak de Saddam Hussein. C'était précisément cette lâcheté que je refusais de toute mon âme même si, par ailleurs, je savais que nous devions coopérer avec ce régime.

De même, tout au long des années 1989-1990, je me suis réjoui de l'effondrement des régimes communistes en Europe de l'Est, de l'indépendance des pays baltes, et, depuis lors, je n'oublie jamais ce que les pays de l'Est ont subi sous l'occupation soviétique et le joug communiste, ce qui me permet de mieux comprendre certaines de leurs obsessions. Je me souviens encore de mes larmes au volant, à Washington où j'étais en poste, lorsque la radio américaine a annoncé que le tour de Ceauşescu était arrivé. Ce n'est pas seulement à la lecture de *Verbatim* de Jacques Attali ou des *Mondes parallèles de François Mitterrand* d'Hubert Védrine que nous comprenons que cette victoire de la liberté a suscité des sentiments mitigés chez nos dirigeants. C'était déjà évident dans les couloirs du ministère des Affaires étrangères où la hiérarchie, que j'observais de loin, n'éprouvait visiblement pas que de la satisfaction à voir disparaître le monde des deux blocs. Qu'un tel séisme inquiète est légitime, qu'il appelle la plus grande prudence est une évidence. C'est d'ailleurs ainsi que le président américain de l'époque, Georges H. W. Bush, géra cette transition. Pour moi, toutes ces préoccupations, pour légitimes qu'elles fussent, s'effaçaient devant la perspective d'une Europe enfin libérée et réunifiée autour de valeurs démocratiques. La guerre froide était terminée et un monde nouveau s'annonçait : ni de Gaulle ni Mitterrand n'en avaient les clés parce qu'il n'était pas le leur. Il fallait redéfinir la politique étrangère française sur la base des faits, de nos valeurs et de nos intérêts. L'indulgence conduit à excuser les diplomates qui avaient été élevés dans le monde de la guerre froide et qui avaient commencé leur carrière sous de Gaulle et Mitterrand, s'ils ont éprouvé des difficultés à s'adapter au monde nouveau. Adaptation d'autant plus difficile que la France, toute à ses obsessions historiques, a tendance à voir l'histoire à l'aune des siècles, à souligner les continuités et à ignorer les ruptures. Mitterrand disait que jamais « les Prussiens n'accepteraient le joug des Bavarois » ; l'ambassadeur de France à Belgrade affirmait que « si la Yougoslavie éclatait, ce serait de rire ».

Après 1990, les constantes de notre politique extérieure ont donc été remises en cause par les faits. Les crises ont changé de nature, avec, par exemple, la prolifération des armes de destruction massive désormais à la portée de tous ou presque, dans un monde que ne contrôlaient plus les deux superpuissances. La conséquence en était de nous rapprocher des pays qui partageaient nos préoccupations, au premier rang desquels les États-Unis. Dans la crise yougoslave, l'Otan intervenait sous mandat des Nations unies, hypothèse inconcevable jusqu'ici, ce qui plaçait la France dans une situation inconfortable puisqu'elle entendait participer à ces opérations mais était exclue de la chaîne de commandement du fait de sa sortie de la structure militaire.

Une atmosphère nouvelle, des faits nouveaux et des besoins nouveaux conduisirent à des politiques nouvelles, qui s'imposèrent d'elles-mêmes à des présidents aussi différents que Chirac, Sarkozy et Hollande, avec certes des inflexions mais dans une même orientation.

Sans tomber dans les qualificatifs qui visent, en fait, à disqualifier, il est exact que l'élection de Nicolas Sarkozy s'est traduite par une volonté de rapprochement des États-Unis, comme le prouve son discours devant les ambassadeurs à la fin août 2007. Une illustration en fut la décision de réintégrer la structure militaire de l'Otan. En ce qui concerne la négociation sur le programme nucléaire iranien, il ne s'agissait pas d'une rupture mais d'une plus grande fermeté de ton de notre position, qui se conjuguait, d'ailleurs, avec des propositions directes à l'Iran qui, elles, étaient particulièrement généreuses.

Alors, néo-conservatisme triomphant au Quai d'Orsay, ce que répètent beaucoup, en faisant de moi le grand-prêtre de cette chapelle ? Trop souvent, à l'époque des médias sociaux, les hauts fonctionnaires qui mettent en œuvre une politique sont jugés en accord avec celle-ci, voire responsables de celle-ci. Or, il n'en est rien. Ils analysent et conseillent les dirigeants politiques, qui décident de les suivre ou non. Penser que Chirac, Sarkozy, Hollande ou Fabius n'étaient que des marionnettes dans les mains de quelques néo-conservateurs n'a évidemment aucun sens. S'ils ont suivi, plus ou moins, la même politique vis-à-vis de l'Iran, c'est parce qu'ils ont tous jugé que c'était la seule qui permettait de défendre les intérêts supérieurs du pays. On oublie trop souvent qu'une politique étrangère est fondée sur des faits et pas sur des doctrines. Si Mitterrand avait commencé le rapprochement avec l'Otan dès 1992, si Chirac avait décidé de réintégrer la structure militaire en 1995, ce n'est pas parce qu'ils étaient les otages d'une secte, quel qu'en soit le nom, mais parce que le monde avait changé, et ces pragmatiques en tiraient les conséquences.

Un autre angle d'attaque « gaullo-mitterrandien » porte sur l'abandon supposé de la politique arabe de la France au profit d'un rapprochement avec Israël. Là aussi, la chronologie met à mal cette dérive supposée. C'est, en effet, Dominique de Villepin, le paladin du néo-gaullisme, qui, dès son entrée en fonction en 2002, décidait d'améliorer la relation bilatérale avec Israël, qui s'était profondément dégradée au cours des années précédentes. Il s'était rendu à Jérusalem où il avait prononcé en ce sens un grand discours et avait signé à l'automne 2003, avec son homologue israélien, Silvan Shalom, une feuille de route portant sur tous les domaines de coopération entre les deux

États. Moi-même, je partais en octobre 2003 comme ambassadeur à Tel-Aviv, avec des instructions sans ambiguïté sur notre volonté de mettre en œuvre cet accord. J'étais notamment doté des crédits pour acheter un bâtiment qui abriterait un grand centre culturel à Tel-Aviv, chose faite deux ans plus tard. Tout au long de ma mission, avec Villepin puis Barnier et enfin Douste-Blazy, j'ai reçu la même impulsion de Paris pour entretenir un dialogue serein avec les autorités israéliennes. C'est Jacques Chirac qui aurait abandonné la politique arabe de la France ? L'ami reconnu des pays arabes, dont je vis les larmes lorsqu'il apprit, le 14 février 2004, la mort de Rafic Hariri alors qu'il recevait le président de l'État d'Israël en visite d'État et qui se battit victorieusement pour assurer l'indépendance du Liban ?

L'explication est plus compliquée que la victoire d'un clan qui aurait trompé ses dirigeants. C'est la réalité du monde qui a guidé ceux qui essayaient d'y adapter la politique étrangère de notre pays avec le même attachement à l'indépendance nationale, à l'aventure européenne, à la fidélité à nos alliances et à la préservation d'une voix singulière de la France.

Une fois de plus, comme après la fin de la guerre froide, notre diplomatie est appelée à s'adapter à la nouvelle donne qui se dessine. Il ne s'agit plus de régler des comptes entre des camps qui, de toute façon, ne répondent, ni l'un ni l'autre, aux réalités d'aujourd'hui. Encore faut-il que nous comprenions ce monde. Non, 2019 n'a définitivement rien à voir avec 1982.

II

Secrétaire d'ambassade à Tel-Aviv (1982-1984)

Pour le choix de mon premier poste au Quai d'Orsay, à ma sortie de l'ENA, en juin 1982, le hasard du classement et le mensonge d'une collègue qui, en prétendant parler anglais, m'a évincé du poste à New York dont je rêvais, m'ont envoyé comme premier secrétaire à l'ambassade de France à Tel-Aviv. J'y arrivai, dans les chaleurs de l'été, un beau jour de juillet 1982. Traînant mes valises dans le chaos de l'ancien aéroport Ben-Gourion, je découvrais un pays qui n'avait jamais été pour moi qu'un titre d'article de presse, que j'avais choisi par défaut parce qu'il était plus vivable à mes yeux, parce que méditerranéen comme moi, que les autres destinations exotiques que nous avait proposées la direction du personnel.

J'étais l'enfant de ma génération et, au lycée, jamais je n'avais identifié certains de mes camarades comme juifs alors qu'à Marseille, après l'arrivée des rapatriés d'Algérie, il y en avait évidemment parmi mes condisciples. Juifs, mais comme étaient arméniens, italiens ou espagnols voire maltais ceux de la majorité de ma classe. Jamais je n'ai entendu de remarque sur l'origine de mes camarades, jamais non plus de revendication d'une identité. Nous étions tous les enfants de la République. C'était plutôt nous, les rares catholiques qui allions au catéchisme, qui étions l'objet de moqueries d'ailleurs innocentes. Mes parents non plus n'attachaient pas d'importance particulière au fait que des voisins ou des connaissances étaient juifs. Ils le notaient à l'occasion comme une particularité, mais je ne les ai jamais entendus en faire un sujet de conversation. Enfin, à une époque où l'occupation allemande était encore évoquée dans les déjeuners de famille, le consensus semblait être que tout le monde avait souffert, les Juifs pas plus que les autres. *Shoah* n'était pas encore passé par là ; la centralité du génocide n'avait pas encore été reconnue.

C'est à peine forcer le trait que de dire que, lorsque j'arrivai en Israël, les Juifs étaient, pour moi, plus ou moins des chrétiens qui avaient raté le Messie comme on rate un train. L'antisémitisme me semblait derrière nous. Je ne voyais aucune ombre entre le judaïsme et la France. D'ailleurs, le président de la République que nous venions d'élire se posait en grand ami de l'État juif, où il venait de se rendre quelques semaines avant mon arrivée.

On ne repart pas d'Israël comme on y est arrivé. C'était encore en 1982 une Sparte où les gens vivaient modestement, faisaient trois ans de service militaire et payaient des impôts écrasants sur tout, jusqu'aux billets d'avion lorsqu'ils quittaient le pays. Tout était hors de prix. Invité, le soir, chez des amis de mon âge, je devais me contenter d'un mauvais café au lait, de biscuits et de houmous. La ville était pauvre ; les restaurants médiocres et coûteux et les appartements froids parce que les chaudières avaient été fermées après la flambée des prix du pétrole en 1973. Israël, ce fut pour moi deux années et demie où l'intensité des sentiments, des débats et des interrogations ne se démentit pas. Toute soirée, même amoureuse, finissait à 3 heures du matin, dans une pièce enfumée, par une conversation où passé et présent du peuple juif apparaissaient marqués par le même mystère et souvent la même tragédie. Nulle part je n'ai rencontré la même attention, la même empathie et parfois le même désespoir que dans les petits appartements de Tel-Aviv. On y riait pourtant, on y aimait, mais toujours pesait l'ombre de l'innommable. Que ce soit le serveur de restaurant au numéro tatoué sur le poignet, l'ami dont le regard se troublait lorsque, maladroit, je lui demandais où étaient ses grands-parents (seule réponse : un « je ne sais pas » qui arrêtait là la conversation), ou ce couple délicieux de retraités dont le mari, professeur de philosophie au lycée de Hambourg, avait passé sa vie en Israël à réparer des moteurs parce que, voyez-vous, les professeurs de philosophie, ça courait les rues, en Palestine, en 1938… Qu'on comprenne ce que mes collègues de la direction d'Afrique du Nord Moyen-Orient (ANMO) du Quai d'Orsay n'ont jamais compris : je ne suis pas devenu « pro-israélien » au sens d'un soutien à la politique d'un État, mais j'ai ressenti de l'intérieur ce que signifiait être israélien.

Cette empathie m'a permis de déduire ce que cet État pourrait ou ne pourrait pas accepter. Lorsque je suis revenu sur place, comme ambassadeur, en 2003, le pays avait changé ; la Sparte n'était plus ou presque.

Au cours de mon premier séjour, de l'été 1982 à Noël 1984, je fis l'apprentissage de mon nouveau métier, je découvris Israël et j'étudiai le judaïsme. Le hasard voulut que, quelques semaines après mon arrivée, je fus confronté aux limites qu'imposait l'orthodoxie du Quai d'Orsay à la liberté de pensée. L'offensive israélienne au Liban, lancée en juin 1982 contre l'Organisation de libération de la Palestine (OLP) à la suite des attaques que celle-ci conduisait contre l'État hébreu, avait conduit au départ de l'état-major et des forces de l'organisation palestinienne de Beyrouth et à leur repli sur Tripoli. J'avais assisté avec stupéfaction aux efforts français de – je cite Cheysson, ministre des Relations extérieures – « transformer un moins militaire (la défaite de l'OLP face à Tsahal) en un plus politique » par le biais d'une résolution au Conseil de sécurité des Nations unies, parrainée par la France et l'Égypte. Mes objections n'avaient rien à voir avec le conflit lui-même mais avec le concept, qui me semblait intellectuellement absurde : une victoire fruit d'une défaite. La diplomatie obéissant aux lois du bon sens, nos efforts n'aboutirent pas. On dit parfois que quelqu'un « pense faux » : c'était indubitablement le cas de Claude Cheysson, complaisant envers les dictateurs, tiers-mondiste archaïque et idéologue imperméable aux réalités.

Un peu plus tard, jeune diplomate déjà travaillé

par le virus de l'analyse clinique peut-être hérité de mon éducation scientifique, je rédigeai une note où je concluais que l'organisation palestinienne était affaiblie et qu'elle risquait de susciter les appétits de la Syrie. Les faits devaient confirmer, quelques mois plus tard, une prévision assez aisée lorsqu'une offensive syrienne obligea l'OLP, en décembre 1983, à un nouvel exil, cette fois vers Tunis. Mon ambassadeur vint dans mon bureau – démarche quasiment inconcevable à une époque où la hiérarchie pesait de tout son poids – pour m'expliquer qu'il ne pouvait envoyer ma note à Paris, non qu'il fût en désaccord, mais parce qu'elle était si contraire aux analyses de la direction d'ANMO qu'elle apparaîtrait comme une provocation. Je laissais en effet entendre que la cause palestinienne ne suscitait que l'indifférence voire l'hostilité des pays arabes qui l'instrumentalisaient, ce qui allait à l'encontre de l'analyse de notre ministère. Sans que je le sache, c'était la préfiguration de mes relations futures avec la direction d'ANMO. Peut-être était-ce le fait de l'investissement personnel et culturel que représente l'apprentissage de la langue arabe que parlent beaucoup de diplomates de cette direction, mais le fait reste que celle-ci, que M. Védrine qualifiait de secte, n'a pas toujours su bannir les sentiments de ses recommandations. Mon réalisme froid, mon refus d'entrer dans des récits concurrents qui ne sont que des labyrinthes sans issue et mon empathie pour Israël ne m'y rendaient pas populaire. Je n'améliorerais pas mon cas lorsque je prendrais la tête de nos efforts pour arrêter le programme nucléaire iranien.

Je fis mes premières armes de diplomate avec tout le zèle du néophyte. Au volant de ma 2CV, je sillonnais le pays et les territoires occupés qui, avant la première Intifada, étaient paisibles. J'y découvrais avec inquiétude les premières implantations. J'y bavardais avec les jeunes soldats qui tenaient, avec nonchalance, les rares barrages de sécurité. Deux mondes se côtoyaient et s'ignoraient à quelques kilomètres de distance. L'un dominait l'autre. Il n'était pas difficile de deviner que cette apparente stabilité ne pouvait perdurer. Mais je sentais qu'en cas de crise, ce serait le pot de fer contre le pot de terre, le combat qu'un peuple hautement éduqué et convaincu d'être le dos au mur après les malheurs qu'il avait subis conduirait avec la même détermination mais aussi la même brutalité qui avaient présidé à la création de l'État d'Israël.

Je découvris Jérusalem où j'allais souvent passer mes week-ends chez des amis journalistes. Quoique je sois fasciné par l'accumulation de l'histoire, ébloui par la lumière sur la pierre et ému par la vue de la ville du mont des Oliviers, je n'aime pas cette ville où toute sensualité semble bannie et où les religions offrent leur pire visage. Les chrétiens se battent à coups de croix et de crosses au Saint-Sépulcre ; les juifs vous lapident si vous vous égarez en voiture dans le mauvais quartier le soir du shabbat et les musulmans nient le lien entre le judaïsme et le mont du Temple. Cela étant, Jérusalem, c'est aussi un carrefour de destinées. Un jour, entrant par hasard dans un magasin de souvenirs, je remarquai, sur le mur, le portrait du roi de Grèce Paul Ier ; j'interrogeai le propriétaire, visiblement très âgé, qui m'expliqua alors qu'avant la Première Guerre mondiale, ses parents grecs l'avaient confié («vendu», disait-il) à un colporteur qui en avait fait son assistant jusqu'au jour où l'enfant s'était perdu dans la foule à Jérusalem où ils venaient en pèlerinage. Il y était resté. Je rencontrai un juif orthodoxe qui m'affirma que son école rabbinique avait survécu en Géorgie, tout au long de la période stalinienne, en se présentant comme une usine de tricots. L'un d'entre eux était chargé d'échanger la laine qu'ils recevaient contre des tricots via les circuits de troc qui, paraît-il, existaient à travers l'URSS pour pallier les rigueurs de la planification centralisée. *Se non è vero, è ben trovato.* Mon ambassadeur ayant été invité par le patriarche arménien, nous fûmes reçus dans sa «salle du trône» où sur les murs figuraient les photos des chefs d'État qui s'étaient rendus à Jérusalem et avaient honoré de leur visite le patriarcat. Tous nos interlocuteurs parlaient un français parfait et, en sortant, je fis malicieusement remarquer à un prélat que je n'avais pas vu le portrait du *Kaiser* Guillaume II. Il m'ouvrit une porte et me le montra en ajoutant qu'ils avaient jugé préférable de le retirer pour notre visite. De telles histoires, de telles rencontres me faisaient pardonner à Jérusalem sa tension toujours à fleur de peau, sa dureté minérale et l'ennui que la ville exhale durant le shabbat.

Mais mon séjour en Israël restera sans doute pour moi le lieu et le moment où j'ai intériorisé la signification de la Shoah dans l'histoire de l'Occident et, en particulier, dans celle de la France. J'avais lu *La France de Vichy* de Paxton ; je me rappelais les histoires contées autour de la table familiale, dominées par le gaullisme inconditionnel de mon père qui, adolescent, avait connu l'humiliation de l'Occupation et de la collaboration. Mais ce qui me retenait, c'était moins une histoire dont je connaissais les ombres et dont je devinais les ambiguïtés, c'était moins la mécanique infernale de la « Solution finale » que la lecture de *La Destruction des Juifs d'Europe* de Hilberg m'avait fait comprendre que le mystère du déchaînement au cœur de la civilisation d'une sauvagerie sans limites ; l'irruption du mal absolu dans l'histoire. J'éprouvais un vertige de nature métaphysique à contempler l'horreur d'Auschwitz, « trou noir » dans lequel disparaissaient toutes nos prétentions à donner un sens à la vie. Chrétien de formation sinon de croyance, j'y voyais la preuve du péché originel. Oui, le Mal, avec une majuscule, était en l'homme. Aucune analyse politique, économique, psychologique ou sociale ne pouvait expliquer Auschwitz. Se dressaient aussi, devant moi, comme un cauchemar insoutenable, les visages de ces millions de vies anéanties dans l'indifférence et souvent la complicité de tout un continent. Je crois que cette réflexion m'a lavé de toute naïveté sur l'espèce humaine mais m'a aussi convaincu de me méfier de ce Mal qui rôdait en nous et se glissait dans les petites comme dans les grandes choses. Je ne pouvais, par ailleurs, manquer de me demander pourquoi cette horreur avait frappé le peuple juif. J'y voyais, au-delà des considérations historiques, la volonté de détruire le peuple de la Loi, qui oppose à la toute-puissance de l'homme une Loi qui lui est supérieure. Ce n'est pas non plus un hasard que, parmi les «Justes parmi les Nations» qui ont sauvé des Juifs pendant la guerre, figurent de nombreux religieux chrétiens qui eux aussi avaient comme appui une Loi. À défaut de la Loi religieuse, j'espérais rester fidèle à la Loi morale, d'ailleurs largement tirée des Évangiles de mon enfance. «Le soleil et la mort ne se peuvent regarder fixement», disait La Rochefoucauld. La Shoah, c'est le soleil noir de l'histoire européenne. Héritier de cette histoire, je suis conscient de son existence à chaque moment de ma vie.

Je découvris aussi à Tel-Aviv que le diplomate ne peut être qu'un Français qui va, semblable à lui-même, de poste en poste. Ce qui nous est naturel en France ne l'est pas ailleurs. Les comportements, même les plus intimes, sont différents. Nous découvrons que les présupposés dont nous ne sommes même pas conscients tant ils sont intériorisés ne sont pas les mêmes ailleurs. Banalité, oui; «vérité en deçà des Pyrénées, erreur au-delà», mais banalité qui transforme celui qui vivra de manière prolongée à l'étranger. Le diplomate, à force de se colleter avec cette étrangeté, au sens double du mot, jettera, par contrecoup, un coup d'œil nouveau sur son propre pays. Non pour en critiquer les usages, mais pour en relativiser les certitudes. L'expatrié devient alors intérieur et extérieur à son propre pays, fidèle à une identité nationale qu'il ressent au contact des autres, mais aussi conscient que d'autres solutions, d'autres mondes, d'autres réponses existent. La tolérance en découle, le danger du relativisme également. Nous devons rester convaincus que, dans toutes les langues du monde, dans toutes les civilisations du monde, dans tous les pays du monde, la violence, la persécution et la torture sont des crimes.

La mort subite de mon père m'obligea à quitter Tel-Aviv plus tôt que prévu. Je connaissais le Centre d'analyse et de prévision du ministère, où j'avais effectué un stage quelques années auparavant. J'y obtins un poste. Je quittai Israël à la fin de l'année 1984.

III

Au Centre d'analyse et de prévision (1985-1987)

Au Centre d'analyse et de prévision du ministère, j'étais chargé de suivre les affaires du Moyen-Orient.

La France est le pays des idées, dit-on. Le ministère des Affaires étrangères devrait l'être tout autant. J'ai cependant constaté que le débat d'idées à l'étranger ne l'atteint que tardivement. Arrogance d'un pays qui croit toujours être le centre intellectuel du monde ? Ignorance de l'anglais ? Absence des conférences et séminaires internationaux ? Imperméabilité au pragmatisme anglo-saxon ? Le fait est qu'en relations internationales, le nombre des experts français présents dans ces cercles se réduit à quelques noms. Au moment de la première guerre du Golfe, en 1990-1991, alors que j'étais à Washington, la radio américaine interrogeait seulement deux Français, François Heisbourg et Dominique Moïsi, sans doute parce qu'ils parlaient bien l'anglais.

Michel Jobert et Thierry de Montbrial ont créé, en 1974, au ministère des Affaires étrangères, le Centre d'analyse et de prévision (CAP) pour tenter de briser cet enfermement intellectuel. Il s'agissait d'introduire au ministère des Affaires étrangères les réflexions du monde universitaire, notamment américain, et d'y permettre la production d'analyses différentes, voire critiques, de celles des services.

Nous avions toute liberté au CAP pour ouvrir le ministère sur des penseurs et des pensées qui lui étaient étrangers. Diplomates, chercheurs et journalistes, nous nous retrouvions dans une ambiance de liberté intellectuelle et de créativité qui était aux antipodes de la pensée officielle qui pesait sur nos voisins de l'autre côté du couloir. Je partageais un bureau avec des universitaires de passage, Olivier Roy ou le regretté Jean-Christophe Victor par exemple, avec, à la clé, des conversations passionnées et passionnantes sur le Moyen-Orient.

Je participais aux multiples séminaires qu'organisent les institutions étrangères, américaines mais aussi britanniques et allemandes, où les Français sont si peu présents. Je découvrais les châteaux de la campagne anglaise, Ditchley ou Wilton Park, où dans un décor de série télévisée, au milieu des experts de tous pays, à l'invitation d'une fondation ou du Foreign Office, il était possible de piocher des idées et des analyses et de repérer des spécialistes. J'y présentais nos propres positions, souvent soit peu connues, soit incomprises dans la mesure où le Quai d'Orsay considérait qu'un discours ou un communiqué le plus banal possible suffisaient pour tout expliquer. Pour le Quai, « une politique que nul ne connaît ne peut échouer puisque nul n'en est informé». J'étais donc sensible au contraste entre les certitudes tranquilles et imperturbables de mon ministère et les analyses parfois tout à fait différentes qu'on entendait au-delà de nos frontières ou même seulement en dehors des murs de la Maison d'Orsay. Mais le CAP avait déjà vu décliner son influence, qui ne tenait qu'à l'intérêt du ministre pour les idées nouvelles voire pour les idées tout court, dans la mesure où les directions du ministère n'appréciaient guère ce service qui osait les contredire. Or, dire que les ministres ne s'intéressaient pas toujours aux débats d'idées est un euphémisme.

C'était l'époque des attentats à Paris et des prises d'otages. Le hasard voulut qu'Olivier Mongin, rédacteur en chef de la revue *Esprit*, me contacte, le 22 mai 1985, pour m'annoncer la disparition de Michel Seurat à la sortie de l'aéroport de Beyrouth. J'en avais alors informé le cabinet du ministre. Je connaissais M. Seurat, qui était venu présenter au CAP son travail sur les logiques communautaires à Tripoli du Liban. Impressionné par son mélange de connaissance du terrain et de réflexion théorique, je l'avais rencontré à plusieurs reprises.

J'utilisai ensuite les contacts du CAP pour essayer d'analyser une épidémie d'enlèvements de Français au Liban qui, à l'évidence, n'était pas seulement du banditisme ou le fruit du hasard, mais répondait aussi à une logique politique. Nous avions choisi notre camp en soutenant l'Irak face à l'Iran, notamment en prêtant au premier des avions Super-Étendard armés pour la guerre en mer au moment où nous faisions

47

voter une résolution (résolution 552 du 1er juin 1984) au Conseil de sécurité pour exiger des deux belligérants qu'ils respectent la navigation dans le golfe Persique. Nous donnions ainsi de la main gauche à l'Irak les moyens de violer le texte que nous promouvions de la main droite. À ce niveau, la duplicité se paie. De même, nous avions fermé les yeux sur l'usage par Saddam Hussein de l'arme chimique, qui était bannie par la convention de 1925, dont le dépositaire était… la France. Que l'Iran prenne sa revanche ailleurs n'était pas surprenant. Bien peu de commentateurs s'en étaient avisés. En 1986, après les élections, je rédigeai pour les nouvelles autorités parisiennes une synthèse des efforts entrepris pour la libération des otages par le gouvernement précédent sur la base des archives que celui-ci avait laissées au Quai d'Orsay. Il fallait, disaient-elles, « faire tourner trois clés en même temps », une à Damas, une à Téhéran et une à Beyrouth. La dernière, la plus facile, était celle de la bande de voyous qui détenaient les otages et ne demandaient que de l'argent mais ne les libéreraient qu'avec l'accord de leurs parrains syrien et iranien. Il nous fallait donc convaincre la Syrie d'Assad et l'Iran de Khomeini de donner ce feu vert. Nous l'attendîmes longtemps ; il nous coûta cher, même si le prix exact en reste encore aujourd'hui inconnu. Du côté iranien, outre notre soutien à l'Irak, on nous reprochait de ne pas avoir honoré le contrat d'enrichissement d'uranium conclu par la société française Eurodif avec le shah et on réclamait le remboursement avec intérêts d'un prêt de 1 milliard de dollars de l'Iran à cette société. L'affaire était complexe. Les intermédiaires moyen-orientaux plus ou moins sérieux pullulaient. Pasqua était dans son élément. Le Quai d'Orsay n'eut pas son mot à dire. Mon implication marginale en resta là.

À l'occasion d'une de mes missions, je rencontrai le jeune diplomate qui traitait à Washington du dossier du Moyen-Orient, un certain Dominique de Villepin. Comme nous avions sympathisé, il pensa à moi pour sa succession lorsqu'il devint conseiller de presse dans la même ambassade. Je rejoignis donc Washington à l'été 1987.

Être informé de la vacance d'un poste avant les autres et obtenir l'accord de l'ambassadeur ont toujours été, au Quai d'Orsay, le bon moyen pour le diplomate d'aller où il veut ; il faut ensuite persuader la direction du personnel que c'est elle qui a eu cette idée, mais ce n'est pas trop difficile. C'est, en tout cas, ainsi que j'ai géré ma carrière dans une administration où tout le monde se connaît et où les informations circulent vite. Encore faut-il avoir des amis et une réputation convenable.

IV

Conseiller d'ambassade à Washington (1987-1991)

À 34 ans, j'aurais préféré New York pour des raisons qui ne sont pas toutes professionnelles, mais être au cœur de «l'Empire» – voir comment il fonctionne, en comprendre les ressorts et en explorer les coulisses – était d'autant plus fascinant qu'on s'immerge rapidement dans un microcosme ouvert et bienveillant comme savent l'être les Américains.

Washington, qui n'était qu'une petite ville de province en 1987, n'est la capitale ni économique, ni financière, ni culturelle du pays. Elle n'en est que la capitale fédérale, une ville où plus ou moins tout le monde, fonctionnaires, employés du Congrès, avocats, lobbyistes, journalistes et représentants des grandes entreprises, vit de la politique. Déjeuners, dîners, rencontres conduisent inévitablement à des conversations... politiques. Politiques, les amitiés, politiques encore, les activités. Le jeune premier secrétaire de l'ambassade de France pouvait, en quelques semaines, y être admis, à charge pour lui d'intéresser ses interlocuteurs par ses informations et ses analyses. En effet, ceux-ci ne sont pas des sentimentaux et ne lui consacreront leur temps que s'ils y trouvent, eux aussi, leur avantage. Les informations ne se donnent pas : elles s'échangent. Le diplomate doit savoir jusqu'où aller dans la confidence de ce qu'il sait. Il va inévitablement plus loin que ne le voudrait le ministère. C'est à lui d'estimer le risque.

Une fois qu'on en connaît les codes et qu'on a repéré les sources d'informations, travailler à Washington n'est pas difficile même si y vivre est un peu étouffant tant la politique, et elle seule, y occupe tout l'espace. À l'ambassade, je me liai avec Dominique de Villepin. Sa personnalité déjà hors du commun en faisait un convive amusant et parfois décoiffant, dont les envolées lyriques ne convainquaient pas toujours mon réalisme. Deux ambassadeurs successifs me mirent sous les yeux deux façons de remplir brillamment cette fonction : Emmanuel de Margerie, fils et petit-fils d'ambassadeur, hôte parfait, illustrait la diplomatie « à l'ancienne », mondaine, un brin désuète mais efficace dans la sociabilité de cette petite ville de province qui adorait (et adore toujours) le smoking et les dîners à la résidence. Un soir, à l'occasion d'un dîner en l'honneur de Karl Lagerfeld, qu'il avait rencontré, précisa-t-il, dans le salon d'attente du *Concorde* (*where else ?*), il annonça aux convives qu'ils s'étaient découvert une passion commune, la restauration de châteaux… Une autre fois, son épouse répondit à un député communiste qui lui demandait si elle avait passé de bonnes vacances : « Un enfer, monsieur le député, vous ne savez pas ce que c'est que de restaurer un château de soixante pièces. » Visiblement, il ne savait pas ; l'ombre de la lutte des classes pointa le nez. Une autre époque mais du style et de la tenue, aurait dit ma grand-mère. Jacques Andréani qui lui succéda était son antipode, un peu ronchon sur les bords, aux costumes pas toujours ajustés mais proche de son équipe, attentif aux problèmes humains et connaissant les dossiers les plus techniques. J'appris beaucoup à ses côtés.

Je passais quatre ans à Washington à informer Paris des méandres de la politique américaine au Moyen-Orient. Je retiendrai plus particulièrement deux crises qui illustrent le travail d'un diplomate à Washington : le Liban après la fin de présidence d'Amine Gemayel en 1988-1991 et l'invasion du Koweit par l'Irak en 1990-1991.

La crise libanaise (1988-1991)

L'approche de la fin du mandat d'Amine Gemayel comme président du Liban, en septembre 1988, posait la question de son successeur. Il avait assumé ce poste après l'assassinat de son frère Bachir, en septembre 1982, sans doute perpétré par les services syriens qui voyaient en lui le candidat d'Israël dont les armées avaient envahi le Liban. Un bras de fer était inévitable entre les partis chrétiens qui devaient désigner un candidat, maronite selon le Pacte qui fonde la vie politique libanaise. Il serait ensuite élu par l'ensemble du Parlement, sous l'œil jaloux de la Syrie. C'était le Liban éternel, où se mélangeaient des rivalités quasi médiévales entre les dynasties de politiciens locaux (les Gemayel, les Chamoun, les Frangié), la corruption pure et simple et l'ingérence étrangère. Damas, qui avait subi une lourde défaite en 1982 avec l'invasion israélienne, n'avait eu de cesse de rétablir son protectorat sur le pays et ne laisserait pas passer cette occasion pour affirmer son droit de regard sur les affaires libanaises. Les candidats déclarés, Chamoun et Aoun, le chef d'état-major, étaient inacceptables pour la Syrie qui fit en sorte que le Parlement ne se prononce pas avant la fin du mandat de Gemayel, dans l'espoir d'imposer sa volonté lorsque le pays serait ainsi décapité. Avant de quitter ses fonctions, le président sortant eut la présence d'esprit de nommer le général Aoun Premier ministre, afin de permettre à un chrétien d'assumer l'intérim de la fonction de chef d'État. C'était une double provocation, d'abord à l'égard des sunnites, qui étaient ainsi privés d'un poste qui leur revient traditionnellement, ensuite envers Assad, dont Aoun était un ennemi déclaré. C'était l'éclatement du Liban en deux zones, une chrétienne reconnaissant le général Aoun et l'autre musulmane nominalement derrière le Premier ministre sortant Salim el-Hoss, en réalité sous l'autorité de la Syrie. Cette cohabitation ne pouvait durer et se transforma, à partir du printemps 1989, en un affrontement entre les deux camps qu'Aoun qualifia de guerre de libération nationale jusqu'à sa défaite et son exil à Paris, en 1991. Tout au long de 1988 et de 1989, je reçus instruction de Paris d'obtenir le soutien américain à une intervention internationale pour permettre la tenue des élections présidentielles à l'abri de la pression syrienne.

Rien n'illustrait mieux la différence d'approche entre nos deux pays au Liban que nos réactions à l'impasse politique à Beyrouth. Pour la France, il s'agissait d'assurer l'indépendance de ce pays mais aussi, implicitement, de consacrer le maintien d'un statu quo politique et social qui avantageait une communauté chrétienne désormais minoritaire. Pour les États-Unis, le Liban n'était qu'un élément secondaire dans l'équilibre régional et pouvait, à ce titre, servir de monnaie d'échange. Mes démarches réitérées se heurtaient donc à une indifférence polie. Richard Haas, directeur pour le Moyen-Orient au Conseil national de sécurité, se récriait dès qu'il me croisait dans les couloirs : « Non, Gérard, nous n'interviendrons pas au Liban. » En septembre 1989, le directeur d'ANMO du Quai d'Orsay, Alain Dejammet, fit un saut discret à Washington et, avec l'appui du nonce apostolique, crut avoir convaincu son homologue américain de sortir de cette réserve, jusqu'à ce que celui-ci m'appelle quelques heures plus tard pour revenir sur son accord. L'affaire s'aggrava lorsque je découvris, peu après, que les États-Unis avaient pris l'initiative sans nous avertir, et pour cause, puisqu'il s'agissait de favoriser une solution « moins maronite et plus syrienne » de la crise. April Glaspie, la directrice Liban et Syrie du département d'État, me mentait comme un arracheur de dents, ainsi que me le révéla l'ambassadeur du Liban, lui-même maronite, qui me transmettait les propositions américaines. Je fis semblant de croire aux dénégations américaines tout en envoyant à Paris les preuves qui les démentaient. Je faisais suivre tout entretien avec April Glaspie d'un rendez-vous chez le Libanais, où nous démontions ensemble la manœuvre américaine. Cela étant, Assad ne se contentait pas de la demi-victoire qu'étaient prêts à lui concéder les États-Unis. Il savait attendre autant qu'il était nécessaire. Il régla l'affaire à coups de canon à l'automne 1991, comme prix du soutien qu'il avait apporté aux États-Unis face à l'Irak.

La première guerre du Golfe

Autre crise, l'Irak. Le 2 août 1990, j'étais en train de me raser, à Washington, lorsque la radio m'apprit l'entrée de l'armée irakienne au Koweit. Je ne suis pas sûr d'avoir retenu un juron. Je ne savais pas que commençaient quelques mois parmi les plus occupés de ma carrière. En effet, je dus assurer la liaison sur ce dossier entre les États-Unis et la France jusqu'au début des hostilités, en janvier 1991.

Rentré de vacances quelques jours auparavant, je m'étais enquis de la réaction de mes interlocuteurs du département d'État aux bruits de bottes irakiens à la frontière de l'émirat. Ils étaient convaincus que ce n'était qu'une gesticulation pour obtenir l'annulation des dettes que Bagdad avait contractées durant la guerre avec l'Iran et dont le Koweit avait eu le mauvais goût de demander le remboursement. Depuis la fin de la guerre entre l'Irak et l'Iran, en 1988, les États-Unis s'étaient d'ailleurs rapprochés du premier, qu'ils avaient ouvertement soutenu dans les dernières années du conflit de peur qu'il ne s'effondre sous les coups de la République islamique. Comme me l'avait dit en souriant le sous-directeur du département d'État chargé de cette région, « il n'y avait aucune raison que la France soit le seul pays à participer à la reconstruction de l'économie irakienne ». Des crédits américains avaient été accordés à ce pays pour l'achat de produits agricoles américains ; d'autres pourraient suivre.

De son côté, image de la même sérénité, c'est-à-dire de l'inconscience, la nouvelle ambassadrice à Bagdad, April Glaspie, ancienne sous-directrice du bureau Liban/Syrie, avait répondu à Saddam Hussein, qui la recevait à son arrivée en poste et l'interrogeait sur les relations entre les États-Unis et le Koweit, qu'effectivement « il n'existait pas d'alliance militaire entre les deux pays », ce qu'il prit pour un blanc-seing.

Jusqu'au 30 juillet 1990, les Américains ne se doutaient de rien. À partir du 31, les informations de la CIA sur la nature du déploiement de l'armée irakienne devinrent préoccupantes, mais le département d'État ne croyait encore qu'à une opération limitée, la saisie de puits de pétrole avant l'ouverture de négociations. C'est un bel exemple de « dissonance cognitive », où un pays ne peut voir ce qui arrive alors qu'il a tous les éléments sous les yeux parce que c'est contraire non seulement à ses usages mais à son analyse des intérêts des parties. Ajoutons que l'Irak n'intéressait pas grand monde à Washington. Saddam ne pouvait faire cette bêtise… Pourtant, il l'avait déjà commise en attaquant l'Iran. Le Moyen-Orient, qui bruisse en permanence de complots, a parfois vu dans cet aveuglement un piège qu'auraient tendu les États-Unis à l'Irak. Or, à l'évidence, Washington n'y aurait eu aucun intérêt puisqu'une crise de cette ampleur aurait pu déstabiliser toute la région.

Nous vivions, du jour au lendemain, une crise majeure qui pouvait déboucher sur la guerre. Dans ce contexte, le diplomate devient un détective qui réunit toutes les informations qu'il peut glaner pour les transmettre à Paris. Département d'État, département de la Défense, journaux et journalistes, think-tanks sont autant de sources dont il faut apprécier la fiabilité et qu'il faut utiliser à bon escient. Par ailleurs, en ce qui concerne la position de la France dans un éventuel conflit, question qu'on me posait en permanence, il fallait se fonder sur les subtilités mitterrandiennes. En effet, d'un côté, l'amiral Lanxade, chef d'état-major particulier du président de la République, était venu à Washington dès la fin août 1990 et nous avait confié, à l'ambassadeur Andréani et à moi-même, que la décision du président était prise et que nous serions aux côtés de nos alliés, mais, de l'autre, Paris ne cesserait de louvoyer avant de rendre public cet engagement. Il fallut pousser le ministre de la Défense, Jean-Pierre Chevènement, vers la porte à coups de demi-mesures (envoi sur place d'un porte-avions sans avions) et de déclarations ambiguës qui exaspéraient les Américains. L'exemple en fut, après une incursion irakienne dans l'enceinte de notre ambassade à Koweit, un message présidentiel à ce point emberlificoté que mes interlocuteurs m'appelèrent pour m'en demander le sens. J'étais bien en peine de leur répondre. Lanxade venait discrètement et régulièrement à Washington et nous rassurait sur la détermination du président à participer à une éventuelle opération militaire pour la libération du Koweit. Mitterrand, comme à son habitude, ne voulait pas dévoiler trop tôt ses cartes, contrairement à Margaret Thatcher qui avait affirmé son soutien aux États-Unis dès le 3 août. À chacun son caractère...

Finalement, Chevènement exfiltré, la France put prendre pleinement sa place dans la coalition internationale avec le déploiement de l'opération Daguet, soit plus de 14 000 hommes en février 1991. Cela étant, les tensions franco-américaines ne cessèrent pas d'autant. Entre Jim Baker, le secrétaire d'État texan dont le passe-temps était la chasse au dindon sauvage dans le désert, et Roland Dumas, dont les passions étaient « Mitterrand, les femmes et l'opéra », pour citer un membre de son cabinet, le courant ne passait pas. Lors d'un de leurs entretiens, pendant cette crise, l'Américain demanda au Français de ne pas rencontrer Arafat, dont les positions dans le conflit étaient ambiguës. Dumas ne répondit pas, source de malentendu. L'Américain vit dans ce silence un acquiescement et Dumas une façon polie de ne pas dire non. On devine la fureur du premier lorsqu'il apprit, peu après, que le second avait rencontré le Palestinien en Crète. Baker convoqua Andréani, notre ambassadeur, qui n'en savait pas la raison. Or il sortait à peine d'une lourde opération, dont il se remettait lentement. À peine s'était-il assis qu'il subit une explosion de colère d'un secrétaire d'État qui était renommé pour ses éclats. Baker était rouge ; il hurlait, criait à la trahison, et je voyais l'ambassadeur s'enfoncer dans son fauteuil à chaque bordée. Je me demandais, avec inquiétude, si son cœur allait résister à l'épreuve. Jacques Andréani se contenta de me dire de n'envoyer le compte rendu de l'entretien qu'au ministre seul, qui en fut certainement amusé.

Les Irakiens n'acceptaient pas de négocier le retrait du Koweit et pillaient leur conquête tandis que les Américains massaient des troupes en Arabie Saoudite, quitte à demander une contribution financière aux pays qui ne voulaient pas se joindre à une intervention que Washington décrivait non sans raison, si on se réfère au mandat des Nations unies, comme une opération de police. Saddam n'avait visiblement pas compris que la fin de la guerre froide ne laissait qu'une superpuissance qui ne le laisserait pas dominer une région essentielle pour la sécurité de ses approvisionnements pétroliers et celle d'Israël. Une nouvelle donne internationale, fondée sur l'hégémonie américaine, se faisait jour. L'URSS, qui vivait ses derniers mois, acceptait que le Conseil de sécurité autorise, par la résolution 678 du 29 novembre 1990 du Conseil de sécurité, les États-membres à « recourir à tous les moyens nécessaires » pour libérer le Koweit, un euphémisme pour le recours à la force. C'était le réveil du Conseil de sécurité, que la guerre froide avait largement mis en sommeil. Un réveil au profit de l'Occident.

Ce fut, pour moi, une période exaltante. J'envoyais à Paris cinq ou six télégrammes par jour et, honneur insigne pour un diplomate encore jeune, je savais, par les réactions et les questions qu'ils suscitaient, qu'ils étaient lus par les ministres concernés. J'avais constitué un épais carnet d'adresses et je pouvais y recourir. Washington est une ville étrange où les fuites les plus inconcevables par leur gravité voisinent avec le secret le plus absolu sur des détails sans importance. Le tout était d'être là non seulement pour recueillir les premières mais pour deviner la raison du second. Rapidement, je notai que l'armée américaine n'avait pas les effectifs pour procéder à une rotation des forces qu'elle engageait dans la région. Prenant en compte la durée maximale de la présence de celles-ci sur le terrain – six mois – et la météorologie défavorable aux opérations aériennes au printemps, j'en déduisis que si guerre il y avait, elle commencerait dans la seconde moitié de janvier. Les premiers missiles furent effectivement tirés le 17 janvier. La guerre était finie le 28 février. L'armée américaine ne marcherait pas sur Bagdad. J'en demandai la raison au département d'État : les États-Unis n'avaient aucun intérêt à assumer l'occupation de l'Irak ou à plonger ce pays dans l'anarchie. Qu'un coup d'État militaire dépose Saddam au profit d'un dictateur « prévisible comme Assad » conviendrait à Washington, me confia Dennis Ross, le directeur du « Policy Planning Staff » du département d'État. C'était encore l'époque d'un parti républicain réaliste en politique étrangère, dénué de tout moralisme et de tout messianisme. Il y a un gouffre entre George H. Bush qui s'inscrivait dans cette école de pensée tout en prudence, que les Européens appréciaient aisément, et son fils George W. Bush qui suivit le courant néo-conservateur dans la conviction que la mission des États-Unis était d'imposer la démocratie, si nécessaire par la force.

Le processus de paix au Moyen-Orient

Mais, tout au long de ces quatre années, le dossier qui dominait mes journées était le processus de paix au Moyen-Orient. La première réalité qui s'imposait à moi était l'étroitesse de la relation avec Israël, qui était pourtant bien loin de celle d'aujourd'hui. Certes, l'American Israel Public Affairs Committee (AIPAC) était puissant et influent au Congrès, mais réduire cette alliance à l'action d'un lobby était, je le sentais, réducteur. Qu'Israël soit la seule démocratie de la région comptait, mais il y avait plus, beaucoup plus : du noble et du moins noble. Les évangélistes voient dans la création d'Israël la première étape vers le retour du Messie, que doit annoncer... la conversion du peuple juif. L'ambassadeur américain à Tel-Aviv devait un jour me raconter qu'il avait essayé d'expliquer le conflit à une délégation de propriétaires de radios chrétiennes américaines qui étaient écoutées par des dizaines de millions d'auditeurs. Ils l'avaient interrompu : « Monsieur l'ambassadeur, ne perdez pas votre temps, nous savons : les Philistins contre les Hébreux. » Au-delà du cercle nombreux d'ailleurs des évangélistes, toute la culture américaine, marquée par le protestantisme fondateur, est imprégnée de l'Ancien Testament. Par ailleurs, le combat des Israéliens contre un peuple qui prétend à la même terre n'émeut pas toujours dans un pays fondé lui-même sur la dépossession des Indiens. Pour certains, inconsciemment, il n'y a pas loin du cow-boy du Far West au colon israélien. Enfin, d'un point de vue géopolitique, les États-Unis ne sont pas soumis aux mêmes lois que les autres pays, qui doivent choisir leur camp ; ils peuvent se permettre de soutenir Israël tout en entretenant les meilleures relations du monde avec les États arabes dont le besoin de protection militaire américaine prend facilement le pas sur l'attachement à la cause palestinienne. Paradoxalement, l'alliance des États-Unis avec Israël renforce la main des premiers dans le monde arabe dans la mesure où ils sont les seuls à bénéficier de la confiance des deux parties et à être écoutés des deux côtés.

Cependant, en 1988, cette alliance n'avait pas encore atteint le niveau qui est le sien en 2019. Chez les républicains, ce qui peut paraître paradoxal aujourd'hui, les intérêts pétroliers et un réalisme géopolitique pouvaient conduire à des tensions avec Israël. Ce fut le cas quand Reagan, à l'extrême fin de son mandat, accepta d'ouvrir un canal public de relations avec l'OLP. C'était sans doute agréé avec son successeur George H. Bush, qui échappait ainsi à l'impopularité de la décision. Ce fut sous George

H. Bush, à la conférence de Madrid de 1991, que les États-Unis exercèrent une pression maximale et d'ailleurs vaine sur Israël, en gelant certains transferts financiers américains à l'État juif. Ni Bush aux États-Unis ni Shamir en Israël ne remportèrent les élections qui suivirent ; il devint un fait acquis que le premier avait été battu, en 1992, en partie parce qu'il s'était dressé contre Israël. Il fut le dernier à le faire. Depuis lors, l'alliance n'a cessé de se renforcer.

Je fis la connaissance d'une équipe de jeunes diplomates qui devaient rester à la manœuvre sur ce dossier pendant les deux décennies qui ont suivi, quelle que soit l'administration : Dennis Ross, qui était alors au Conseil national de sécurité puis au Policy Planning Staff du département d'État, Dan Kurtzer, sous-secrétaire d'État adjoint au processus de paix au département d'État, Martin Indyk, fondateur d'un think-tank pro-israélien, le Washington Institute for Middle East Policy, et Aaron David Miller, chercheur au Policy Planning Staff du département d'État. Rarement une si petite équipe a joué un tel rôle, durant une si longue période, sur un dossier de cette importance ; on la retrouve plus ou moins dans toutes les administrations depuis les années 1990 jusqu'à l'élection de Trump. Elle s'est fractionnée. Ses membres sont aujourd'hui chercheurs ou enseignants : Dennis Ross, qui en a été longtemps la tête, est finalement tombé franchement du côté israélien pendant que ses associés sont, au contraire, devenus critiques d'Israël. Je les retrouvai donc toujours présents sur ce dossier : quand je fus ambassadeur à Tel-Aviv, Dan Kurtzer était mon homologue américain ; il avait succédé à ce poste à Martin Indyk.

L'approche de cette équipe était fondée sur la conviction que jamais Israël ne céderait aux pressions et qu'il fallait donc le rassurer et obtenir sa confiance pour l'amener aux concessions nécessaires. Leur démarche était de préférer les petits pas aux percées audacieuses pour construire progressivement une confiance qui n'existait pas entre les parties. Force est de reconnaître, trente ans plus tard, qu'après des succès initiaux, ils ont échoué. Nous sommes plus éloignés que jamais d'un accord. Non seulement ils n'ont pas voulu voir que les Israéliens s'accommodaient fort bien d'un statu quo qui leur était favorable, mais ils ont perdu toute prétention à l'impartialité au profit du plus fort à force de prétendre prendre en compte ses préoccupations. La méthode même des petits pas les a placés dans les mains des extrémistes des deux camps, qui pouvaient, à chaque étape de ce processus, bouleverser leurs plans, ajouter de nouvelles exigences ou affirmer que les conditions posées n'étaient pas remplies pour passer à l'étape suivante, ce qui les condamnait à recommencer leurs efforts en permanence. Ils étaient les éternels mécaniciens d'une voiture qui ne s'interrogent pas sur sa destination. La négociation n'était plus qu'une suite de micronégociations sur des sujets secondaires qui accaparaient leur énergie et leur temps, ce qui faisait l'affaire d'Israël. Les mémoires de Dennis Ross l'illustrent sur plus de huit cents pages qui ne nous épargnent aucun détail mais où ne s'ouvre aucune perspective et où on n'aperçoit aucun horizon.

Je retiendrai le sommet de Camp David de juillet 2000 comme exemple des dérives de cette méthode, qui ont eu raison du processus lui-même. Il n'y avait d'autre raison à la tenue de ce sommet que la demande du Premier ministre israélien, qui avait commis l'erreur de croire à la possibilité d'un accord de paix avec la Syrie et s'y était embourbé, en privilégiant cette négociation aux dépens de celle avec les Palestiniens. Rien n'en était sorti et Ehud Barak se retrouvait affaibli, lâché par les partis de sa coalition avec, comme perspective, la quasi-certitude d'une défaite électorale face à Ariel Sharon s'il ne décrochait pas un succès. Il fallait donc sauver le soldat Barak qui, en désespoir de cause, redécouvrait tardivement le problème palestinien. Or, Bill Clinton était lui-même en fin de mandat et ne pouvait donc apporter aucune garantie que son successeur reprendrait à son compte ses engagements. Un Premier ministre israélien qui n'était plus soutenu que par 26 des 120 membres de la Knesset et un président américain qui faisait ses valises prétendaient donc régler un conflit vieux d'un demi-siècle. Le pari n'avait pas de sens ; Arafat n'accepta de s'y prêter qu'à contrecœur avec la promesse qu'on ne lui en imputerait pas l'échec. Le résultat fut un désastre dont les conséquences se firent sentir sur le long terme. L'opinion publique israélienne en sortit convaincue que son Premier ministre avait fait des concessions extraordinaires alors qu'aucun document définitif n'avait été présenté à Arafat qui, de toute façon, ne pouvait accepter de compromis sur Jérusalem sans l'accord du monde arabe. Apparemment, les Américains n'avaient préparé aucun scénario, que ce soit pour le sommet, où ils subirent les incartades de Barak et les louvoiements d'Arafat ou, à la fin, pour éviter l'impression d'un échec en rase campagne. Pour aider Barak dans les élections qui suivaient, les Américains ne tinrent pas leurs engagements : ils accusèrent Arafat d'être responsable de l'échec et accréditèrent le récit israélien, qui est désormais parole d'évangile pour beaucoup. La conclusion qui s'impose, c'est celle d'une rencontre tardive et improvisée où la partie américaine ne savait pas où elle voulait aller dans l'illusion qu'il suffisait de mettre les deux parties autour de la table pour parvenir à un accord.

En 1991, je considérais qu'après neuf années de ma carrière consacrées au Moyen-Orient, je devais passer à un autre sujet. Le Quai d'Orsay voulait faire de moi un chef adjoint du Protocole ; mon horreur de la logistique et des détails me conduisit à refuser. Je convainquis la directrice adjointe des affaires économiques de me recruter pour me plonger dans les affaires communautaires, dont je pensais apprécier la technicité et l'importance politique. Ce fut la seule erreur de ma carrière.

V

À la direction des Affaires européennes
(1991-1993)

En 1991, sous-directeur des Affaires communautaires internes, j'étais chargé de la mise en place du
marché unique. Je devais participer à l'élaboration
des positions françaises pour les négociations sur les
règles qui allaient permettre la libre circulation des
biens dans l'Union européenne (UE), ce qui pouvait
avoir des conséquences majeures pour notre industrie
en termes de nouveaux marchés à l'exportation et, à
l'importation, de nouveaux concurrents. Il s'agissait
de fixer les standards qui s'appliqueraient à tous les
produits dans tous les pays ou qui y seraient considérés comme équivalents. Fallait-il que les machines à
laver s'ouvrent par le devant, comme en Allemagne,
ou par le dessus, comme en France ? On imagine
les intérêts industriels en jeu ; on imagine moins les
heures passées par les diplomates à argumenter dans
l'une ou l'autre direction. Finalement, on accepta les
deux...

À Paris, tout se passait au secrétariat général pour les Affaires européennes, où se rencontraient et parfois s'affrontaient les administrations françaises pour élaborer la position que nous adopterions dans la négociation bruxelloise. L'arbitrage revenait en cas de désaccord persistant au cabinet du Premier ministre, à moins que l'attention du président de la République n'ait été attirée sur un sujet particulier.

Le sujet me déconcertait dans la mesure où ma fonction semblait se réduire à la mise en œuvre juridique des traités de ce qui était à l'époque les Communautés européennes (CEE, CECA et Euratom). En effet, dispositions, procédures et précédents prenaient une telle importance et étaient d'une telle complexité que la réalité politique du sujet que nous traitions disparaissait souvent derrière des pages d'argumentation et de contre-argumentation où le droit faisait oublier le fait. Rares étaient ceux qui réussissaient à la fois à dominer ce juridisme et à le mettre au service de nos intérêts. Par ailleurs, retranché derrière les traités, le Quai d'Orsay s'érigeait en gardien de l'orthodoxie européenne avec un zèle que je trouvais parfois un peu naïf. Fallait-il vraiment accepter la mise en concurrence pour la fourniture d'électricité ? Était-il raisonnable de bannir la chasse à la palombe ? J'étais favorable à la construction européenne, mais je n'oubliais pas nos intérêts qui, dans le contexte du marché intérieur, étaient souvent substantiels. Heureusement, la position de la France sur ces sujets n'était pas principalement définie par le ministère des Affaires étrangères, mais l'était beaucoup plus par les administrations techniques qui défendaient l'industrie française. C'était d'ailleurs une raison supplémentaire pour moi de regretter d'avoir choisi cette voie qui me réduisait à un rôle de mouche du coche européenne dans l'appareil d'État. J'appris beaucoup et forgeai quelques convictions pendant ces dix-huit mois où j'empruntais souvent le train de 6 h 43 pour Bruxelles, faisant l'expérience des petits hôtels sans charme que nous permettaient nos maigres indemnités. Ce poste me valut un honneur rare, à mon niveau hiérarchique : l'appel du ministre, Roland Dumas, qui me donnait instruction de m'opposer à l'ouverture de la profession de commissaire-priseur à la concurrence européenne. J'appris inopinément, quelques années plus tard, qu'un de ses meilleurs amis était un des principaux commissaires-priseurs de la place de Paris…

Toujours est-il que je voulais fuir cette secte de vrais croyants. Des collègues m'introduisirent, en 1992, dans l'équipe de préparation d'Alain Juppé qui aspirait à être le futur ministre des Affaires étrangères après les élections de l'année suivante. Je découvris ses qualités intellectuelles mais devinai que je n'étais pas assez « RPR » pour être assuré d'un recrutement à son cabinet. Je rencontrai par hasard, dans la rue, un ami à qui je fis part de mes doutes. Il me présenta à l'équipe de François Léotard qui, quelques semaines plus tard, ministre de la Défense, me recruta, au sein de son cabinet, comme conseiller diplomatique.

VI

Au cabinet du ministre de la Défense (1993-1995)

Un diplomate n'est pas seulement un rédacteur de télégrammes et un analyste, c'est aussi un fonctionnaire avec ses ambitions. L'une d'entre elles est d'être recruté dans un cabinet ministériel. Les convictions politiques peuvent jouer un rôle déterminant lorsque le vainqueur des élections apparaît, soit par son programme, soit par son style, en rupture franche avec son prédécesseur. Ce fut le cas en 1981, et dans une certaine mesure en 1995, après l'élection de Jacques Chirac, plus aux dépens des balladuriens que des socialistes, tant les haines de famille sont les meilleures. En 2007, la personnalité de Nicolas Sarkozy annonçait un tel moment, mais l'ouverture à quelques ministres issus de la gauche devait en atténuer les effets. Cela étant, il n'est pas rare de voir de jeunes ambitieux qui, à la veille d'une élection, se disent candidats à un poste de cabinet quel que soit le vainqueur. Ce n'est pas aussi scandaleux qu'il ne paraît lorsque l'alternance se fait entre centre gauche et centre droit. Les solutions qu'un cabinet devra élaborer seront certes différentes selon l'orientation du gouvernement. Mais elles s'inscriront dans le même cadre général. Aux Affaires étrangères, c'est encore plus vrai qu'ailleurs dans la mesure où y règne un consensus hérité du gaullisme. Du côté des raisons moins nobles d'aspirer à un poste dans un cabinet ministériel figure l'espoir d'une accélération de carrière. Autrefois, au ministère des Affaires étrangères, on « sortait » du cabinet avec une nomination en tant que conseiller dans une ambassade prestigieuse, comme Washington ou New York ; désormais, c'est ambassadeur que les jeunes diplomates veulent être. De légère, l'accélération de carrière devient vertigineuse ; de justifiée aux yeux des collègues, la récompense, scandaleuse.

C'est dans la relation personnelle qu'il établit avec le ministre que le conseiller de cabinet pose les jalons de sa future carrière. Or, un ministre des Affaires étrangères voyage souvent dans un petit avion officiel, ce qui est l'occasion pour les membres de la délégation, qu'ils appartiennent au cabinet ou à la hiérarchie du ministère, d'approcher le ministre et éventuellement d'engager une conversation avec lui sur le fond des affaires ou même sur tout autre sujet si le temps le permet. Tous les ministres ne sont pas aussi chaleureux : Dominique de Villepin transformait rapidement l'habitacle en une vaste conversation où chacun avait la parole ; il est vrai qu'il connaissait plus ou moins tout le monde dans cette maison qui était la sienne et où il se trouvait à l'aise. Laurent Fabius ne disait mot et lisait en silence; Michel Barnier travaillait ses dossiers avec application; Philippe Douste-Blazy commentait *Paris Match*.

Un ministre des Affaires étrangères peut prétendre définir une politique étrangère sur la base de ses propres analyses et de son dialogue régulier avec le président de la République, en se reposant sur son cabinet pour lui fournir directement les éléments techniques dont il a besoin. Cela donne un ministre «hors sol», loin de son administration, toujours entre les médias et les voyages, qui ne connaît pas sa maison et s'en désintéresse. C'est le règne du directeur de cabinet qui devient l'interface entre le ministre et l'ensemble de la Maison. Les exemples n'ont pas manqué, de Roland Dumas à Bernard Kouchner, même si les deux hommes l'ont incarné de manière différente: le premier concevait la diplomatie comme un dialogue entre quelques élus qui se comprendraient à demi-mot, loin des feux de la rampe, sur la base d'un réalisme résolument amoral; il n'aurait pas été dépaysé au XIXe siècle entre Talleyrand et Metternich, encore que celui-ci avait des principes. Ministre de 1984 à 1986 et de 1988 à 1993, Roland Dumas dissimulait sa profonde indifférence envers ses collaborateurs par une politesse exquise, ce qui n'est pas rien dans un monde politique français où ce n'est pas la qualité la plus répandue. Bernard Kouchner ne pouvait supporter qu'un collaborateur prétende lui présenter un dossier: il était allé partout, ce qui était assez exact; il avait traversé toutes les crises, ce qui l'était tout autant. Il en déduisait qu'il n'avait pas besoin des technocrates, qu'il ne consultait ni n'écoutait.

Au-delà même des calculs d'ambition, entrer dans un cabinet, c'est également faire l'expérience de l'exercice effectif du pouvoir. C'est comprendre le poids des contraintes politiques dans le processus de décision ; faire la différence entre le souhaitable technique et le possible politique ; découvrir l'interaction entre les élus et l'administration, chaque partie ayant ses impératifs, son langage et sa logique ; enfin, se dégager de la gangue administrative de sa formation et de son expérience pour intégrer les éléments politiques dans toute proposition de décision. Lorsque je suis entré au cabinet du ministre de la Défense François Léotard, en 1993, j'ai mis quelques semaines à comprendre qu'un ministre n'était pas un directeur d'administration centrale censé respecter les habitudes et les précédents comme je le lui conseillais, mais que son rôle était, au contraire, d'innover s'il le jugeait nécessaire pour mettre en œuvre la politique pour laquelle il avait été élu et nommé.

Les deux années que je passais au cabinet du ministre de la Défense furent passionnantes. Passionnantes, parce que le ministère de la Défense était au cœur de la problématique de la cohabitation entre le président de la République, chef des armées, et le gouvernement, et aussi parce que ce ministère est une magnifique administration dont je dus apprendre les codes et le fonctionnement, et enfin parce que les armées françaises étaient alors engagées sur de nombreux théâtres, notamment en Bosnie.

Les relations entre ministères de la Défense et des Affaires étrangères

Le conseiller diplomatique au cabinet du ministre de la Défense est l'interface entre celui-ci et son collègue des Affaires étrangères, ce qui n'est pas toujours simple pour un diplomate dont la carrière dépendra de sa maison d'origine. Le Quai d'Orsay a tendance à réduire la Défense au rôle de pourvoyeur de moyens militaires à une politique dont il serait le seul juge. Rue Saint-Dominique, on ne l'entend pas de cette oreille pour d'excellentes raisons, dont la nécessité de prendre en compte les réalités que recouvre le recours aux forces armées, qu'ignorent parfois les diplomates. J'y retrouvais Dominique de Villepin qui, en tant que directeur de cabinet d'Alain Juppé, était souvent mon interlocuteur dans des échanges qui n'étaient pas toujours faciles. Je devais parfois écarter le téléphone de l'oreille pour atténuer le volume sonore de ses appels, mais notre amitié n'en fut pas affectée, comme il devait le prouver lorsqu'il serait ministre.

Le ministère des Affaires étrangères a tendance à voir dans l'envoi d'un bataillon « un signal politique », ce qui fait bondir l'état-major qui, avec raison, demande qu'il ait des objectifs militaires clairs et réalistes. Non seulement le coût financier d'un tel déploiement est lourd pour le budget de la Défense, mais les risques doivent en être soigneusement estimés. Une fois sur place, nos soldats deviennent des cibles potentielles. Les modalités de leur déploiement, les règles d'engagement et leur armement doivent permettre de les protéger. Leur mission doit avoir un sens militaire, c'est-à-dire pouvoir être remplie avec les moyens dont ils disposent. Elle doit avoir un terme qui soit défini par un calendrier ou un état final recherché.

En 1993, en Bosnie, le nouveau gouvernement hérita d'une situation qui était l'inverse de ces conditions de bon sens. La France participait au sol à une force d'interposition des Nations unies (la Force de protection des Nations unies – FORPRONU) dont les soldats étaient légèrement armés alors que s'affrontaient, autour d'eux, des ennemis déterminés. Lors d'une visite que je fis avec le ministre à Sarajevo, à la patinoire où était cantonné le 21e RIMA, son colonel nous fit remarquer qu'un coup de mortier sur le bâtiment où ils étaient ferait un carnage, réalité qui conduisait à ne pas trop exiger des Serbes, qui en avaient les moyens. Cette situation malsaine donnait lieu à un affrontement feutré entre autorités civiles qui appelaient à la fermeté face aux entreprises serbes autour de Sarajevo et le commandement militaire qui considérait que c'était suicidaire et «obéissait mollement» au nom de la sécurité de nos soldats. J'appris donc la contradiction qui peut exister entre la vision politique du déploiement de nos forces sur un théâtre et la réalité militaire qu'elle engendre. On ne fait pas de dentelle diplomatique avec un marteau militaire, et l'ignorance de cette réalité conduit, en général, à la paralysie du second, ce qui met nos soldats dans des situations dangereuses et humiliantes. Lorsque, représentant permanent aux Nations unies, j'eus l'occasion de présenter des résolutions créant des forces de maintien de la paix sur des théâtres difficiles, comme le Mali en 2013 ou la République centrafricaine en 2014, j'ai nourri de forts doutes sur la pertinence d'y envoyer des contingents dont je savais qu'ils n'auraient ni les moyens ni même la volonté de remplir le mandat ambitieux que je faisais adopter par le Conseil de sécurité. Je ne surmontai d'ailleurs les objections de mes collègues qu'en promettant, dans les deux cas, le soutien des forces françaises si les choses tournaient mal.

Mais le cabinet du ministre de la Défense, ce ne fut pas pour moi seulement la crise bosniaque, mais aussi le déploiement de nos forces au Cambodge pour la mise en œuvre de l'accord de paix et la tragédie rwandaise. Je me rendis au Cambodge où je visitais Angkor Vat derrière un colonel de la Légion qui nous fit escalader les temples au pas de course ; je n'étais hélas pas marathonien comme mon ministre. J'inspectai avec le ministre le cantonnement d'un régiment de la Légion avec réserve de préservatifs sur une table au bout du couloir ; il est vrai qu'en face de la caserne s'était installé un autre contingent, lui féminin. J'y rencontrai Norodom Sihanouk qui, fidèle à son image, nous offrit du champagne après le petit déjeuner avant de nous expliquer le monde de sa voix perçante. J'y vis surtout l'exemple d'un processus politique qui, conduit par la France, avait permis de mettre fin à un conflit interminable qui avait débouché sur un génocide.

C'est sur le rôle de la France au Rwanda que je voudrais revenir. Dès sa prise de fonctions, au printemps 1993, le nouveau gouvernement fit connaître son vœu de retirer le contingent que François Mitterrand avait fait déployer, en 1990, dans ce pays. La mission de celui-ci était d'aider le gouvernement de Kigali à repousser l'offensive à partir de l'Ouganda du FPR (Front patriotique rwandais) qui représentait la minorité tutsie, victime de massacres au moment de l'indépendance du pays. À peine arrivé rue Saint-Dominique, je recevais le sous-secrétaire à la Défense américain, Walter Slocombe, que je surpris en soulevant cette question qui ne figurait visiblement pas dans son dossier. Je lui faisais connaître notre souhait d'un désengagement de nos forces. L'Élysée ne l'entendait pas de cette oreille. Mitterrand avait promis son soutien au président Habyarimana et refusait d'y mettre fin. Son chef d'état-major particulier, le général Quesnot, que Jacques Chirac devait, paraît-il, appeler « casque à boulons », nous assénait une géopolitique de comptoir où se mêlaient peur d'une « poussée anglophone en Afrique » et théorie des dominos, un recul au Rwanda affaiblissant la crédibilité de notre garantie militaire ailleurs. Lorsque je lui demandai quels étaient les intérêts de la France au Rwanda, il me regarda visiblement ahuri qu'on ose poser ce genre de question. De mon côté, je découvrais la réalité de notre participation aux combats derrière le paravent de l'expression « soutien à l'armée rwandaise » : un jeune capitaine m'expliqua qu'il pointait le mortier et que le Rwandais appuyait sur le bouton. Nous étions, de surcroît, la caution de fait d'un régime autoritaire. Je n'en étais que plus convaincu que nous devions nous retirer le plus rapidement possible. La cohabitation imposait de parvenir à un compromis, et nous le fîmes en obtenant la signature des accords d'Arusha, en août 1993, entre Kigali et le mouvement rebelle, et l'envoi par les Nations unies d'une force de maintien de la paix, la MINUAR, pour en suivre la mise en œuvre. Au printemps 1994, les forces françaises avaient quitté le Rwanda. Le gouvernement avait atteint son objectif de retrait de nos forces, tout en donnant satisfaction à l'Élysée par le biais d'un processus politique qui recevait l'assentiment du président Habyarimana.

L'assassinat de celui-ci, le 6 avril 1994, devait sonner le glas de cette politique. Tout l'édifice que nous avions patiemment construit s'effondrait avec la mort de son principal acteur. La mort d'une dizaine de Casques bleus belges conduisit au départ de la force des Nations unies, décidé le 21. Les assassinats de Hutus modérés et de Tutsis se multiplièrent à travers le pays jusqu'à prendre la forme de massacres systématiques. C'était un génocide, comme le reconnurent la France, le 15 mai, et les Nations unies, le 31 mai, dans un rapport qui souligna l'impuissance de la communauté internationale, en partie parce que les États-Unis s'opposaient à l'envoi d'une force de maintien de la paix.

Commença alors un débat au sein des autorités

françaises sur une intervention nationale pour mettre un terme aux tueries et protéger les populations civiles. Alain Juppé y était favorable pour des raisons humanitaires, l'état-major farouchement opposé. Le ministre de la Défense prit le parti du second, et je rédigeai à sa signature une lettre au Premier ministre qui reprenait les arguments de nos militaires. Elle exprimait la crainte qu'une force française n'apparaisse comme ennemie aux yeux du FPR à cause du soutien que nous avions apporté au gouvernement de Kigali. Un incident pourrait conduire à des affrontements armés. Le risque était d'en faire trop et de devenir partie au conflit, ou pas assez et d'être accusé de n'avoir pas mis un terme au génocide. Par ailleurs, ce qui n'était pas dit dans la lettre, c'était le coût et la difficulté d'une opération qui consistait à projeter 2 500 hommes à six mille kilomètres de nos frontières dans un laps de temps limité. Le Premier ministre, toujours économe de nos forces, penchait du côté de Léotard, mais Mitterrand, chef des armées, soutint Juppé et arbitra pour une intervention, moyennant un certain nombre de conditions : un mandat des Nations unies, l'internationalisation de la force avec notamment la mobilisation de nos partenaires africains et la création d'une zone humanitaire précisément délimitée destinée à éviter un affrontement avec le FPR. Les représentants de ce mouvement à Paris en furent informés et réagirent de manière négative : ils ne voulaient pas de notre intervention. Ce fut la force Turquoise, autorisée, le 22 juin 1994, par la résolution 929 du Conseil de sécurité. Les premiers éléments des forces spéciales étaient sur place dans les jours qui suivirent, mais il fallut plusieurs semaines avant que l'ensemble de la force soit opérationnelle.

Des réunions quotidiennes dans le bureau du ministre et hebdomadaires dans celui du secrétaire général du ministère des Affaires étrangères avaient pour objet de suivre le déploiement de la force, examiner les informations qui remontaient du terrain et envoyer des instructions à son commandant. Le seul objectif de Turquoise resta, du début jusqu'à la fin, humanitaire, avec des chefs militaires anxieux de limiter au maximum sa mission de peur de la voir impliquée dans le conflit. En caricaturant, ils voulaient en faire le moins possible.

Turquoise n'atteignit ses pleins effectifs que mi-juillet, à un moment où le génocide avait déjà été perpétré, où l'armée rwandaise (les FAR) refluait en désordre devant l'offensive du FPR et où les autorités rwandaises fuyaient le pays, suivies par des centaines de milliers de réfugiés pour la plupart hutus. Lorsque Édouard Balladur et François Léotard se rendirent sur place, le 29 juin, ils purent constater le chaos qui régnait dans la région alors qu'une épidémie de choléra faisait des milliers de victimes que les scouts congolais devaient enterrer hâtivement dans de la chaux vive.

Que faire des dirigeants rwandais en fuite qui se réfugiaient dans la zone tenue par les Français et dont on pouvait soupçonner qu'ils avaient encouragé voire organisé le génocide ? Que faire de Radio Mille Collines, qui avait appelé aux massacres et qui émettait de

Gisenyi, à la frontière zaïroise ? Les débats furent vifs à Paris, mais la ligne qui l'emporta fut de tout faire pour éviter de devenir partie au conflit. L'argument juridique des autorités militaires était d'ailleurs incontestable : Turquoise agissait sur la base du mandat des Nations unies et, à ce titre, ne disposait pas du pouvoir d'arrêter quiconque ou de fermer une radio ; les Américains, qui avaient, un instant, pensé à brouiller Radio Mille Collines, y renoncèrent pour la même raison. En ce qui concerne les supposés génocidaires, nul ne pouvait, par ailleurs, déterminer les responsabilités des uns et des autres ; il aurait fallu arrêter tous les Rwandais de passage dans la zone française puisqu'on savait que le génocide « des machettes » avait été commis par des centaines voire des milliers d'assassins.

Rétrospectivement, cet épisode ne peut laisser qu'un goût amer. Les accusations envers l'armée française n'ont cessé, depuis celle d'avoir eu pour objectif l'exfiltration des autorités génocidaires jusqu'à celle d'avoir participé aux massacres. François Léotard avait raison de ne pas vouloir d'une opération dont l'action humanitaire ne pouvait être que limitée, étant donné le délai nécessaire au déploiement d'une force qui arriverait après les événements mais n'en serait pas moins accusée soit d'impuissance, soit même de complicité avec les assassins. Je peux témoigner qu'à aucun moment, Turquoise n'a eu d'autre mission qu'humanitaire ; que les autorités militaires, loin de vouloir protéger le gouvernement rwandais, ont tout fait pour limiter le rôle de nos forces de peur d'un embrasement. Leur légalisme sourcilleux en témoigne.

Que les officiers sur le terrain aient considéré le FPR comme un ennemi était l'héritage malheureux de notre présence aux côtés de l'armée rwandaise depuis 1990, que certains aient pu aller plus loin que leurs instructions pour protéger leurs anciens alliés est possible, mais ne correspondait en rien à la politique de leur pays et n'a pu représenter que quelques cas. L'état-major était sans doute le plus lucide dans ses réticences, en arguant qu'il était paradoxal d'envoyer comme force d'interposition une armée qui était identifiée comme un belligérant par une partie et un allié par l'autre. Ce que Turquoise a paru confirmer puisqu'au moment de son arrivée, il s'agissait de protéger les réfugiés qui alors étaient hutus. La France est donc restée marquée par cette image d'allié du gouvernement de Kigali, qui était devenu coupable d'un génocide ; une association dont il est impossible de se dégager tant l'horreur que celui-ci induit interdit toute nuance dans l'analyse.

Une autre leçon de cette tragédie réside dans l'expérience de la gestion quotidienne d'une crise. À force de traiter une multitude d'informations toujours partielles, souvent contradictoires, et de prendre des microdécisions, on ne faisait plus de la politique mais du droit, de la logistique, de la communication, quitte à se quereller sur des détails, d'autant qu'en l'occurrence l'opération était techniquement complexe et délicate. Nous aurions dû comprendre que la qualification de génocide apportait avec elle une dimension politique et morale qui bouleversait les cadres habituels de l'analyse et de la décision. Que ce soit légal ou pas, nous aurions dû nous efforcer d'arrêter les principaux dirigeants rwandais et de fermer la radio Mille Collines. Nous n'avons pas été à la hauteur des circonstances ; aucun pays ne l'a été. Nous aurions surtout dû ne pas nous fourvoyer dans cette opération, où de bonnes intentions ne nous ont apporté qu'une tache sur notre honneur que, j'en suis convaincu, nous ne méritons pas.

Je devais retrouver la question rwandaise au Conseil de sécurité lorsque ce pays y entra pour les années 2013 et 2014. Le contexte était délicat. En effet, le Rwanda jouait un rôle trouble dans les provinces du Kivu, dans l'est de la République démocratique du Congo : il y soutenait des groupes rebelles et en pillait les ressources minérales sous le prétexte de la présence supposée de groupes de « génocidaires ». Par ailleurs, 2014 devait correspondre au vingtième anniversaire du génocide, ce qui faisait craindre que Kigali n'en profite pour nous mettre en cause à New York. Je fis de mon mieux pour établir des relations amicales avec leur représentant permanent Eugène Gasana qui, quoique parfaitement francophone, avait pour instructions de ne s'exprimer qu'en anglais. Je ne dirais pas que la confiance régnait, mais j'évitai le pire et les cérémonies se passèrent, au moins à New York, sans accroc à nos dépens. État autoritaire qui assassine ses opposants à l'étranger, qui se vante de ses rues propres et du nombre de ses femmes députées comme on disait, sous Mussolini, que les trains arrivaient à l'heure, le Rwanda joue pleinement de la mémoire du génocide pour décourager les critiques

86

de l'Occident. Il a moins de succès avec ses voisins, que ce soit la RDC naturellement mais aussi l'Angola, l'Afrique du Sud ou la Tanzanie, qui demandaient au Conseil de faire échec à ses entreprises dans les Kivus. Le Rwanda est devenu la Prusse de la région des Grands Lacs, tout aussi efficace, tout aussi autoritaire et tout aussi militariste.

Les relations entre civils et militaires

J'avais passé deux années au ministère de la Défense. Pierre Joxe, qui avait précédé François Léotard, y avait laissé une forte marque par les réformes qu'il avait introduites mais aussi par son caractère volcanique. À un journaliste qui lui demandait ce qu'il pensait des militaires, il aurait répondu qu'ils étaient «bavards, désobéissants et menteurs», ce qui avait obligé son cabinet à étouffer l'affaire. C'est, du moins, le bruit qui courait à notre arrivée rue Saint-Dominique.

«Bavards», j'ai pu le constater au nombre de fuites dans la presse que nous eûmes à déplorer. Convoqué à Matignon pour une réunion confidentielle sur un contrat d'armement, j'en avais informé la direction générale de l'Armement pour la préparation du dossier. Je fus accueilli au cabinet du Premier ministre par une bordée d'injures parce que la presse avait déjà été alertée et que cette «fuite» ne pouvait provenir que de notre ministère. D'ailleurs, Claude Angeli tient, dans *Le Canard enchaîné*, une chronique hebdomadaire qui n'est, la plupart du temps, qu'un recueil d'informations en provenance du milieu militaire.

« Désobéissants et menteurs », les termes sont forts et injurieux, et je ne les reprends pas à mon compte, mais le fait est que les militaires font tout leur possible pour s'autoadministrer, en dehors de toute interférence civile. Le cabinet d'un ministre de l'Éducation nationale peut appeler un proviseur pour le tancer. Dans le cas d'un colonel, il faut passer par sa hiérarchie via le chef d'état-major de l'armée de terre, dont l'indulgence lui est acquise si la faute n'est pas militaire. Un colonel avait insulté les Nations unies dans la revue des anciens de Saint-Cyr, *Le Casoar*. Le ministre furieux avait demandé une sanction exemplaire. Je m'informai de celle-ci : une réprimande qui ne figurerait même pas à son dossier. La mise en œuvre des directives du ministre dépend, en effet, de la bonne volonté de l'état-major. Ainsi, François Léotard avait décidé de présenter aux jeunes conscrits un film sur le sida et les moyens de s'en prémunir ; il en confia la réalisation à Raymond Depardon et organisa son visionnage par les chefs d'état-major. C'était une suite d'entretiens avec de jeunes appelés, en noir et blanc, sans intervention extérieure, dans le langage parfois cru de la jeunesse. À un moment, l'un d'entre eux répondait à une question : « Oui, mais le pape, il n'a pas de petite amie. » Pas de quoi fouetter un chat, diriez-vous. Mais ce n'est pas ce que pense un chef d'état-major de la marine qui, une fois les lumières rallumées, s'insurgea contre les insultes faites au « Saint-Père ». Ses collègues étaient silencieux. Le ministre ordonna la diffusion du film. Je sus qu'il ne l'a jamais été. Un mois plus tard, le magazine des armées, *TAM, Terre Air Mer*, publiait un article pour dire que la seule manière de se protéger du sida était… l'abstinence. C'était là la réponse des armées à leur ministre : le texte avait été approuvé par le chef d'état-major de la marine, me dit-on plus tard. Des anecdotes, peut-on m'objecter. Mais, outre que j'en ai un assez long répertoire, elles reflètent la même volonté et la même capacité à abriter les armées de ce que les militaires considèrent comme les foucades du pouvoir civil. Un domaine où ils sont passés maîtres dans l'art de se gouverner eux-mêmes est la gestion des nominations aux plus hauts postes. Certes, elles font l'objet d'une procédure qui semble donner le dernier mot au pouvoir civil, qui prend sa décision sur la base d'une liste de propositions, mais, neuf fois sur dix, celle-ci est rédigée de telle sorte que le choix s'impose de lui-même au ministre ou au président de la République. Ils n'ont de vrai choix que lorsque l'institution est divisée et n'a pas pu trancher en amont.

Les relations entre civils et militaires revêtent donc l'apparence d'une soumission, à coups de marques de respect ostensible, de garde-à-vous et de prises d'armes. Elles relèvent, en réalité, d'une stratégie non de désobéissance mais d'évitement. « Moins les civils s'occupent des affaires militaires, mieux c'est » résume la vision qu'a l'état-major des relations entre civils et militaires. C'est sans doute ce qui justifiait la formule de Pierre Joxe, aussi abrupte que la personnalité qui l'aurait prononcée. Cela étant, les torts sont partagés, à force de déployer nos forces armées dans des conditions problématiques, de ne pas leur fournir les armements nécessaires et de ne pas leur assigner une mission qui ait un sens militaire. Dans ce face-à-face, François Léotard se trouvait de surcroît dans une position d'autant plus déséquilibrée que la cohabitation offrait un champ illimité de manœuvre au chef d'état-major, l'amiral Lanxade, qui pouvait, en permanence, jouer le président contre le gouvernement et vice versa. En bon marin, il « tirait des bords ». N'aimait-il pas une instruction de l'un qu'il faisait appel auprès de l'autre avec assez d'habileté pour ne pas porter la responsabilité du désaccord. Il était passé maître dans l'art d'obtenir ce qu'il voulait en le demandant au dernier moment, sur le pas de la porte, comme si ce n'était qu'un détail, ou en prenant à part le Premier ministre ou le président en marge d'une cérémonie où ils étaient seuls. Ensuite, il pouvait faire valoir une prétendue décision auprès du conseiller qui n'était pas là et en était réduit à essayer de savoir ce qui s'était réellement passé. C'était sur la Bosnie qu'il était à son meilleur pour éviter que le gouvernement ne parvienne à modifier la posture de nos unités sur place pour la rendre plus énergique face aux Serbes. À coups de demi-vérités, en jouant sur les sentiments favorables à la Serbie de Mitterrand et la prudence naturelle de Balladur, il atteignit son objectif jusqu'à l'arrivée au pouvoir de Chirac, qui vit rapidement dans son jeu, passa outre et engagea, avec succès, l'épreuve de force contre les Serbes quelques semaines après son élection.

L'élection présidentielle de 1995 approchait. Léotard s'était engagé derrière Balladur dont il me dit, un jour, découragé, qu'il aurait été un excellent candidat de scrutin censitaire. J'avais assisté à des réunions d'arbitrage présidées par le Premier ministre. Je m'amusais de ses préciosités de manières et de langage, mais, chaque fois, j'avais constaté qu'il prenait des décisions courageuses et dictées par le sens de l'État. J'appréciais son bon sens et sa courtoisie. Mais sa défaite ne me surprit pas.

Je quittais la rue Saint-Dominique avec d'autant plus de regret que je ne savais pas ce que ce vainqueur chiraquien me réservait. Les « balladuriens » ne pouvaient attendre aucune indulgence. Je restai plusieurs mois sans poste. Les téléphones ne répondaient plus.

VII

Représentant permanent adjoint à l'Otan
(1995-2000)

Le hasard voulut que le poste de représentant permanent adjoint à l'Otan se libérât de manière inattendue à l'automne de 1995. Je posai ma candidature et on ne put me le refuser. J'avais abordé les questions dites politico-militaires au cabinet de la Défense ; j'avais l'ancienneté requise. Ce n'était ni un cadeau ni une indignité. Bruxelles serait mon Coblence... Je nourrissais l'illusion qu'une réconciliation entre bonapartistes-chiraquiens et orléanistes-balladuriens conduirait tôt ou tard François Léotard à rejoindre le gouvernement, ce qui me permettrait de revenir d'exil à sa suite. En fait, les élections de 1997 prolongèrent mon séjour à Bruxelles jusqu'en 2000.

L'Otan est une alliance défensive. Le Conseil de l'Atlantique Nord (ou Conseil Atlantique), où siègent les ambassadeurs représentant les États-membres de l'Alliance, est supposé être son organe de direction. Un secrétaire général en assure la gestion sous son autorité.

Au-dessous du Conseil, la chaîne de commandement militaire de l'Otan remonte jusqu'à SACEUR (Supreme Allied Commander in Europe), un général américain, commandant suprême des forces alliées, étant entendu que celles-ci sont mises à sa disposition par les États, sur une base volontaire et pour une opération donnée. En temps de paix, il n'a sous ses ordres qu'une structure multinationale de commandement sans forces, son état-major (SHAPE) étant à Mons.

SACEUR prépare des options militaires qui sont discutées entre militaires au Comité militaire puis soumises pour approbation au Conseil Atlantique. Tout État-membre a droit de veto, le Conseil fonctionnant à l'unanimité. Cela étant, le poids des États-Unis, qui représentent plus des deux tiers des moyens militaires de l'Otan (dans le cas de l'opération au Kosovo, en 1999, près de 90 % des avions engagés), déséquilibre ce dialogue. Les petits pays se taisent. Le Royaume-Uni préfère faire jouer son influence en coulisses et dans les couloirs du Pentagone. Il revient donc souvent à la France de faire entendre sa voix au Conseil pour exercer un contrôle politique sur la conduite des opérations de l'Alliance. Dans ce contexte, il est difficile à l'Otan de croire en l'indépendance stratégique de l'Europe, à voir nos partenaires européens soutenir, en toute circonstance, les Américains. À cet égard, lorsque j'y étais, l'épisode le plus douloureux était celui où la présidence du moment de l'Union européenne présentait devant les alliés les résultats du dernier sommet européen. Entendre le Néerlandais ou tout autre expliquer qu'il ne fallait pas prendre au sérieux tout ce qui, à l'Union européenne, pouvait apparaître à un maître sourcilleux comme une preuve d'indépendance nous donnait la nausée. Lorsque Gérard Errera, le représentant permanent auprès duquel j'avais servi trois ans, fit, en 1998, son discours d'adieu avant de devenir directeur général des affaires politiques et de sécurité au Quai d'Orsay, je lui fis insérer la phrase : « À l'Otan, l'Europe n'est qu'une expression géographique. » Le logiciel même de l'organisation était et reste aujourd'hui américain.

Ce poste fut pour moi l'occasion de la rencontre d'un grand patron, Gérard Errera, avec lequel j'établis une complicité intellectuelle qui ne devait jamais se démentir et a résisté au temps. Stratège, il distinguait l'essentiel de l'accessoire. Tacticien, il savait lâcher sur un point pour gagner la bataille. Volontiers ironique, voire sarcastique en privé, il ne se payait pas de mots ; il refusait la langue de bois. Mon irrévérence l'amusait ; notre bon sens et notre respect des faits nous rapprochaient pour bousculer les préjugés du Quai d'Orsay. Il avait le talent de naviguer entre les bureaucraties pour faire passer ses idées sans en avoir l'air et pour désobéir en donnant l'impression d'obéir. Il m'a beaucoup appris, aussi bien face à notre propre maison que dans la négociation avec nos « alliés », puisque j'ai dû, de 1995 à 2000, négocier une quinzaine de communiqués de l'Alliance, sans compter un nouveau « concept stratégique », c'est-à-dire une doctrine stratégique de l'Otan dans le nouvel environnement que constituait la fin de la guerre froide. Cette dernière négociation me permit de vérifier le gouffre culturel qui parfois nous sépare des Américains et d'apprendre à contrôler mon sens de l'humour. Il était minuit. Nous avions argumenté pendant des heures sur la nécessité ou pas de marquer que les opérations de l'Otan se placeraient dans le cadre défini par la Charte des Nations unies. L'enjeu était de limiter le recours à la force aux deux cas prévus par la Charte : la légitime défense et une autorisation expresse du Conseil de sécurité. C'est ce que la France demandait ; c'était ce que les États-Unis refusaient. À un moment, mon collègue m'apostropha et me demanda ce que nous ferions dans le cas où nos intérêts conduisaient au recours à la force en dehors de ces deux cas. Je répondis que nous interviendrions néanmoins s'il le fallait. Comme il ne comprenait pas, j'eus la mauvaise idée de lui expliquer que c'était comme dans un mariage, fondé sur le principe de la fidélité qu'il fallait réaffirmer même si la réalité pouvait être autre. Je compris à son air ahuri, à l'air embarrassé de l'Allemand, au sourire du Britannique et au rire de l'Italien que mon argument n'était sans doute pas le bon. L'affaire fut finalement résolue directement entre Clinton et Chirac par une formule dont le génie était d'être incompréhensible.

Des talents de négociateur étaient nécessaires dans la mesure où la délégation française devait mettre en œuvre des instructions, envoyées de Paris, qui étaient souvent inapplicables ou irréalistes dans le milieu otanien. La France, toujours gaulliste, au moins dans ce domaine, entendait limiter strictement les activités de l'Otan au domaine militaire, privilégier l'Union européenne comme enceinte politique et défendre l'indépendance de ses forces armées. Nos alliés, y compris européens, ne l'entendaient pas de cette oreille. Le défi pour la délégation française était de sortir de cet isolement sans trahir les instructions de Paris, exercice de funambulisme diplomatique qui exigeait de l'imagination et de la créativité.

Nous livrions ces batailles dans des bureaux d'une laideur telle qu'elle en devenait symbolique. Il est vrai qu'expulsée de Paris en 1967, l'Alliance avait dû rapidement trouver refuge, dans la banlieue de Bruxelles, dans ce que certains affirmaient être des bâtiments prévus pour un hôpital psychiatrique. En 1997, l'Otan décidait enfin de se doter d'un nouveau siège. Il se trouvait que je représentais la France au Conseil qui devait prendre la décision. Soudain, je remarquai que le secrétaire général proposait que le financement des travaux soit assuré sur la base des clés de répartition du budget général. Or celles-ci, jamais corrigées depuis les années 1950, nous auraient fait, par exemple, contribuer trois fois plus que l'Italie. Je n'avais aucune instruction ; Paris aurait sans doute accepté cette proposition, mais je levai la main et m'opposai au consensus. Qu'on imagine un modeste numéro deux bloquant une décision ! Un scandale, du jamais-vu. L'Italien citait, en français, Richelieu («il ne faut pas regarder à la dépense») ; le secrétaire général essayait de me bousculer. Je tins bon. Averti, l'ambassadeur me soutint et, après des semaines de calcul, où mon passé de polytechnicien me fut utile, j'arrachai un résultat qui, rétrospectivement a rapporté plus de 100 millions d'euros à la France. Cela étant, le siège, qui devait être inauguré en 2004, le fut en 2017… Et le budget avait évidemment explosé.

La crise du Kosovo

La crise du Kosovo éclata, en août 1998, au moment où j'assurais l'intérim de l'ambassadeur en vacances. Elle couvait depuis longtemps : la région, après avoir été le cœur du royaume de Serbie au Moyen Âge, avait progressivement acquis une forte majorité albanaise ; elle avait reçu de Tito, en 1974, un statut de large autonomie qui lui avait été retiré, en 1989, par Milošević qui, de surcroît, avait conduit une politique de « serbisation » politique et culturelle aux dépens des Albanais. Ce qui devait arriver arriva : la résistance de ceux-ci, d'abord pacifique, devint armée ; la répression s'intensifia ; la guerre civile menaçait. Les ministres des Affaires étrangères français et allemand, Védrine et Kinkel, se rendirent en vain sur place pour appeler à la raison. À partir de l'été 1998, il n'était plus possible d'ignorer un conflit qui s'accompagnait de campagnes de nettoyage ethnique contre les Albanais. Des négociations s'engagèrent à Rambouillet, en février 1999, sous l'égide de la France, de l'Allemagne, de l'Italie, des États-Unis, de la Russie et du Royaume-Uni et échouèrent sur le refus serbe d'un déploiement d'une force de l'Otan dans le territoire. C'est alors qu'intervint l'Otan, qui décida de frappes limitées sur la Serbie, le 22 mars 1999. La conviction régnait à Bruxelles que Milošević céderait rapidement à la force, comme il l'avait déjà fait au printemps 1995 en Bosnie-Herzégovine. Il suffirait de quelques coups de semonce et le président serbe serait alors en mesure de dire à ses « durs » qu'il n'avait d'autre choix que l'acceptation du plan de Rambouillet. L'Otan n'était en rien préparée à une campagne longue, que certains alliés n'auraient d'ailleurs pas acceptée. Les bombardements symboliques prévus pour trois ou quatre jours devinrent une opération aérienne de grande ampleur du fait de la résistance serbe. L'opération « Force alliée » dura 78 jours jusqu'au 9 juin.

Tentative sous Chirac de rejoindre la structure militaire

Le moment le plus intense de ce long séjour fut la tentative de la France de rejoindre la structure militaire de l'Otan en 1995-1997. La France en était sortie en 1966-1967 pour marquer son indépendance stratégique, alors que le risque existait d'un conflit majeur entre l'Est et l'Ouest en Europe. La France continuait de conduire ses manœuvres militaires sous les traits d'un « pays azur » rejoignant une « coalition bleue » attaquée par une « coalition rouge » – à l'évidence, la France rejoignant l'Otan attaquée par le pacte de Varsovie. Je l'avais constaté pendant mon service militaire où, avec mon régiment d'artillerie, j'avais rejoint pour un exercice le bout de frontière entre Allemagne et Tchécoslovaquie, qui était, par avance, attribué à la France en cas de conflit. Il y avait loin du discours d'indépendance à la réalité de l'alliance. En ce qui concernait la marine et surtout l'armée de l'air, bien peu avait d'ailleurs changé pour d'évidentes raisons techniques. « Braconnier de la guerre froide », la France avait le « beurre et l'argent du beurre », une marge de manœuvre politique et la protection de l'Alliance, c'est-à-dire des États-Unis.

Or la disparition de la menace soviétique et du bloc de Varsovie rendait caduque cette politique. En effet, non seulement l'appartenance à la structure militaire ne risquait plus de déboucher sur la participation à une guerre mondiale, mais, à partir de 1992, l'Otan contribuait à la stabilisation de notre continent en menant des opérations militaires dans les Balkans sous mandat des Nations unies, qui furent d'ailleurs les premières qu'elle ait jamais conduites. Or, du fait de son statut, la France, tout en fournissant des moyens militaires substantiels, était exclue de la chaîne de commandement ; nos soldats n'étaient que des supplétifs. Mitterrand, qui ne voulait pas revenir sur les décisions du général de Gaulle, nous imposa, de 1992 à 1995, des exercices acrobatiques pour avoir un accès minimal à la planification et à la direction des opérations. Nous devions insérer nos officiers dans les états-majors de l'Alliance mais en conservant notre spécificité. Je me souviens encore des schémas de chaîne de commandement, pas toujours honnêtes, que lui soumettait la hiérarchie militaire pour lui prouver que cet équilibre était respecté. Y être sans y être tout en y étant : c'était à la limite du ridicule et d'une totale hypocrisie. Chirac et Juppé décidèrent d'en tirer les conséquences de manière pragmatique, en annonçant à l'automne 1995 la volonté de la France de réintégrer l'organisation militaire avec comme condition l'« européanisation » de celle-ci, dans ses structures et dans ses relations avec l'Union de l'Europe occidentale (UEO), qui était alors l'organisation militaire européenne, largement en sommeil.

La première étape fut franchie en juin 1996, lorsque nous obtînmes que l'Alliance mette à la disposition de l'UEO certains de ses moyens pour conduire ses propres opérations européennes. Il s'agissait d'abord de parvenir à un accord dans le cadre de ce qu'on appelle le Quad (États-Unis, France, Allemagne et Royaume-Uni) puis ensuite de convaincre les autres alliés de s'y rallier. Le plus difficile fut la Turquie, qui voulait utiliser cette négociation pour faire pression sur les Européens, qui, par ailleurs, faisaient traîner sa candidature à l'Union européenne. Si elle acceptait les demandes des Européens à l'Otan, elle voulait obtenir une contrepartie à l'Union européenne. Chaque pays a son style de négociation, mais la Turquie est un des pires que je connaisse : vos efforts n'obtiennent que la répétition imperturbable des mêmes positions ; vous avez besoin de patience, de beaucoup de patience, avant de parvenir à avancer de quelques centimètres vers la solution. Le chemin fut long ; les dernières nuits épuisantes, mais le succès était au rendez-vous. Le retour dans la structure militaire se précisait.

Tout devait déraper de manière inattendue à l'été 1996. La condition suivante que nous posions à notre retour était une autre répartition entre nations des grands commandements qui étaient à l'époque : SACEUR – Supreme Allied Commander in Europe – toujours américain, deputy-SACEUR son adjoint britannique, et, sous eux, CENTCOM (Commandant en Europe centrale), allemand, à Brunsum et SOUTHCOM (commandant en Europe du Sud), américain, à Naples. Premier malentendu, nous parlions « d'européaniser » la structure militaire, et tous nos partenaires y voyaient notre volonté d'obtenir des commandements pour des Français, ce qui n'était pas faux. Deuxième risque, rien ne mobilise autant les états-majors (et sans doute toute structure) que la défense des postes ; troisième obstacle, le juste calcul de ce qui était et n'était pas possible. Aucune erreur ne fut évitée.

Les Français firent la première en demandant le commandement sud de l'Alliance, SOUTHCOM, à Naples. Erreur parce que c'était humilier l'Italie, qui avait accepté de se contenter du poste d'adjoint sur son propre sol, adjoint d'un Américain peut-être, mais d'un Français, certainement pas ; erreur surtout parce que dépendait de ce commandement la VIe flotte et qu'il n'était pas difficile de prévoir que Washington ne pourrait envisager de la faire passer sous un commandement étranger. Ni l'ambassadeur ni moi n'avions été consultés sur cette proposition irréaliste, fruit de l'imagination d'un chef d'état-major qui n'était pas un brillant stratège. Une lettre de Chirac à Clinton officialisait nos prétentions. À Washington, le refus fut cinglant.

Mais la palme de l'erreur passa alors des Français

aux Américains, parce que ceux-ci, au lieu de régler discrètement ce désaccord, le rendirent public (en transmettant la lettre aux Italiens…) dans l'apparente conviction que nous n'avions pas d'autre choix que de capituler. La presse prit le relais pour dénoncer notre outrecuidance, notre volonté de mettre la main sur la VIe flotte, alors que Chirac avait précisé qu'il faudrait trouver des arrangements spécifiques pour celle-ci. Ce fut pour moi une leçon de la docilité de la presse américaine aux objurgations patriotiques de l'administration de voir un journaliste, Thomas Friedman, titrer : « Jacques, you won't have our ships », alors que je lui avais personnellement expliqué que ce n'était en rien notre demande. Je devais la vérifier au moment de la guerre en Irak. Plusieurs mois furent ainsi perdus jusqu'à ce qu'enfin les Américains comprennent qu'ils étaient en train de nous rendre politiquement impossible le retour dans la structure militaire et qu'ils décident, au début de 1997, d'ouvrir une négociation entre les chefs d'état-major pour le partage du commandement sud entre Européens et Américains. La confiance était entamée ; les pourparlers progressaient donc lentement ; Chirac hésitait, mais la victoire de la gauche aux élections législatives au printemps 1997 condamna cette initiative à l'échec. Le nouveau gouvernement décida d'y mettre immédiatement un terme.

La réunion ministérielle de l'Otan du printemps 1997 se tint à Sintra, au Portugal, entre les deux tours de nos élections. Aucun ministre français n'était donc présent, et notre représentation était assurée par

103

l'ambassadeur. En lisant les résultats du premier tour, nous savions qu'ils signifiaient que tous les efforts que nous avions menés, au cours des dix-huit derniers mois, l'avaient été en vain. Le seul commentaire de Gérard Errera fut une de ses citations préférées, de *Tintin* naturellement : « Vive le général Alcazar, vive le général Tapioca. » Nous allions devoir promouvoir à l'Otan une politique inverse de celle que nous venions de défendre. C'est ce que nous fîmes avec le même zèle et la même loyauté. Nos nouvelles autorités découvraient, à leur tour, que nos forces étaient dans les Balkans sous le commandement de l'Otan et que se posait donc la question de notre absence de la chaîne de commandement. Elles durent apprendre à composer avec leurs principes pour y être associées. Nous fûmes obligés d'en revenir à nos exercices de funambulisme pour avoir notre mot à dire dans des opérations auxquelles nous apportions souvent une contribution essentielle. Ainsi, au moment de la crise du Kosovo, notre représentant militaire auprès du Commandant suprême de l'Otan, à Mons, devait se rendre, chaque soir, dans la résidence privée de celui-ci pour noter, à la main, les cibles du lendemain avant de les transmettre à Paris pour aval par le président de la République. Ce n'était pas très sérieux, d'autant que nous obtenions ainsi un droit de veto mais non de proposition puisque nous restions en marge de la planification, alors que nous étions le second contributeur aux opérations aériennes (loin, très loin des Américains).

La question de la participation de la France à la structure militaire de l'Alliance revint sur la table, dix ans plus tard, après l'élection de Nicolas Sarkozy à la présidence de la République. Celui-ci avait annoncé, lors de sa campagne, sa volonté de prendre cette décision. J'étais alors directeur politique, fonction la plus élevée du ministère dans le secteur politique, ce qui devait me conduire à diriger, sous instructions du ministre, les efforts de la diplomatie française pour un retour dans la structure militaire aux meilleures conditions pour notre pays. Bon connaisseur de l'Otan, je manquais d'enthousiasme à cette perspective. Le retour dans l'organisation militaire ne portait en rien atteinte à notre indépendance stratégique – toutes les décisions se prenant à l'unanimité à l'Otan –, mais il ne nous donnait pas réellement voix au chapitre dans une structure intrinsèquement dominée par les États-Unis. Domination d'autant plus indiscutable que tous nos alliés tenaient à ce qu'elle soit indiscutée : les pays de l'Est ne voyaient dans l'alliance que la garantie américaine ; les Britanniques nourrissaient l'illusion d'être « les Grecs des nouveaux Romains » ; les Allemands refusaient toute démarche qui pouvait conduire à une augmentation de leur budget militaire. Les autres alliés jugeaient une tutelle américaine plus utile et moins humiliante qu'une direction européenne, qu'elle soit britannique, allemande ou française. Tout ce monde se satisfaisait donc de l'hégémonie américaine, qui semblait un prix peu élevé à payer pour une assurance de sécurité dont l'histoire avait fait comprendre l'utilité. Du côté américain, on considérait non sans raison que l'allié dont les dépenses militaires représentaient les deux tiers de l'ensemble avait des droits légitimes à avoir le dernier mot. Rejoindre ce club était donc une dépense en moyens financiers et humains qui ne me paraissait pas indispensable.

La négociation fut monopolisée par la cellule diplomatique de l'Élysée, et le Quai d'Orsay en fut exclu. Le résultat fut à la mesure de l'ignorance de ceux qui la conduisirent puisqu'en termes de haut commandement, la France obtint SACT, le commandement dit de la Transformation, à Norfolk, un commandement non opérationnel dont le seul avantage était d'offrir un poste à un officier général cinq étoiles. L'anecdote veut que l'enjeu ait été d'y exfiltrer un général de l'armée de l'air pour permettre à un amiral de devenir chef d'état-major des armées. Calomnie sans doute, mais je me demande encore quelle autre explication donner à ce piteux résultat alors que nos partenaires, que j'avais consultés, n'avaient pas émis d'objection à la notion d'une rotation des grands commandements opérationnels détenus par les Européens, entre Allemands, Britanniques et Français. Fidèles à eux-mêmes, les Français préférèrent l'apparence à la substance. Gageons que les Britanniques n'auraient pas agi ainsi. C'est d'ailleurs une constante de notre pays que d'ambitionner, dans les organisations multinationales, les postes de haute visibilité sans se préoccuper de leur importance réelle dans le processus de décision.

Il en est ainsi quel que soit le président, quelle que soit l'occasion, quelle que soit l'organisation, au grand désespoir du Quai d'Orsay, qui sait que cette politique du panache ou de la vanité ne sert pas les intérêts de notre pays. Ainsi avons-nous revendiqué et obtenu, en 2011, la direction générale du Service européen d'action extérieure à Bruxelles (SEAE), ce qui nous a exclus des postes de directeurs très influents dans une structure aussi déconcentrée que la Commission. Le Britannique directeur d'Afrique du service diplomatique de l'Union européenne a pu ainsi orienter le gros du financement européen vers la Somalie parce que c'était une priorité de son pays, aux dépens de la crise malienne.

Défense européenne

En parallèle, la France tente de développer les capacités de l'Union européenne dans le domaine de la défense et de la sécurité. Jusque dans les années 1990, c'était quasiment impossible dans la mesure où nos alliés y voyaient une manière de substituer l'Union européenne à l'Otan. En effet, notre situation en dehors de la structure militaire de la seconde et nos relations, disons, compliquées, avec les États-Unis nous faisaient apparaître comme nourrissant de sombres desseins au détriment du lien transatlantique. Les pays européens membres des deux organisations refusaient donc de s'y prêter, encore plus lorsque nous ont rejoints nos partenaires de l'Est, attachés à la garantie américaine, jugée seule capable de les protéger d'un retour de la Russie. L'histoire justifie leurs craintes. Il est normal que la Pologne n'oublie pas quatre partages (1772, 1791, 1795 et 1939), deux siècles d'oppression russe et soviétique et l'horreur nazie. C'est d'ailleurs sans doute la seule raison qui me fait penser que notre retour dans la structure militaire de l'Alliance n'est pas tout à fait du temps perdu. En prenant notre pleine place dans l'Otan et en y assumant le rôle d'un allié solide, ce que nous sommes aujourd'hui en contribuant à la présence militaire alliée dans les pays baltes et en Pologne, nous rassurons tous ceux qui voient en nous des trouble-fête de la relation euro-américaine.

La première percée dans l'acquisition de capacités militaires par les Européens, en 1996, passa d'ailleurs par la notion que s'ils avaient besoin de moyens de commandement, ils recourraient soit aux états-majors nationaux soit à ceux de l'Otan, ce qui était une manière d'annoncer que l'UE ne créerait pas une structure parallèle et donc potentiellement concurrente. Le rapprochement avec le Royaume-Uni, garant d'orthodoxie otanienne, suivit les accords de Saint-Malo en 1998. Dès ma prise de fonctions comme directeur des Affaires stratégiques en juillet 2000, j'eus la tâche, dans le cadre de notre présidence de l'UE, au cours du second semestre de cette année-là, de faire adopter par nos partenaires les arrangements qui dotaient l'UE des moyens institutionnels pour traiter des questions de sécurité et conduire des opérations. La sous-directrice responsable du dossier était une certaine Salomé Zourabichvili. J'avais déjà rencontré Salomé à Washington, où elle était en poste avec moi. Certes sa beauté était éclatante, avec ses cheveux aile de corbeau, son profil de médaille et ses yeux d'un bleu profond, mais c'était son intelligence, son courage et sa détermination qui m'avaient impressionné. Dans un monde dominé par les hommes, elle devait se battre pour voir reconnaître ses compétences et ils ne lui ont pas toujours pardonné cette prétention. En France, sa carrière s'en est ressentie. Elle est aujourd'hui présidente de la Géorgie.

Nos propositions passèrent comme une lettre à la poste, succès que peu relevèrent mais qui était une rupture historique. L'UE, qui avait pour elle la légitimité politique et la puissance budgétaire, avait désormais les instruments institutionnels pour développer une stratégie globale de sécurité intégrant tous les éléments, depuis l'aide au développement jusqu'à l'intervention militaire. Avouons que les Français espéraient que le géant que nous créions ainsi prenne progressivement le pas sur l'Otan. Nous avancions masqués. Notre analyse était simple : avec l'effondrement du bloc soviétique, l'Otan, qui était désormais une alliance sans ennemi, avait perdu son ciment, c'est-à-dire une menace unificatrice ; elle était donc condamnée à lentement se déliter. Il suffisait d'être patient.

La crise balkanique puis l'Afghanistan devaient déjouer ces calculs en fournissant une raison d'être à la perpétuation de la coopération militaire entre Américains et Européens. Puis vint Poutine, véritable « bénédiction » pour les otaniens d'Europe et des États-Unis. Son discours agressif, les provocations incessantes de l'aviation russe dans le ciel balte, l'activité renouvelée des sous-marins russes dans la mer du Nord, l'occupation et l'annexion de la Crimée ainsi que le soutien actif aux séparatistes ukrainiens furent autant de justifications non seulement au maintien de l'Alliance, mais à la réactivation de ses mécanismes de défense collective. On en vint même au moment où Finlande et Suède se posèrent la question d'une entrée dans l'Otan pour assurer leur sécurité. De leur côté, les alliés décidèrent de déployer, sous forme de rotation, des unités multinationales de taille réduite (un bataillon) dans les pays baltes afin de marquer leur détermination à remplir leurs obligations pour leur défense. Dépité, je constatai que Poutine avait donné un nouveau bail à l'Otan…

Du côté de l'UE, la réalité ne fut pas non plus au rendez-vous de nos attentes. Certes, nous savions que les membres de l'UE qui étaient aussi à l'Otan veilleraient à s'opposer à tout ce qui pourrait apparaître comme une concurrence, mais nous n'avions pas prévu l'échec que représenterait la création d'un service diplomatique européen, le Service européen d'action extérieure, dont nous espérions qu'il créerait une culture diplomatique européenne. L'Allemagne et ses voisins regardent vers l'est, nous avec les Méditerranéens vers le sud et, avec le Royaume-Uni, vers le vaste monde, ce qui est naturel et pourrait se révéler une force. Il n'en est rien. Ces visions se neutralisent plus qu'elles ne s'ajoutent, mais le pire n'est pas là. En réalité, bon nombre de partenaires, surtout en Europe du Nord, donnent l'impression qu'ils sont sortis de l'histoire, dont ils renient la cruauté. Pour eux, la politique étrangère, c'est l'appel au dialogue et la distribution de l'aide au développement. Ils ne voient aucune raison d'en faire plus et considèrent en particulier avec méfiance les aventures françaises en Afrique. Au sein même de l'UE, le rôle de fédérateur des instruments de politique extérieure, que nous avions confié au haut représentant, fait vice-président de la Commission, ne fut jamais qu'un leurre. Les autres commissaires, poussés par leur bureaucratie, résistèrent victorieusement. Les ayatollahs de l'aide réussirent, en particulier, à imposer l'idée que celle-ci ne pouvait pas être utilisée comme un instrument actif de politique étrangère, alors que l'UE distribue 60 % de l'aide au développement dans le monde. Pas question de « punir » un pays hostile à l'Union ! C'est ainsi que, lorsque l'UE, après le traité de Lisbonne, demanda un modeste changement dans ses prérogatives en tant qu'observateur au sein des Nations unies, ce furent des pays qui bénéficiaient d'une aide massive de l'Union euopéenne qui furent les plus véhéments pour le refuser. Et ils l'emportèrent à nos dépens. Pour corser le tout, le choix des hauts représentants successifs fut uniformément décevant. J'ai coutume de dire que nos dirigeants sont des Européens « croyants mais pas pratiquants », Européens dans leurs déclarations mais bien peu lorsqu'il s'agit de choisir des commissaires qui pourraient devenir des concurrents. Ils préfèrent alors, en général, d'honnêtes médiocrités qui ne leur feront pas d'ombre.

L'UE n'a lancé que des opérations militaires modestes, dans leur taille et dans leur mission. En général, sa politique extérieure se résume à des communiqués qui méritent tous la palme du politiquement correct mais rarement celle de l'efficacité. Il est vrai également que les 28 membres de l'UE ont souvent des vues divergentes sur les problèmes de ce monde et que le haut représentant est obligé d'en tenir compte, ce qui le condamne perpétuellement au plus grand dénominateur commun – qui est petit. Le conflit israélo-palestinien en est un exemple éclairant : lorsque j'étais ambassadeur à Tel-Aviv, un gouffre séparait, dans les réunions des ambassadeurs de l'UE, par exemple, le Chypriote et l'Espagnol, d'un côté, du Hongrois ou du Tchèque, de l'autre ; les premiers sensibles à la cause palestinienne et les seconds alignés sur les positions du Likoud. Aucune politique commune européenne n'était concevable. L'UE n'a joué de rôle central que sur les sujets où soit il y avait un consensus européen – par exemple dans les Balkans –, soit un directoire de membres s'est saisi de la négociation avec l'accord des autres – par exemple, sur l'Iran.

Dans mes fonctions successives, j'ai constaté, à l'arrivée d'un nouveau président – sauf Nicolas Sarkozy – ou d'un nouveau ministre, qu'une de ses premières demandes était toujours des propositions pour « relancer la défense européenne ». Mais quelle que soit sa créativité, du concept stratégique européen à la mutualisation de certains moyens, la diplomatie française s'est toujours heurtée à l'indifférence voire à l'hostilité de nos partenaires, en particulier du côté de leurs forces armées, invariablement attachées à la prééminence de l'Otan. Leurs autorités politiques pouvaient accepter les propositions françaises, les autorités militaires traînaient les pieds pour en réduire les répercussions pratiques.

Emmanuel Macron, qui avait fait campagne sur la base d'un programme résolument européen, ne pouvait manquer de suivre l'exemple de ses prédécesseurs et de proposer une relance de la défense européenne. Certes, il évoqua la notion d'une « armée européenne », expression reprise par la chancelière Angela Merkel, mais le bon sens conduit à conclure qu'il s'agissait là d'un objectif de nature politique ; qu'une « armée européenne » ne serait pas une armée au sens national du terme, mais une mutualisation des moyens des pays européens. Il n'y aurait pas de bataillon « européen », mais des bataillons français préparés à opérer avec des bataillons d'autres pays européens.

Crise de l'Otan sous Trump

Tout au long de la campagne électorale, Donald Trump avait critiqué les alliances dont les États-Unis étaient membres parce qu'elles permettaient, à ses yeux, à des pays prospères de bénéficier gratuitement de la coûteuse protection militaire américaine. Le candidat affirmait ne pas voir l'intérêt d'un tel marché : les États-Unis protégeaient et payaient ; les alliés en profitaient. Élu, il ne renonça en rien à cette vision purement transactionnelle des alliances, en particulier à l'Otan, où il put s'appuyer sur l'engagement qu'avaient pris ses membres de porter leurs dépenses de défense à 2 % de leur PNB, ce que la plupart n'avaient pas fait. Ce chiffre de 2 % fut donc son cheval de bataille dès le premier sommet de l'alliance auquel il participa, en mai 2017. Le procès fait aux Européens de ne pas contribuer assez à la défense commune est aussi vieux que l'Alliance. Pas un président américain qui, à un moment ou à un autre, n'ait repris cette antienne. L'expression de « partage du fardeau » (« *burden sharing* ») a d'ailleurs été inventée, dans les années 1970, pour décrire ce débat. Mais ce qui différencie Trump de ses prédécesseurs, c'est non seulement la brutalité prosaïque de sa rhétorique mais surtout la menace explicite que, dans ce contexte, les États-Unis pourraient ne pas honorer leurs engagements envers leurs alliés si la situation ne s'améliorait pas. Trump ne rate aucune occasion de manifester le peu de cas qu'il fait des alliances et des alliés.

On imagine la stupeur et l'inquiétude des alliés, en particulier de ceux qui, à l'est de l'Europe, ont de légitimes raisons de s'alarmer de la politique russe. Une garantie de sécurité repose sur la crédibilité de celui qui la donne. Que ferait Trump en cas d'incident aux frontières de l'Estonie ? La réponse va d'autant moins d'elle-même que le président réserve toutes ses amabilités à son homologue russe, au point de s'étonner de son absence à une réunion du G7, où celui-ci n'est plus invité depuis l'annexion de la Crimée.

Face à ces développements inattendus, la technostructure américaine, civile et militaire, tente de nier l'évidence et réaffirme haut et fort la pleine participation des États-Unis à la défense de l'Europe, dans une nouvelle manifestation de la schizophrénie qui caractérise cette administration. On en rajoute dans l'exaltation de l'Otan au moment même où le président dit ou laisse entendre l'inverse. C'est dans ce contexte qu'ont été reçues les propositions françaises sur la défense européenne. Apparemment, elles ne pouvaient arriver à meilleur moment puisqu'elles prouvent que les Européens, sensibles aux préoccupations du président américain, prennent en main leur sécurité de telle sorte qu'ils ne se précipiteront pas à Washington à la première crise. L'Alliance deviendrait progressivement un partenariat conforme aux intérêts des deux parties. En réalité, les propositions françaises furent accueillies à Washington comme une manœuvre pour profiter de l'occasion offerte par Trump pour affaiblir voire remplacer une alliance en crise. Les milieux otaniens – c'est-à-dire tous les responsables et tous les experts –, pris de panique par la remise en cause de leurs certitudes par ce président hétérodoxe, ne pensent qu'à préserver, à tout prix, le statu quo dans l'espoir qu'après le ou les mandats de Trump, l'Otan sortira intacte de l'orage. C'est dans les moments de doute qu'on brûle les mal-pensants pour servir de leçon aux autres. Washington s'est donc déchaîné contre la France dans des termes qu'on n'avait pas connus depuis des décennies avec des arguments qu'on n'avait pas entendus depuis au moins aussi longtemps. Une lettre du secrétaire à la Défense, Mattis, à la ministre française des Armées, Parly, en septembre 2018, transmise aux alliés, illustre par sa brutalité et la faiblesse de ses arguments ce raidissement d'une structure qui sent le leadership américain menacé. Soudain, les Américains rouvrent un dossier que nous pensions avoir réglé avec eux, notamment par le biais de notre retour dans la structure militaire de l'Alliance, celui de la compatibilité de la défense européenne avec le lien transatlantique, comme si ce n'était pas leur président qui était responsable de la crise que traverse l'Otan.

Cette crispation prouve, s'il en est besoin, que Trump a, une fois de plus, levé un lièvre en ouvrant un débat que le Tout-Washington voudrait refermer le plus rapidement possible, celui de l'engagement américain en Europe, qui est le fruit de la guerre froide, sur lequel on peut, en effet, s'interroger après l'effondrement du bloc soviétique, en l'absence de menace globale pour la sécurité du continent européen.

VIII

Irak, 2003

Depuis 2000, j'étais directeur des Affaires stratégiques, de sécurité du désarmement au ministère. À ce
titre, j'étais notamment chargé des dossiers de proliféf-
ration des armes de destruction massive.

En 2002, les États-Unis annoncèrent leur volonté
de régler le problème que posait la possession supposée d'armes de destruction massive par l'Irak.
Ce pays avait, en effet, expulsé, en 1998, les ins-
pecteurs des Nations unies qui s'assuraient qu'il
respectait ses engagements de renoncer à ce type
d'armements. Ayant effectué régulièrement des missions à Washington, je ne nourrissais aucun doute
sur la détermination américaine de mettre fin au
défi que représentait, depuis 1991, la survie politique de Saddam Hussein. À George Bush « père »,
adepte d'une politique de vigilance envers l'Irak,
avait déjà succédé Bill Clinton, prêt à favoriser un
renversement du régime de Bagdad (« Iraq Libera-
tion Act » d'octobre 1998). Entre-temps, il est vrai,

l'effondrement du bloc soviétique avait fait des États-Unis la seule superpuissance qui pouvait désormais se passer des accommodements du passé. L'hubris – la folie qui accompagne un sentiment de toute-puissance – ne devait pas épargner Washington. Il appartenait à George Bush «fils» d'y céder.

Dès l'été 2002, les directeurs du Quai d'Orsay concernés par le dossier (essentiellement ANMO, Nations unies et, en ce qui me concerne, les Affaires stratégiques) partageaient l'analyse que la décision américaine d'envahir l'Irak était prise. Il nous restait à décider de la position que nous adopterions dans cette hypothèse, ce qui revenait aux autorités politiques. À ce stade, nous pensions qu'à la fin, comme en 1991, nous rejoindrions les rangs des alliés. C'était ce que me confiait, en août 2002, le chef d'état-major de l'époque.

Cependant, au cours de l'automne 2002, les instructions que nous recevions de l'Élysée n'allaient pas dans ce sens. Tout prouvait que Jacques Chirac était déterminé à s'opposer à la politique américaine. La négociation de la résolution 1441 du Conseil de sécurité du 8 novembre 2002, qui instituait un régime de contrôle international des armements nucléaires, chimiques et biologiques en Irak, fut dominée par notre détermination à refuser que ce texte paraisse donner l'autorisation même implicite d'user de la force contre l'Irak s'il n'en remplissait pas les obligations. N'y figurait donc pas l'expression «*all necessary means*» qui, dans la résolution 678 de 1990, avait ouvert la voie aux opérations de la première guerre du Golfe. Nous voulions nous assurer que les États-Unis et leur supplétif britannique seraient obligés de repasser devant le Conseil en cas de non-application de la résolution par l'Irak. Je me rappelle cette période comme un moment de discussions intenses au Quai d'Orsay. Nous sentions tous la gravité du moment, l'irresponsabilité d'une invasion de l'Irak d'un point de vue géopolitique, juridique et humanitaire, mais nous étions aussi conscients des conséquences potentielles d'une crise de cette gravité avec les États-Unis. Dominique de Villepin laissait une grande liberté de ton autour de lui, nous écoutait et argumentait avec nous. Un groupe de directeurs penchait vers la résistance aux projets américains quel qu'en soit le coût ; une minorité penchait de l'autre bord. Mais ce que je retiens de ce débat, c'est le fait que nos autorités politiques continuaient à vouloir tout faire pour s'opposer à une opération américaine, que, pour notre part, nous jugions inéluctable. Le 6 janvier 2003, Villepin réunit, dans son bureau, les principaux directeurs du Quai d'Orsay pour leur demander des idées « pour arrêter la guerre », s'attirant de notre part, toutes tendances confondues, la réponse que c'était impossible, que la guerre, était décidée et que la question devait porter sur notre attitude lorsqu'elle serait déclenchée. Pour ma part, ma réponse fut : « Le train a quitté la gare, nous sommes sur les rails ; écartons-nous. »

Ces illusions devaient être levées quelques jours plus tard. En tant que président du Conseil de sécurité pour le mois de janvier, la France avait organisé une session au niveau ministériel consacrée à l'anti-terrorisme, ce qui était une manière de montrer aux États-Unis que nous tenions compte de leurs préoccupations. Dominique de Villepin avait persuadé son homologue américain, Colin Powell, d'y participer en lui promettant que l'Irak ne serait pas publiquement évoqué. Les deux hommes se rencontrèrent la veille, à New York, au Waldorf Astoria, où était la résidence du représentant permanent américain auprès des Nations unies. Les premiers rapports des inspections conduites sur la base de la résolution 1441, en Irak, indiquaient que celui-ci y coopérait «passivement». Villepin se lança donc dans une envolée, bien dans son style, pour conclure qu'on ne pouvait faire la guerre pour un adverbe (en l'occurrence «passivement») et qu'il fallait donc attendre. À peine eut-il fini son argumentation qu'après une minute de silence (c'est long une minute de silence) Colin Powell, d'une voix grave, lui répondit : «Dominique, ne sous-estime pas notre détermination», avant de se lever et de mettre un terme à la conversation. C'est à ce moment-là, le 19 janvier 2003, que Dominique de Villepin comprit que la guerre était inévitable. Au même moment ou presque, le conseiller diplomatique du président de la République, en mission à Washington, tirait de ses entretiens la même conclusion. Le 20 janvier eut lieu la séance du Conseil de sécurité, où Villepin tint parole et ne dit mot de l'Irak dans son discours. Cependant, dans la conférence de presse qui suivit, toutes les questions portèrent sur ce sujet. Sur un éventuel veto français à une nouvelle résolution autorisant le recours à la force contre l'Irak, le ministre, qui venait d'avoir le président de la République au téléphone, répondit que c'était en effet une hypothèse si on essayait d'aller au-delà de la résolution 1441. Tollé ; les Américains parlèrent d'embuscade en rappelant l'engagement de ne pas utiliser cette réunion pour relancer le débat sur l'Irak. Je vois mal, pour ma part, comment le ministre aurait pu éviter de prendre position après ce que Colin Powell venait de nous révéler.

Je me rendis, à deux reprises, à New York en avion gouvernemental avec Villepin durant cette crise. C'était l'occasion de participer au supplice que représentait l'écriture d'un discours pour celui-ci. Passons sur le fait qu'il l'avait commandé à deux ou trois victimes sous le sceau du secret, qu'il considérait toujours nul le premier projet, qu'il donnait alors le plan tel qu'il l'envisageait pour le rejeter lorsque le texte avait été remanié sur cette base. Des allers-retours sans fin entre le rédacteur et le ministre, des dossiers qui volent, des bouleversements de dernière minute, l'infinie mauvaise foi d'un ministre qui renie ses propres idées ; en un mot l'enfer, mais un enfer qui pouvait déboucher sur un grand discours comme le fut celui du 14 février 2003 devant le Conseil de sécurité, qui fut applaudi par la salle contre tous les usages. Dans l'avion, nous sentions que c'était, en effet, un beau texte ; nous savions également qu'à défaut d'un autre mot, le moment était historique. La France dirait non à une guerre illégale et dangereuse, et elle était prête à en payer le prix.

En tant que directeur chargé de la lutte contre la prolifération des armes de destruction massive, il m'appartenait de fournir au ministre les informations techniques sur un sujet qui était au cœur des justifications américaines d'une opération contre l'Irak, la possession supposée par ce pays d'armes de destruction massive. Ce n'était pas facile dans la mesure où nos services de renseignements ne disposaient guère d'informations qui ne soient pas d'origine américaine. C'est la conclusion que tira le secrétaire général de la Défense nationale, Jean-Claude Mallet, lorsqu'il en fit l'examen en comité restreint. Nous pouvions, en revanche, faire des propositions en matière d'inspections et procéder à une analyse en profondeur des rapports des Nations unies.

Mais c'est, de manière inattendue, par le biais de l'Otan que je fus plongé dans la crise en février 2003. En effet, le 10 février, la Turquie demanda que l'Alliance prenne des mesures préparatoires de nature défensive sur son territoire dans l'hypothèse où un conflit en Irak pourrait avoir des répercussions à ses dépens. Nous nous y opposions, avec l'Allemagne et la Belgique, au motif que c'était anticiper sur les décisions du Conseil de sécurité puisqu'à nos yeux, il ne pouvait y avoir de conflit sans décision de celui-ci. Les débats devinrent vite acrimonieux. Il me revenait d'envoyer ses instructions au représentant permanent de la France à l'Otan, Benoît d'Aboville. Des solutions techniques existaient pour sortir de cette impasse, mais Jacques Chirac voyait dans cette confrontation secondaire un moyen d'établir sa crédibilité autant face aux Américains que face aux Russes. En effet, les Britanniques continuaient de dire à Washington que, comme d'habitude, nous céderions au dernier moment, et les Russes ne voulaient pas se retrouver seuls face aux États-Unis. L'Élysée me fit donc savoir que nous devions tenir, quel qu'en soit le prix. C'est ce que je transmis au représentant permanent. Ce n'est pas tous les jours dans une carrière de diplomate qu'on dit au téléphone, en sachant qu'on est écouté : « Nous ne voulons pas de compromis ; nous ne bougerons pas », quand l'adversaire est l'hyperpuissance américaine avec ses moyens de rétorsion. Je me vois, dans mon bureau, ce dimanche 16 février 2003, regardant l'esplanade des Invalides tout en souriant intérieurement. C'était la première fois que j'étais plus « dur » que Benoît d'Aboville, qui était connu, dans notre maison, pour son gaullisme et sa fougue. L'Allemagne et la Belgique commençaient à s'inquiéter des conséquences de la crise. Bon prince, Chirac accepta que le sujet soit transféré au Comité des plans de défense, auquel la France ne participait pas depuis sa sortie de la structure militaire intégrée. La Turquie obtint là les assurances qu'elle avait demandées sans que la France ait à les approuver. Nous avions prouvé notre détermination, mais le directeur des Affaires stratégiques, qui avait essayé de faire disparaître le Comité en question puisque nous n'y étions pas, ne pouvait que regretter sa réanimation subite. Les Américains, de fait, ne manquèrent d'y recourir pour nous contourner dans les mois qui suivirent.

Le hasard voulut que je me trouve à Washington, en mission, le jour de la chute de Bagdad. Au directeur Europe du Conseil national de sécurité qui m'admonestait en ajoutant qu'il faudrait du temps pour que les Américains pardonnent à la France, je répondis qu'il en faudrait aussi pour que l'opinion publique mondiale pardonne aux États-Unis. Ambiance...

J'aurais, à l'époque, préféré que la France reste au bord de la route plutôt que de s'opposer frontalement à la folle entreprise américaine qu'il n'était évidemment pas question pour moi de cautionner. Rétrospectivement, j'avais tort. C'est à Jacques Chirac que revint l'honneur d'avoir fait un autre choix. Dominique de Villepin mit brillamment en œuvre cette politique. Pour le président, les raisons étaient multiples de résister aux pressions de Washington. Il avait une connaissance fine de la région mais aussi des équilibres intérieurs de l'Irak, qui lui faisaient craindre les conséquences d'une invasion de ce pays. Il jugeait aussi qu'on ne pouvait ainsi réhabiliter la notion de la guerre comme instrument de politique étrangère à la discrétion des grandes puissances. Il était, enfin, conscient du ressentiment que nourrissaient les masses du tiers-monde à l'égard de l'Occident. Il importait, à ce tournant de l'histoire, que la France soit fidèle à sa vocation de représenter une voix singulière au sein de la communauté internationale.

Nous en payâmes le prix. Les États-Unis ne reculaient devant aucune mesquinerie pour nous faire subir des avanies dans toutes les enceintes où ils pouvaient nous punir de notre attitude. La liste en est longue : ils s'opposaient, dans les organisations internationales, à toute nomination de Français ; ils expulsaient le représentant français auprès du système de gestion du système GPS, en Californie, en prétextant qu'il n'avait pas encore obtenu son visa ; ils n'invitaient pas le Français à une réunion de tous les chefs d'état-major des armées de l'air du monde ; enfin et surtout, ils laissaient entendre que la France avait envoyé des armes à Saddam Hussein en violation de l'embargo international, quitte à faire circuler de prétendues preuves. Ce n'est pas pour rien que Condoleezza Rice, conseillère nationale de sécurité et future secrétaire d'État, avait promis de « pardonner à la Russie, d'ignorer l'Allemagne et de punir la France ». Il fallut que l'ambassadeur à Washington de l'époque, Jean-David Levitte, proteste publiquement pour faire taire ces calomnies.

La France jouit alors, un bref moment, d'une incroyable popularité à travers le monde, en dehors des États-Unis, même dans les pays qui, comme le Royaume-Uni et l'Espagne, avaient suivi Bush. On m'abordait dans les rues en Italie, lorsqu'on m'entendait parler français, pour me féliciter. Nos ambassades recevaient des milliers de messages de remerciements. La France incarnait le Droit.

Mais ce moment fut bref. Tôt ou tard, les réalités de la puissance s'imposent. Il fallut, une fois Bagdad tombé, définir un cadre juridique pour l'Irak. Sauf à s'entêter dans une politique du pire, c'était, en échange d'une reconnaissance largement symbolique du rôle des Nations unies, y endosser un protectorat américain. L'assassinat, le 14 février 2004, de Rafic Hariri conduisit également à un rapprochement entre Paris et Washington pour le vote de la résolution 1559, le 2 septembre 2004, qui appelait au départ des troupes étrangères, c'est-à-dire syriennes, du Liban. Le passé était oublié et les deux présidents, français et américain, faisaient assaut d'amabilité. Chirac pouvait rencontrer Schröder et Poutine, mais ce format n'avait rien à offrir de concret pour l'avenir. Nos intérêts, comme ceux de l'Allemagne, restaient liés aux États-Unis. Le refus de la France de cautionner le bellicisme américain, pour justifié qu'il fût, n'eut pas de lendemain. Les rapports de force internationaux ne le permettaient pas.

Cette période est décrite dans l'excellente bande dessinée *Quai d'Orsay* de Lanzac et Blain, Lanzac étant le pseudonyme du rédacteur de discours du ministre, un jeune et talentueux normalien qui a parfaitement réussi à rendre l'atmosphère de notre maison autour de la tornade Villepin. Tout y est vrai, parfois en dessous de la vérité…

J'ai eu l'occasion de côtoyer, à plusieurs reprises, Dominique de Villepin, en tant que collègue à Washington et à la direction de cabinet d'Alain Juppé et lorsqu'il était ministre et Premier ministre. Le verbe haut, la rapière au vent, l'éclat de rire retentissant, il est hors normes dans ses passions, ses emportements et ses convictions. Il entre dans une salle et les portes claquent, les mots volent. En cela, la bande dessinée est fidèle à l'homme, mais elle l'est également parce qu'elle laisse deviner un Villepin moins connu, fidèle en amitié, sceptique, à l'écoute des autres et secret. Comme les Méditerranéens, il parle beaucoup pour ne pas parler de lui-même. Il s'abrite derrière les mots. Il est si ostensiblement toujours en représentation qu'on se demande parfois qui il est quand il tombe le masque. Mais qu'importe après tout ! Il restera long-temps de lui le discours du 14 février 2003 devant le Conseil de sécurité, où il a fait de la France la voix de la conscience du monde face à la folie américaine. Un tel moment justifie une vie.

IX

La crise nucléaire iranienne

Le hasard a voulu que mes fonctions, directeur des Affaires stratégiques, de sécurité et du désarmement au Quai d'Orsay (2000-2003), puis directeur général des Affaires politiques et de sécurité (sous l'appellation traditionnelle de directeur politique) (2006-2009), me conduisent à traiter longuement de la crise nucléaire iranienne sans que mon ambassade en Israël (2003-2006) et mon poste de représentant permanent auprès des Nations unies (2009-2014) m'en éloignent.

Le programme nucléaire iranien

En 2003, les circonstances étaient pour le moins particulières. D'un côté, une série de documents étaient rendus publics qui prouvaient que l'Iran développait un programme nucléaire clandestin de grande ampleur, en particulier dans le domaine de l'enrichissement de l'uranium. De l'autre, le refus de cautionner l'invasion de l'Irak opposait, de manière virulente, la France à ses alliés américain et britannique et la rapprochait de la Russie et de l'Allemagne. En d'autres termes, le dialogue habituel, qui nous aurait permis de comparer nos analyses du programme nucléaire iranien à celle des Américains et de parvenir à une conclusion commune, était impossible. Après la chute de Bagdad, au printemps 2003, les communications étaient, en effet, quasiment coupées entre Paris et Washington. Par ailleurs, l'administration Bush, où certains affirmaient qu'après l'Irak devait venir le tour de l'Iran, conceptualisait la notion d'« axe du mal », avec lequel aucune négociation n'était possible.

Rappelons tout d'abord que tout pays a droit à l'accès à l'énergie nucléaire civile, mais que celui-ci doit s'effectuer selon des règles définies par l'Agence internationale de l'énergie atomique, notamment en matière de déclarations et d'inspections. Or le programme iranien était clandestin, de telle sorte qu'on ne pouvait savoir s'il respectait ce cadre. D'autre part, l'essentiel de ce programme concernait l'enrichissement, activité qui n'est pas centrale dans un programme pacifique alors que tout programme militaire commence par là. En effet, produire de l'uranium enrichi pour un parc d'une ou deux centrales – de surcroît non construites – n'a aucun sens économique alors qu'on peut l'acquérir sur le marché international. C'est d'ailleurs ce que fait la Corée du Sud, avec 21 centrales. Tout laissait donc supposer que le programme iranien était de nature militaire, que ce soit par sa clandestinité ou par son orientation. Ce n'était évidemment pas l'avis de notre ambassadeur à Téhéran qui vint, dans mon bureau, m'expliquer toutes les raisons, y compris religieuses, qui interdisaient à l'Iran d'essayer de se doter de l'arme nucléaire, syndrome de Stockholm assez répandu chez les diplomates. Obligé ensuite de se rendre à l'évidence, il fut, après avoir pris sa retraite, l'avocat inlassable d'une politique indulgente envers l'Iran. Or, que l'Iran devînt une puissance nucléaire militaire revêtait une gravité particulière ; d'abord parce que ce serait une violation des engagements qu'il avait pris dans le cadre du Traité sur la non-prolifération des armes nucléaires (TNP) ; ensuite parce que ses voisins se sentiraient contraints de l'imiter pour assurer leur sécurité, ce qui signifierait la fin du système de non-prolifération, et enfin parce qu'il était prévisible qu'Israël n'accepterait pas sans réagir cette perspective et que nous courrions alors le risque d'une intervention militaire avec tous ses effets déstabilisants. De leur côté, les États-Unis refusaient tout dialogue avec l'Iran et se contentaient d'exiger l'arrêt inconditionnel du programme. Nous étions donc dans une impasse dont la prolongation était lourde de dangers.

L'initiative française

En tant que directeur des Affaires stratégiques, j'étais chargé de la politique de notre pays contre la prolifération d'armes de destruction massive. Il me revenait donc de proposer aux autorités françaises une politique pour réagir à la marche probable de l'Iran vers l'arme nucléaire. J'ai pensé que les circonstances offraient une fenêtre de tir pour une initiative française. L'objectif devait être non de priver l'Iran de toute technologie nucléaire, ce qui était politiquement et légalement impossible, mais d'encadrer et de contrôler ses programmes pour fournir toutes assurances qu'ils étaient de nature pacifique. La première étape passait par la suspension des activités d'enrichissement qui étaient les plus potentiellement dangereuses. Il était cependant clair pour moi, dès 2003, que toute négociation conduirait, en cas d'accord, au maintien d'une capacité limitée d'enrichissement en Iran, ne serait-ce que pour sauver la face du régime; le tout était d'en définir l'ampleur et les modalités et de convaincre les Américains, le moment venu, de se rallier à cette conception.

Mon analyse de la possibilité d'ouvrir une négociation se fondait sur le faisceau d'éléments suivants. Je sentais que l'Iran, qui voyait des forces américaines camper à ses frontières irakienne et afghane sous une administration qui avait prouvé sa disposition à utiliser la force, ne pouvait manquer d'être inquiet. Je savais qu'il était possible de constituer une coalition dans la mesure où aucun pays, à commencer par la Russie et la Chine, n'avait intérêt à voir s'effondrer le régime de non-prolifération. Les États-Unis, malgré leur apparente victoire en Irak, ne renouvelleraient pas une opération militaire de cette importance de gaieté de cœur. Leur préférence irait à une solution diplomatique. Seule une contrainte idéologique leur interdisait d'y participer. De leur côté, les Israéliens, avant que l'élection d'Ahmadimejad et ses déclarations incendiaires ne changent la donne en 2005, ne voyaient pas dans l'Iran un ennemi irréconciliable, mais ne pouvaient accepter ce premier pas dans la nucléarisation de leurs voisins. Il était nécessaire pour éviter une opération militaire de leur part de leur fournir l'assurance que la communauté internationale prenait au sérieux la crise et était mobilisée pour lui trouver une solution pacifique. Enfin, j'espérais qu'une initiative conduite avec l'Allemagne et le Royaume-Uni contribuerait à rétablir l'unité européenne compromise par l'alignement du second sur Washington en Irak. Une autre raison de tenir à la présence des Britanniques à nos côtés était la volonté de rassurer les États-Unis sur une démarche à laquelle ils ne pouvaient pas se joindre, au moins à ce stade, mais à laquelle ils auraient pu efficacement s'opposer.

L'initiative française s'est inscrite dans le fil de cette analyse. Je m'assurais du soutien du cabinet du ministre, Dominique de Villepin, où mon interlocuteur n'était autre que Bruno Le Maire. J'avais fait sa connaissance lors de ma prise de fonctions à la tête de la direction des Affaires stratégiques où, jeune diplomate, il traitait des questions de prolifération balistique. J'avais été frappé par sa maturité et son intelligence et je m'étais donc réjoui de son entrée au cabinet du ministre. Il comprit immédiatement l'intérêt de l'approche que je proposais et m'aida à surmonter les objections de certains de mes collègues, notamment à la direction d'Afrique du Nord et du Moyen-Orient. Il y a toujours, au Quai d'Orsay, une tentation à faire confiance au dialogue, mais également une répugnance, pour moi incompréhensible, à le fonder sur l'établissement préalable d'un rapport de force favorable, que je jugeais indispensable face à l'Iran. Mon objectif était donc de réunir les trois principaux Européens pour exercer une pression maximale sur ce pays, mais la lune de miel que nous vivions avec Moscou m'obligeait à ne pas exclure la Russie de notre projet. La proposition de lettre à l'Iran, que j'ai rédigée et présentée à la signature des ministres, a donc été envoyée pour approbation à Berlin, Londres et Moscou. Comme je m'y attendais, Britanniques et Russes n'ont objecté qu'à un seul terme en ce qui concernait nos demandes sur les activités iraniennes d'enrichissement, les premiers demandant « leur arrêt » et les seconds seulement « leur suspension », ce qui était évidemment moins sévère. Suivre la Russie aurait constitué un front Paris/Berlin/Moscou qui était dans l'air du temps après l'invasion de l'Irak, mais n'aurait eu aucun crédit à Washington ou à Jérusalem et donc ne pouvait pas déboucher sur une négociation qui, pour aboutir, devait impliquer tôt ou tard les États-Unis et être acceptée par Israël. En revanche, rallier le Royaume-Uni, c'était éviter cet écueil, la présence des Britanniques servant de garantie pour les Américains du sérieux de notre démarche. J'avais, par ailleurs, la conviction que la Russie nous rejoindrait le moment venu. J'ai dû longuement argumenter à ce sujet avec l'Élysée à un moment où la coopération franco-germano-russe paraissait le moyen de répondre aux pressions américaines, mais j'ai le sentiment que, le moment de tension passé, Jacques Chirac entendait ne pas prolonger outre mesure la crise transatlantique. La lettre fut donc envoyée à Téhéran avec, comme je le souhaitais, les signatures des ministres allemand, britannique et français. Incidemment, j'avais réussi à faire un premier pas dans la réconciliation européenne dont nous avions besoin après la crise irakienne. Un peu plus tard, cette initiative fut endossée par l'Union européenne, qui fut désormais représentée dans la négociation aux côtés des trois Européens.

Parallèlement, j'expliquais la logique de notre initiative à mon homologue américain, le sous-secrétaire d'État Bolton, qui n'est pas renommé pour sa flexibilité et qui est aujourd'hui conseiller national de sécurité américain, et au directeur des Affaires stratégiques israélien, Issacharoff. J'avais réussi à établir une relation de confiance avec le premier parce que, dès ma prise de fonctions, j'avais dû traiter du dossier d'une éventuelle convention de vérification de l'interdiction des armes biologiques. Mes collaborateurs étaient en faveur du lancement d'une négociation d'un tel texte, mais je savais que le Quai d'Orsay était toujours pour la négociation (c'est, après tout, sa raison d'être). Or j'avais rapidement conclu que cette convention ne serait d'aucune utilité pratique dans la mesure où on peut fabriquer de telles armes avec des moyens réduits et donc difficilement détectables. En revanche, elle imposerait des contraintes coûteuses à notre industrie pharmaceutique. J'en fis part à John Bolton à Washington, dans un bureau où une grenade, symbole de ses méthodes, trônait sur la table. Opposant déterminé à toute convention internationale, il en fut ravi. Un peu plus tard, nous coopérâmes, avec succès, pour le lancement de la « *proliferation strategic initiative* », destinée à lutter contre la contrebande maritime d'armes de destruction massive ou de leurs composantes. Derrière une moustache et un teint rose qui évoquent un colonel de l'armée des Indes sous Victoria, John Bolton est le mariage explosif de l'idéologie et du professionnalisme. C'est un pur nationaliste qui méprise les organisations internationales et refuse les traités s'ils prétendent limiter la liberté d'action des États-Unis. Un seul texte est sacré pour lui, la Constitution des États-Unis. Il croit en l'usage de la force et le prône allègrement. À l'entendre, il n'y a pas de problème qu'un bombardement ne finisse par résoudre. S'y ajoute un goût de la provocation qui l'a conduit à déclarer que si « on retirait dix des trente-huit étages du bâtiment des Nations unies, à New York, nul ne s'en apercevrait… ». On conçoit qu'il fasse la joie des spectateurs de Fox News, dont il flatte les préjugés nationalistes. Par ailleurs, il connaît parfaitement ses dossiers et sait faire preuve d'humour. Travailler avec lui est, on le devine, difficile mais pas impossible, à condition de définir précisément les termes de la coopération.

J'assurais l'Américain et l'Israélien de la fermeté de nos objectifs et leur garantissais que tout ce que nous ferions serait accompli en parfaite transparence à leur égard. Ni l'un ni l'autre n'approuvèrent notre démarche mais aucun ne s'y opposa. Je fis semblant de croire que le feu était orange.

Cela étant, dès ce moment, je savais qu'il faudrait trouver, tôt ou tard, le moyen d'intégrer les États-Unis dans la négociation, non seulement parce qu'un accord de cette importance est inconcevable sans la coopération de la première puissance mondiale, mais aussi parce que leurs relations avec l'Iran étaient à ce point chargées, des deux côtés, de ressentiment et de méfiance que rien ne serait possible sans qu'une forme de contact soit rétablie entre les deux pays. Le tout étant de savoir quand et comment.

Les Iraniens se souvenaient que la CIA, aidée par les services de renseignements britanniques, avaient contribué à la chute de Mossadegh, réformiste élu démocratiquement en 1953, et au retour d'exil du jeune shah, qui avait alors instauré un régime autoritaire qu'avait abattu la Révolution islamique de 1979. Ils savaient que Washington avait soutenu l'agresseur irakien. De leur côté, les Américains n'avaient pas oublié la prise en otages de leurs diplomates à Téhéran, qui n'avaient été libérés que 444 jours plus tard. Les États-Unis étaient le Grand Satan qu'insultaient régulièrement les manifestants en Iran, aux côtés du Petit Satan israélien. Les sujets de contentieux entre les deux pays étaient multiples, depuis les fonds encore bloqués aux États-Unis jusqu'à la destruction par erreur d'un avion de ligne iranien avec 290 passagers à bord, en juillet 1988. Dans le même temps, comme je le constatais chaque fois que je me rendais en Iran, la population de ce pays était sans doute et de loin la plus pro-américaine de la région. L'ennemi héréditaire, c'était l'Arabe, non l'Américain, ni même l'Israélien. Une nombreuse diaspora iranienne aux États-Unis entretenait d'ailleurs des liens étroits avec son pays d'origine et s'y rendait régulièrement. Il m'est arrivé d'être pris pour un Américain dans les rues de Téhéran, et j'étais alors traité avec amitié et même chaleur.

Après l'envoi de leur lettre, les trois ministres européens se rendirent, en août 2003, à Téhéran et lancèrent les négociations avec l'Iran, confiées aux directeurs politiques des ministères des Affaires étrangères des trois pays, qui, après des progrès initiaux, aboutirent à une impasse, les Iraniens accusant les Européens de n'avoir pas mis sur la table de propositions substantielles et ceux-ci y voyant le résultat de l'élection d'Ahmadinejad, un dur hostile à tout compromis, en 2005, à la présidence de la République islamique. De 2003 à 2006, de mon côté, j'avais pris le poste d'ambassadeur à Tel-Aviv. J'ai veillé à ce que nos interlocuteurs israéliens, en particulier à la Commission à l'énergie atomique, soient précisément informés de l'état de la négociation afin de les rassurer sur nos intentions et de les dissuader ainsi de recourir à une solution militaire. Cette relation de confiance s'est d'ailleurs traduite par des échanges de renseignements qui ont largement confirmé ceux que nous détenions. Il faut d'ailleurs souligner que les services de renseignements américains, britanniques, français et israéliens ont réussi à détecter, à toutes les étapes, les manœuvres iraniennes.

La découverte d'un site nucléaire clandestin à Fordow, en 2009, en a d'ailleurs été la preuve. C'est au printemps 2009 qu'une note dite «jaune» de la DGSE m'apprenait que nous avions repéré un site de construction en Iran dont tout prouvait qu'il était destiné à abriter des ultracentrifugeuses sous une montagne et donc à l'abri des bombardements. Le malheur voulut que la même note parvienne à Bernard Kouchner; malheur parce qu'il n'avait que de vagues idées sur la confidentialité des informations. Je fus donc réveillé, quelques jours plus tard, en pleine nuit par mon homologue israélien puis par l'Américain, qui s'étonnaient que la France révèle ainsi une information de cette importance. J'appelai le directeur de cabinet qui n'était, comme moi, au courant de rien. Après enquête, nous découvrîmes que Bernard Kouchner avait, en effet, tout dit à un journaliste saoudien qui nous avait transmis son texte, mais que, celui-ci étant en arabe, il avait été soumis à un jeune arabisant qui, ne connaissant pas le dossier, n'y avait vu que du feu. Il nous fallut démentir et mentir. À notre surprise, l'affaire n'alla pas loin. Visiblement, la presse internationale ne lisait pas les journaux saoudiens. De leur côté, les services de renseignements américains, israéliens et britanniques avaient fait la même découverte, chacun avec des sources humaines ou techniques différentes.

L'impasse de la négociation

De retour de Tel-Aviv, je retrouvai ce dossier en septembre 2006, en tant que négociateur français, dans le cadre de mes nouvelles fonctions de directeur politique. La situation avait évolué de deux manières, d'abord par l'élargissement du groupe de négociation des trois Européens aux États-Unis, à la Russie et à la Chine (pour former le groupe dit des E3+3 ou P5+1) et ensuite par le vote, en juillet, de la résolution du Conseil de sécurité 1696 qui menaçait l'Iran de sanctions s'il ne suspendait pas son programme d'enrichissement.

Que les trois autres membres permanents du Conseil de sécurité rejoignent notre effort avait toujours correspondu à notre vision : c'était la preuve que la crise n'était pas une entreprise occidentale contre l'Iran mais qu'elle suscitait les préoccupations de tous. C'était donner une légitimité accrue aux mesures prises dans ce cadre. C'était enfin ouvrir la voie à une reprise du dialogue entre les États-Unis et l'Iran, qui était un préalable indispensable à tout règlement. Par ailleurs, en choisissant d'un commun accord le haut représentant de l'UE pour les relations extérieures comme la voix du groupe dans son ensemble, celui-ci reconnaissait le rôle des Européens dans la négociation et leur manifestait sa confiance. Ce fut, à cette époque, Javier Solana qui remplit cette mission. Je l'avais connu comme secrétaire général de l'Otan alors que j'y étais le numéro deux de notre mission auprès de cette organisation. En plaisantant, je disais qu'une de ses qualités était d'être incompréhensible qu'il parle anglais ou français, les deux langues officielles de l'Otan, mon collègue espagnol ajoutant que ce n'était pas beaucoup mieux en castillan. En bon Méditerranéen, il prenait par le bras voire par la taille les ambassadeurs, et je m'amusais à noter le raidissement des Nordiques peu habitués à ces embrassades viriles. Un journaliste américain me demanda d'ailleurs, un jour, si le secrétaire général était gay. Choc des cultures.

Les trois années (2006-2009) où je fus le négociateur pour la France furent stériles : quatre résolutions de sanctions ou de réaffirmation de celles-ci (résolutions 1737, 1747, 1803 et 1835) témoignèrent de l'impasse dans laquelle nous nous trouvions. Chaque fois, les quatre Occidentaux (États-Unis, Allemagne, France et Royaume-Uni) essayaient de durcir ces sanctions et se heurtaient aux Russes et aux Chinois, qui voulaient limiter l'ambition du texte. Mais, chaque fois aussi, nous parvînmes à un compromis fondé sur une volonté commune de conserver l'unité de notre groupe. Cependant, au fur et à mesure de l'extension des sanctions, le pays le plus réticent fut la Chine, dont les intérêts commerciaux, notamment pétroliers, pouvaient être menacés par certaines mesures que nous demandions. À un de mes passages à Pékin, comme je rencontrais mon homologue dans un de ces salons impersonnels à la décoration kitsch où l'on reçoit les visiteurs qui n'ont jamais accès au bureau de leur interlocuteur, et comme j'essayais de boire le thé brûlant qu'on me servait sans cesse, mon collègue chinois me montra les tours qui entouraient celle du ministère pour me dire qu'y siégeaient les compagnies pétrolières qui auraient sa peau s'il nous suivait dans la voie de sanctions plus contraignantes. Il disparut d'ailleurs comme ambassadeur dans un petit pays africain pour une histoire d'adultère un peu voyante.

Toutes les rencontres que les E3+3 eurent avec les Iraniens se déroulèrent de la même manière : alors que, de notre côté, nous essayions de rendre attractives nos propositions, y compris en mettant discrètement de côté l'exigence d'une suspension des activités d'enrichissement comme préalable, les Iraniens refusaient d'entrer dans la négociation. Ils ne nous répondaient pas sur le fond et ne se prononçaient pas sur nos propositions, mais se contentaient de répéter leur position de principe sans oublier de longues envolées sur Cyrus le Grand, Mossadegh et les « droits inaliénables » du peuple iranien. On pouvait ainsi passer trois heures à ne rien dire, chacun répétant imperturbablement ses positions. Être diplomate suppose une certaine dose de patience. En juin 2008, Solana et les directeurs politiques des E3+3 (sauf l'Américain) se rendirent à Téhéran avec une lettre signée des six ministres (dont Condoleezza Rice) offrant des conditions généreuses pour l'ouverture d'une négociation sans préconditions substantielles. Rien n'en sortit. À une autre occasion, nous nous rencontrâmes à Genève : mon collègue américain se cacha dans une salle au moment de l'arrivée des Iraniens pour ne pas être pris en photo leur serrant la main mais, manque de chance, ceux-ci se trompèrent de porte et choisirent précisément celle derrière laquelle se cachait Bill Burns, d'où un moment d'embarras. Nous fîmes ainsi le tour du monde, de Londres à Shanghai. Mes collègues devenaient des amis au fil de nos errances. Au cours d'une longue promenade à Londres, par une magnifique soirée de printemps, je découvris grâce à Sergueï Kisliak, mon collègue russe, que je devais retrouver plus tard à Washington, le roman de Vassili Axionov *Une saga moscovite*, un de ces romans russes interminables où défile toute une période. Je n'oublierai jamais sa réponse lorsque je remarquai que le XXe siècle russe avait été particulièrement sanglant : « Mais Gérard, c'est toute notre histoire qui est sanglante. »

Plus généralement, nous avons tout essayé, que ce soit sur le fond ou dans la recherche d'interlocuteurs, en vain. Tout Iranien lié au régime, de passage dans nos capitales, trouvait notre porte ouverte. Entre collègues européens, nous échangions nos notes après des entretiens qui étaient tous décevants. Le président Poutine se rendit lui-même à Téhéran et rien n'en sortit, alors que nous étions inquiets qu'il ne fasse des concessions excessives pour parvenir à un accord. S'il a échoué, comment espérer réussir ? Le ministre chinois en fit autant, en vain, lui aussi. Je me rappelle avoir fait sourire mes collègues en remarquant que «nous faisions du strip-tease pendant que les Iraniens regardaient ailleurs».

Ainsi, fin 2007, Nicolas Sarkozy, nouveau président de la République, reçut secrètement à Paris Velayati, ancien ministre des Affaires étrangères et conseiller du Guide suprême, et lui proposa une coopération nucléaire bilatérale de grande ampleur en échange de l'abandon des activités d'enrichissement. Il me chargeait, avec un conseiller de l'Élysée, de me rendre à Téhéran pour préciser les termes de l'accord. Une fois rentré en Iran, Velayati, qui avait pourtant paru intéressé, ne donna pas suite. C'était peut-être mieux, parce que le président français, avec sa fougue habituelle, était allé très loin dans les concessions qui auraient surpris nos partenaires. Sur les activités d'enrichissement, le groupe abandonna progressivement l'exigence de leur arrêt comme préalable à l'ouverture d'une négociation. Tous nos efforts furent vains. Aucun signe positif ne vint jamais de Téhéran. La conclusion était claire : l'Iran n'avait pas pris la décision de négocier. Dans ce contexte, les sanctions, qui avaient pour objectif de convaincre la direction iranienne que le coût du programme nucléaire était exorbitant économiquement et politiquement, furent renforcées avec la coopération de la Russie et de la Chine, qui partageaient nos analyses et nos préoccupations.

Nommé représentant permanent à New York en septembre 2009, je dus négocier une nouvelle résolution de sanctions l'année suivante, la 1929. Le hasard aura voulu que j'aie été le négociateur français de toutes les résolutions de sanctions. J'avais conclu la première, la résolution 1737, dans un couloir du restaurant où m'avait surpris un appel téléphonique de mon homologue américain. J'étais sorti dans la rue à cause du bruit et y avais attrapé un bon rhume : les risques du métier. Pour la 1929, la nouveauté était qu'en tant que directeur politique, j'avais déjà négocié les résolutions précédentes, mais sans avoir d'autorité supérieure pour suivre le détail des discussions. Là, au contraire, à New York, je devais demander des instructions à mon successeur qui, ne connaissant pas le dossier, hésitait devant toute concession que j'estimais utile et y voyait la faiblesse du négociateur, reproche qui a facilement cours à Paris, loin du « champ de bataille ». Je devais donc me battre sur deux fronts. Le fleuret était moucheté à Paris, mais plus dangereux pour moi que le sabre qu'utilisaient mes collègues à New York.

À cette occasion, le Brésil et la Turquie crurent bon d'intervenir dans la négociation sur la base d'une lettre du président Obama qui réaffirmait l'objectif que nous poursuivions sans entrer dans les détails, comme on peut s'y attendre dans ce genre de correspondance. Brésiliens et Turcs, qui ignoraient tout de l'historique de cette très longue négociation, en entamèrent une parallèle avec l'Iran sur la base de cette lettre et signèrent avec les Iraniens, qui, eux, savaient ce qu'il y avait derrière les mots, un texte à ce point déséquilibré que tous, y compris les Russes et les Chinois, nous fûmes obligés de le désavouer. Son premier paragraphe reconnaissait aux Iraniens le droit à l'enrichissement, ce qui était non seulement un désaveu de cinq résolutions du Conseil de sécurité qui demandaient à l'Iran de suspendre ses activités dans ce domaine, mais une innovation majeure en matière de non-prolifération puisque jamais l'enrichissement n'avait été considéré comme un «droit», contrairement à celui qu'est l'usage pacifique de l'énergie nucléaire. Le reste était à l'avenant. Brésiliens et Turcs étaient tombés dans un traquenard; il est vrai que la lettre du président américain était soit trop précise soit pas assez et avait pu légitimement les égarer dans un labyrinthe dans lequel nous errions nous-mêmes depuis six années. Brésil et Turquie, qui étaient alors membres du Conseil de sécurité, durent donc s'abstenir au moment du vote de la résolution de sanctions. Quelques semaines plus tard, de passage à Istanbul avec le Conseil de sécurité, je dus, avec mon collègue britannique, répondre aux reproches que nous fit à ce sujet le ministre turc, Ahmet Davutoğlu.

Jacques Audibert puis Nicolas de Rivière me succédèrent comme directeur politique et donc comme négociateur pour la France : le premier connut les mêmes frustrations que moi puis vit, en 2013, le début de la négociation que le second eut le talent, le bonheur et la chance de conclure.

De 2005 à 2013, les Iraniens n'acceptaient donc pas la logique même de la négociation que nous leur offrions, et non les termes de celle-ci, auxquels ils ne se référaient jamais. Une amie journaliste américaine qui avait suivi en son temps la crise des otages de l'ambassade des États-Unis en 1980-1981 m'avait rappelé que, pendant des mois, rien ne s'était passé entre Téhéran et Washington jusqu'à ce que Khomeini prenne la décision de négocier. Tout avait alors été réglé en quelques semaines. C'est ce qui s'est passé dans cette crise : il a fallu attendre que le Guide suprême tranche dans ce sens pour débloquer la situation et ouvrir une vraie négociation fondée sur les préalables qui avaient toujours été les nôtres, à savoir le strict encadrement du programme nucléaire iranien en échange de la levée des sanctions. On peut gloser, à l'infini et gratuitement, sur les raisons de ce tournant qui correspond à l'élection de Rohani, dont on sait qu'elle n'aurait pas été possible contre la volonté de Khamenei. Je pense que les sanctions ont joué leur rôle dans un pays qui économiquement était dans une impasse. Quand j'étais venu en mission à Téhéran, en 2008, avec mes homologues autour de Javier Solana, j'en avais profité pour rencontrer, à notre ambassade, des experts indépendants iraniens et tous avaient souligné à quel point la gestion de l'économie par les mollahs était désastreuse. Le pays, qui n'avait pas construit une raffinerie depuis 1979, était ainsi devenu un des premiers importateurs de produits pétroliers raffinés.

En tout cas, rien n'avait changé du côté des E3+3 : les Américains étaient prêts à négocier avec les Iraniens depuis 2009 ; le maintien d'une capacité résiduelle d'enrichissement en Iran était dans les cartes de la négociation depuis des années même s'il n'avait jamais été officiellement confirmé puisque les Iraniens ne négociaient pas.

La France a joué un rôle de premier plan dans la gestion de la crise, d'abord en étant, à mon initiative, à l'origine du groupe des E3 puis des E3+3 et en veillant à conserver, tout au long de ces années, une équipe de négociation de grande qualité. Elle était articulée autour de la sous-direction des Questions atomiques et spatiales du Quai d'Orsay, dont les sous-directeurs successifs et leurs collaborateurs méritent remerciements et félicitations. Lorsque je négociai la résolution 1929, à New York, entre ambassadeurs du P5, je m'amusais toujours lorsque avec mes collègues nous nous tournions vers l'expert français qui consultait fébrilement ses lourds classeurs pour trouver la réponse à leur question. Les feuilles s'éparpillaient par terre et le jeune diplomate rougissait d'émotion, mais la réponse venait invariablement. Sur le fond, la France a maintenu, de 2003 à 2015, la même ligne de fermeté. Que ce soit le cas sous trois présidents de la République – aux lignes politiques différentes – et sept ministres des Affaires étrangères fait justice des affirmations que notre pays ait rallié le camp des néo-conservateurs auquel il s'était opposé en Irak. De son côté, le groupe des E3+3 a conservé son unité et sa cohérence pendant neuf années. L'Iran a tout tenté pour diviser le groupe ; il n'a jamais réussi à le faire, ce qui en dit long sur les préoccupations communes des six pays. Enfin, un aspect essentiel de notre démarche a été de tenir informés les pays de la région qui étaient directement concernés par la perspective d'un accès de l'Iran à l'arme nucléaire, que ce soit Israël ou les monarchies du Golfe. Ainsi, en 2008, après mon passage à Téhéran, j'allai à Abou Dabi puis à Djeddah pour faire le point de la situation avec les autorités émiriennes et saoudiennes.

La négociation finale de l'accord

Ambassadeur aux États-Unis au moment de la négociation finale de l'accord, j'ai bénéficié d'un observatoire privilégié. S'il ne me permettait plus de suivre les détails de discussions, d'une extrême complexité technique et politique dont témoignerait la longueur du document final (près de 160 pages), cela me conduisait à analyser la position américaine pour informer notre délégation. Comme je l'avais prévu dès 2003, un accord final ne pouvait reposer que sur une forme de rapprochement irano-américain pour établir le minimum de confiance qui était indispensable à la conclusion d'une négociation de cette importance. Il fallut le courage politique d'Obama pour ouvrir un dialogue direct avec l'Iran, qui restait aux yeux de la majorité des Américains l'ennemi par excellence, terroriste et appelant à la destruction d'Israël. Des contacts secrets furent établis entre les deux pays via Oman jusqu'à ce que le secrétaire d'État John Kerry puisse rencontrer son homologue, Zarif, ce qui créa le climat dont les négociateurs avaient besoin pour progresser.

Ancien combattant décoré de la guerre du Vietnam devenu un opposant à celle-ci à son retour du service militaire, candidat malheureux à l'élection présidentielle en 2004 contre George W. Bush, sénateur et président de la commission des affaires étrangères du Sénat, époux d'une héritière, John Kerry incarne jusqu'à la caricature le patriciat de la côte Est avec un mélange désarmant de charme, de boy-scoutisme, d'énergie et d'arrogance. Il avance en dépit de tout, vous marche sur les pieds en vous convainquant qu'il ne l'a pas fait exprès, vous écoute religieusement sans vous entendre et vous invite à dîner après vous avoir fait un mauvais coup. Tout problème a une solution ; toute solution est américaine. S'y ajoute un lien fort avec la France, où il a passé de nombreuses vacances dans un village breton. Francophone et francophile, il est toujours prêt à accepter qu'une réunion se passe à Paris. John Kerry réussit à être, pour un Français, à la fois insupportable dans ses certitudes et sympathique dans ses manières, ce qui en fait, après tout, un assez bon résumé de nos amis transatlantiques.

Ce qui corsait l'affaire, c'était que son homologue français était lui aussi un patricien tout aussi assuré de son statut politique et social, mais beaucoup moins apte à panser les plaies par une attention ou par un sourire. Laurent Fabius n'était homme ni à se prêter à la fausse naïveté de son interlocuteur ni même à faire semblant. Il était fort de cette politesse bien française qui écarte plus qu'elle ne rapproche. Disons-le franchement : Laurent Fabius a rapidement exaspéré John Kerry, qui me demanda un jour, début 2016, s'il était bien vrai que «son ami Laurent» allait quitter ses fonctions, ne pouvant réfréner un sourire sur ma réponse positive. Deux orgueils se faisaient face, l'un plus souriant que l'autre mais tout aussi implacable.

La conduite de la négociation allait progressivement tendre les relations entre les deux hommes. Il était inévitable que le canal irano-américain joue un rôle central dans la négociation, réalité pénible pour des Français qui avaient été à l'origine du processus, mais qui l'était d'autant plus qu'ils n'approuvaient pas la manière dont le secrétaire d'État la conduisait. Je ne me réfère pas ici au détail d'une négociation à laquelle je n'ai pas participé et qui a été décrite ailleurs. Le sénateur McCain aurait dit un jour que «John Kerry surestimait l'efficacité de son charme». C'est un fait que le secrétaire d'État donnait l'impression de considérer qu'il s'agissait de parvenir à un accord entre gens de bonne compagnie, autour d'un bon whisky. Certes, islam oblige, on se passait de whisky, mais restaient cette volonté de paraître tout fonder sur les relations personnelles et cette illusion de croire que les différends entre les deux pays reposaient sur un malentendu qui ne résisterait pas au sourire et à la bonne volonté. Le résultat étrange de cette attitude était d'inverser le rapport de force entre les deux parties. L'Iran, de demandeur d'un accord pour lever les sanctions, devenait l'objet de la sollicitude américaine. Les Américains donnaient l'impression de courir après les Iraniens alors que ç'aurait dû être l'inverse. Le secrétaire d'État ne cessait de montrer qu'il voulait parvenir à un résultat, ce qui est toujours mauvais dans une négociation où il faut savoir menacer voire claquer la porte pour imposer ses vues. Il cédait, sur des points secondaires certes, mais il cédait, au désespoir de sa propre délégation (qui nous en avertissait), jusqu'à susciter une réaction de la Maison Blanche. Même les Britanniques et les Allemands, en général moins exigeants que les Français, s'en inquiétaient. Chaque entretien entre Kerry et Zarif amenait une nouvelle concession. Avec l'accord du cabinet du ministre, je twittai de Washington pour rappeler, l'air de rien, des principes supposés généraux sur l'utilité des rapports de force et le caractère contre-productif de la hâte dans une négociation, ce qui eut, je l'appris plus tard, l'heur d'exaspérer le secrétaire d'État, qui me le reprocha plus tard avec un sourire fair play. Nulle surprise donc que, de son côté, Laurent Fabius réagisse jusqu'à refuser d'entériner, à un moment, un accord particulièrement contestable. Le ministre français des Affaires étrangères, que l'équipe américaine exaspérée appelait « Larry Fabulous », a fait preuve, tout au long de la négociation, de fermeté et de compétence. Il a su, à chaque étape, jauger ce qui était possible ou pas, ce qui était important ou pas, quitte à hausser le ton quand c'était nécessaire, même s'il n'était pas facile d'être accusé d'intransigeance par nos amis comme par nos adversaires. La France a ainsi contribué à ce que le résultat final soit satisfaisant même s'il n'était pas parfait. Nous étions convaincus que les États-Unis auraient pu obtenir certaines concessions s'ils avaient été plus fermes, notamment sur la durée de l'accord, mais nous avons conclu que globalement celui-ci permettait d'atteindre notre objectif de limiter et de contrôler le programme nucléaire iranien.

L'étape suivante fut la ratification du texte par toutes les parties, ce qui ouvrit une bataille politique particulièrement intense aux États-Unis, où je fus appelé à jouer un rôle en tant qu'un des ambassadeurs du P5+1. Les républicains du Congrès étaient tous hostiles au texte, qu'ils jugeaient trop faible. D'un côté, ils étaient poussés dans cette attitude par leur opposition à tout ce que faisait l'administration sur une scène politique qui avait rarement été aussi polarisée. De l'autre, ils étaient appelés à la résistance par le lobby pro-israélien et les monarchies du Golfe. On voyait ainsi les ambassadeurs d'Israël et des Émirats arabes unis, l'un et l'autre actifs et influents, faire cause commune dans les couloirs du Congrès. Le premier obtint même que le président de la Chambre des représentants invite le Premier ministre israélien à prononcer un discours devant les deux chambres du Congrès sans en informer la Maison Blanche, ce qui était évidemment sans précédent. Netanyahou profita de l'occasion pour conforter l'intransigeance des républicains, mais, par la même occasion, peut-être pour la première fois dans l'histoire de ce pays, se risqua à faire du soutien d'Israël une cause partisane.

Les ambassadeurs d'Allemagne, de France, du Royaume-Uni et de l'Union européenne firent donc campagne au Congrès pour essayer de désarmer l'hostilité des républicains (nous savions que c'était sans espoir), mais aussi de mobiliser les démocrates, dont certains étaient dubitatifs sous l'influence du lobby pro-israélien. Nous fûmes reçus par le président républicain de la commission des affaires étrangères du Sénat, Corker, par le chef de la minorité démocrate dans la même commission, Cardin, et par le groupe parlementaire démocrate à la Chambre et au Sénat. Comme faire de l'accord un traité dont la ratification requérait une majorité des deux tiers du Sénat était impossible, Obama lui avait donné une autorité inférieure pour ne pas avoir à passer par le Congrès. L'objectif des républicains était donc de voter une loi qui, dans les faits, aurait vidé le texte de son contenu. Nous devions convaincre les démocrates de tous s'y opposer afin de préserver l'accord et obtenir qu'il soit mis en œuvre, ce qui supposait que les États-Unis lèvent une partie des sanctions qu'ils avaient imposées et qui, dans les faits, représentaient un véritable blocus de l'économie iranienne. Avec mes collègues, je fis donc de mon mieux pour convaincre des auditeurs qui, dans leur immense majorité, étaient déjà convaincus, tant l'affrontement était partisan comme dans toutes les démocraties. Le rôle de l'ambassadeur de France fut particulièrement remarqué dans la mesure où la fermeté que notre pays avait manifestée dans la négociation était connue et respectée même chez les républicains, ce qui donnait une force spécifique au plaidoyer en faveur de l'accord. J'y acquis une réputation peu flatteuse dans les milieux « faucons » de Washington, notamment à la Fondation pour la défense des démocraties (FDD), groupe de pression anti-iranien se présentant comme un think-tank où on me reprochait mon activisme en faveur de l'accord.

Cela étant, « en face », chez les pro-iraniens – ils sont rares il est vrai – du Conseil national irano-américain, j'étais également critiqué pour la supposée intransigeance de la France. Être attaqué par les deux camps : on peut en déduire que notre position était la bonne…

L'administration réussit finalement à élaborer avec républicains et démocrates une loi qui lui imposait de présenter régulièrement un rapport au Congrès mais évitait le pire. Du moins le croyait-elle, mais elle ne pouvait prévoir la victoire de Donald Trump en novembre 2016.

Tout au long de 2016, l'administration Obama s'employa non seulement à suspendre les sanctions, comme elle devait le faire, mais à pousser les banques et les entreprises européennes à reprendre leurs activités en Iran. En effet, des sanctions encore en place interdisaient aux américaines d'en faire autant, à l'exception de secteurs bien définis (aéronautique, alimentation, pharmacie). C'était donc les Européens qui pouvaient démontrer aux Iraniens que l'accord qu'ils avaient signé permettait effectivement au commerce international de reprendre. Les grandes banques refusèrent toutes de s'y aventurer, malgré les garanties que leur offrait le Trésor américain, dans la mesure où celles-ci ne pouvaient couvrir d'éventuelles actions d'un Attorney General d'un État (par exemple New York) qui aurait une autre interprétation de la loi que lui. HSBC, Deutsche Bank et pour nous BNP-Paribas et la Société Générale avaient de trop mauvais souvenirs de l'activisme de l'Attorney General de l'État de New York, qui leur avait infligé de lourdes amendes pour diverses raisons, pour prendre le moindre risque. C'est ce que m'expliquèrent les présidents des deux banques françaises ; force est de reconnaître que les faits leur donnèrent raison. En revanche, d'autres entreprises (en particulier Airbus, ATR, Peugeot, Total, Renault) n'eurent pas ces réticences et remirent le pied dans un marché qu'elles avaient dû quitter précipitamment. Les Iraniens, qui n'avaient pu renouveler leur flotte aérienne depuis 1979, commandèrent plus de 200 avions qu'ils répartirent habilement entre Boeing et Airbus. Ce marché signifiait qu'Airbus devait obtenir des licences de l'administration américaine dans la mesure où ses avions intègrent une part substantielle de pièces détachées américaines, dont certaines sont dites à double usage – c'est-à-dire peuvent être d'un usage militaire –, comme les centrales inertielles ; procédure longue et complexe dans laquelle l'ambassade a apporté tout son concours à l'entreprise. J'ai rencontré personnellement les responsables du Trésor et du département d'État pour leur faire comprendre que les autorités françaises suivaient cette affaire et les convaincre d'aller le plus vite possible. L'administration américaine n'est pas un modèle de rapidité et d'efficacité, contrairement à ce que pensent les Français. Tout au contraire, elle suit des procédures qui n'autorisent aucun « raccourci » ; par ailleurs, elle doit informer régulièrement le Congrès. Toujours est-il que Boeing et Airbus mais aussi ATR reçurent ainsi les autorisations nécessaires pour signer les contrats avec l'Iran et commencer les livraisons des quelques avions disponibles avant de lancer les chaînes de production pour les autres. Les autres sociétés européennes reprirent pied sur un marché qu'elles avaient quitté progressivement depuis les premières sanctions prises au début de 2007. Les Américains oublient trop facilement que ce sont les Européens qui ont supporté le coût de celles-ci dans la mesure où eux-mêmes avaient quitté ce marché depuis fort longtemps.

Trump contre l'accord

Et Donald Trump fut élu. Tout au long de la campagne électorale, il n'avait cessé de dénoncer l'accord comme « *the worst deal ever* » et avait annoncé son intention d'en sortir. Il répondait ainsi à l'hostilité déterminée qu'avait manifestée la majorité républicaine du Congrès envers ce texte. Il donnait également satisfaction à Israël et aux monarchies du Golfe, qui n'avaient pas pardonné à Obama sa démarche et dissimulaient, à peine, leur préférence pour le candidat républicain. Cela étant, après l'élection, certains espéraient que, pour le nouveau président, il ne s'agissait là que d'une promesse de campagne qui serait reniée à la première occasion. D'ailleurs, alors qu'il devait certifier tous les 90 jours que, d'une part, l'Iran appliquait l'accord et que, d'autre part, celui-ci était dans l'intérêt des États-Unis, il le fit effectivement en mai et en octobre 2017, de nouveau en janvier 2018, mais, cette fois-ci, en exprimant son mécontentement et en menaçant de ne pas réitérer cette signature en mai, si l'accord n'était pas amendé et complété. De leur côté, les secrétaires d'État et à la Défense et le conseiller de Sécurité nationale exprimaient publiquement leur volonté de préserver la substance de l'accord, dont ils reconnaissaient qu'il était appliqué par l'Iran.

Conscient cependant de la situation inconfortable dans laquelle l'obligation de certification régulière mettait le président, le secrétaire d'État entamait une négociation avec les Européens E3 afin de définir une politique globale face à l'Iran. Sa conclusion devait permettre une modification de la loi qui conduirait à un espacement des certifications présidentielles, si pénibles pour Trump. De leur côté, les Européens, au premier rang desquels la France, participaient de bonne foi à cet effort dans la mesure où, dès son premier discours aux ambassadeurs en août 2017, Emmanuel Macron avait marqué sa conviction de la nécessité de réagir aux entreprises de l'Iran au Moyen-Orient, à son programme de missiles balistiques et son soutien au terrorisme. C'était à dessein que l'accord n'avait porté que sur la question nucléaire, dont l'importance et la technicité conduisaient à l'isoler des autres enjeux. Mais rien n'empêchait de traiter de ceux-ci. Brian Hook, le chef du Policy Planning Staff au département d'État, menait la négociation pour les États-Unis face aux directeurs politiques de l'UE, de la France, de l'Allemagne et du Royaume-Uni. Elle avançait bien et, en janvier 2018, ne restait à régler que la question de la situation à l'issue de l'accord nucléaire en 2025. Les Américains demandaient que soient prolongées unilatéralement et indéfiniment les contraintes qui s'imposaient à l'Iran, ce qui était évidemment impossible : un accord est, par définition, bilatéral. Mais les Européens étaient disposés à prendre des engagements politiques forts en cas de violation par l'Iran des obligations qu'il aurait, après 2025, en vertu du Traité sur la non-prolifération des armes nucléaires et ses annexes. Toujours est-il qu'Américains et Européens n'étaient pas éloignés et pouvaient envisager d'aboutir à un résultat commun qui répondrait aux préoccupations exprimées par le nouveau président, au moins telles que nous les transmettait une délégation américaine issue du département d'État, agissant donc sous instructions du secrétaire d'État. Nous aurions dû nous demander si ces intermédiaires représentaient réellement la pensée de Trump.

La réponse nous en fut donnée par les départs successifs de Rex Tillerson du département d'État et du général McMaster du conseil de Sécurité nationale, le président citant, devant la presse, un désaccord sur l'Iran comme une des raisons du remplacement du premier. Désormais, nul, au sein de l'administration, ne se faisait plus l'avocat de l'accord : le nouveau secrétaire d'État, Mike Pompeo, savait qu'il était nommé pour mettre en œuvre la politique du président et non pour la modifier, et le conseiller de Sécurité nationale, John Bolton, s'était illustré par son opposition publique sans concession à l'accord lui-même ; il avait même signé un éditorial dans le *New York Times*, au printemps 2015, dont le titre disait tout : « To stop Iran's bomb, bomb Iran ». De son côté, le secrétaire à la Défense se réfugiait dans le silence sur un sujet qui n'était, après tout, pas de sa compétence directe.

Pour le président et sa nouvelle équipe, il n'était plus question d'essayer de sauver l'accord. Tout au contraire, il fallait y mettre fin de la manière la plus spectaculaire. Une fois de plus, Donald Trump entendait prouver à sa base qu'il était différent des autres politiciens en ce qu'il mettait en œuvre scrupuleusement son programme. Il le fit savoir à Emmanuel Macron, le 24 avril, dans un tête-à-tête au cours de la visite d'État de celui-ci à Washington. Le président français, inquiet des conséquences de cette décision sur le Moyen-Orient, tenta de le convaincre d'ouvrir une nouvelle négociation, globale celle-ci, sur le rôle de l'Iran dans la région pour sauver ce qui pouvait l'être. Son interlocuteur se rallia à cette proposition, mais, comme d'habitude avec cette administration, cette réaction ne fut suivie d'aucun effet. Trump appartient à cette catégorie de politiciens qui pensent que leurs mots n'engagent pas et qui les oublient sans remords, une fois prononcés, s'ils n'y adhèrent pas réellement.

Fi donc de la négociation avec les Européens, fi de leur opinion, fi de leurs intérêts. La manière dont la décision fut prise et annoncée illustre, à merveille, le dysfonctionnement de cette administration. Le président devait signer ou non la certification autour du 15 mai. Quelques jours plus tôt, le 3 mai, nos interlocuteurs, qui ne se faisaient aucune illusion sur le fond, nous disaient cependant qu'ils pensaient que la décision serait retardée étant donné qu'aucune réunion de haut niveau n'était prévue la semaine suivante à la Maison Blanche pour la préparer, comme le veut la procédure habituelle. Le vendredi 4, au moment même où le conseiller de Sécurité nationale américain était au téléphone avec son collègue français et lui disait qu'il ne savait pas quand le président sortirait de son silence sur ce sujet, Donald Trump envoyait un tweet pour fixer sa déclaration au mardi suivant, le 8. Je fis immédiatement suivre ce tweet à Paris, et c'est donc le Français qui l'a appris à l'Américain, visiblement surpris, au téléphone… En d'autres termes, l'administration n'était ni informée du détail de la décision du président qui allait être annoncée sans préparation préalable ni prête à la mettre en œuvre. Lorsque, à partir du 8 mai, nous avons demandé ce que signifiait, en particulier pour nos entreprises, cette politique nouvelle, il a fallu plusieurs jours à l'administration pour se mettre en ordre de bataille. Ce n'est que le 21 mai, dans un discours à la Heritage Foundation, proche de l'extrême droite, à Washington, que le secrétaire d'État fut capable d'énoncer la politique américaine à l'égard de l'Iran. Encore n'était-ce qu'un catalogue d'exigences sans ordre, sans priorité et surtout sans mode d'emploi ; une série de douze exigences, toutes respectables et justifiables, mais dont l'addition signifiait la capitulation sans conditions du régime iranien. Ce n'était sans doute pas un hasard parce que, dans les mois qui suivirent, les États-Unis ne s'engagèrent dans aucune initiative politique pour ouvrir une négociation avec l'Iran sur cette base. En revanche, ils ne laissèrent aucun doute sur leur préférence pour un changement de régime à Téhéran, que ce soit sous la forme d'un soutien public aux manifestants en Iran ou par voie de campagnes sur les médias sociaux pour critiquer le gouvernement de ce pays ; je n'exclurais pas d'autres actions plus clandestines, mais je n'en ai pas la preuve.

Les sanctions

L'administration nie que le changement de régime à Téhéran soit son objectif, mais les discours et les déclarations de ses responsables en appellent bel et bien au peuple iranien contre la République islamique. «Il faut donner le pouvoir au peuple iranien», annonce ainsi, le 31 mars 2019, le secrétaire d'État Pompeo. D'ailleurs, dans les entretiens bilatéraux, nos interlocuteurs affirment volontiers leur conviction d'un effondrement prochain du régime de Téhéran. Il n'est pas exclu qu'ils aient raison tant la situation économique du pays est tragique avant même que les nouvelles sanctions ne fassent sentir leurs effets. Une gestion inepte et une corruption généralisée ont déjà conduit à l'effondrement de la monnaie en quelques semaines. Le régime est nerveux ; la population est lasse ; Téhéran bruit de multiples rumeurs contradictoires, dont certaines font publiquement état de la possibilité d'une crise politique majeure qui pourrait emporter le régime. Mais, serait-ce le cas, la question serait alors celle de l'alternative offerte à un pays de 80 millions d'habitants où on ne voit aucun concurrent sérieux pour le pouvoir, certainement pas un Reza Pahlavi que nul ne connaît ou des «Moudjahidines du peuple», que tout le monde en Iran déteste à cause de leur passé terroriste et de leur service aux côtés des Irakiens. Dans ce contexte, paradoxalement, la seule force qui pourrait s'imposer serait les «Gardiens de la Révolution», les pasdarans, grâce à leur armement et leur contrôle de l'économie, à moins que le pays, où les Persans ne sont qu'une petite majorité, ne s'effondre dans une guerre civile à la syrienne. Ces perspectives, dont la première est la plus vraisemblable, ne sont guère rassurantes.

En réalité, si pari il y avait, il porterait sur la résilience d'un régime qui, en quarante ans, a fait face à des crises majeures et a su y résister par un mélange de brutalité exemplaire et de mobilisation d'une base populaire qui ne l'a pas entièrement abandonné. Il sait par ailleurs doser, avec subtilité, son autoritarisme pour rappeler, au bon moment, les moyens de répression dont il dispose tout en laissant à la société civile des marges de «respiration». La législation répressive sur les relations entre hommes et femmes ou sur la consommation d'alcool n'est appliquée que sporadiquement, d'une manière qui réussit à laisser un espace réel de liberté, en particulier par comparaison avec l'Arabie Saoudite, tout en faisant planer l'ombre d'un pouvoir qui tolère mais pourrait frapper. Les Iraniens, qui ont subi la violence de la révolution et ensuite de la guerre, ne veulent pas y replonger. Ils ont donc développé des stratégies d'évitement où ils mènent leur vie le plus possible en marge du monde officiel. Au Moyen-Orient, à part Israël, il n'y a pas de pays où la parole est à ce point libre et l'opinion pro-américaine : le chauffeur de taxi vous donne la dernière blague salace sur les mollahs ; le dîner où vous êtes invité tourne à la dénonciation du régime ; des milliers d'Iraniens font la navette entre le pays où ils ont émigré – en général parce que leurs parents ont fui la révolution – et Téhéran. Face à ce bouillonnement d'une société éduquée dotée d'une solide classe moyenne, où le taux de natalité est comparable à celui des pays avancés, le régime louvoie. Il devient sauvage lorsqu'il se sent menacé, comme il l'a été en 2009 lorsqu'il a fallu truquer les élections pour assurer la victoire d'Ahmadinejad. Il sait alors tuer, arrêter et torturer, mais, en général, il maintient une répression comme une sorte de bruit de fond que nul ne peut ignorer même lorsqu'il fait la fête ou boit de l'alcool. L'Iran n'est pas un pays totalitaire, ne serait-ce que parce que le cadre familial est relativement respecté et que le régime est lié par la loi islamique, mais il est solidement répressif.

Toujours est-il que les États-Unis vont progressivement resserrer l'étau des sanctions autour de l'Iran. Les compagnies européennes n'ont d'autre choix que de s'y soumettre, puisque l'alternative qui leur est offerte est entre les marchés iranien et américain. Si elles ne quittent pas le premier, elles seront exclues du second. Même celles qui, pour une raison ou une autre, n'ont pas d'activité aux États-Unis, sont contraintes de les imiter, d'abord parce qu'elles ont besoin de conserver l'accès au marché financier de New York et ensuite parce que leurs dirigeants peuvent individuellement être l'objet de sanctions spécifiques. Les Européens ne peuvent pas faire grand-chose : ils disposent certes d'une loi qui interdit à leurs entreprises de mettre en œuvre des sanctions qu'ils n'ont pas approuvées, mais c'est placer celles-ci entre l'enclume et le marteau, dans la mesure où les autorités américaines ne reconnaissent pas ce texte et puniraient une compagnie qui l'invoquerait pour poursuivre ses activités en Iran. Reste les petites entreprises, qui ne font pas la différence aux yeux des Iraniens, et les Chinois, dont les banques et entreprises d'État – pour certaines seulement – peuvent faire l'impasse sur le marché américain.

Le 4 novembre 2018, des sanctions massives ont frappé l'économie iranienne déjà affaiblie. Nul ne sait ce qu'il en sortira, les États-Unis comme les autres pays, mais le fait est qu'ils paraissent se désintéresser de la suite. Le trumpisme vit dans le court terme et dans le jeu à somme nulle. En tout cas, Israël, les Émirats arabes unis et l'Arabie Saoudite sont satisfaits. Cela étant, comme il l'a prouvé avec Kim Jong-un, le dirigeant coréen, le président américain est prêt à négocier avec le diable ; il pourrait rencontrer, du jour au lendemain, les Iraniens si ces derniers manifestaient la moindre disposition à aborder les sujets sur la table du programme nucléaire. C'est ce qu'a compris Emmanuel Macron, qui, fort des relations qu'il entretient avec les deux parties, a laissé comprendre qu'il était prêt à s'entremettre. D'ailleurs, en septembre 2017, en marge de l'Assemblée générale des Nations unies, le secrétaire d'État, Rex Tillerson, l'a appelé au nom de son président, en ma présence, pour proposer un entretien secret avec Hassan Rohani, offre que le Français était supposé transmettre. Un peu surpris, il le fit, mais son interlocuteur répondit, comme on pouvait s'y attendre, qu'il ne pouvait s'y prêter dans la mesure où le secret n'était en rien garanti. Or Trump venait juste de prononcer un discours particulièrement violent à l'encontre de l'Iran aux Nations unies, ce qui rendait impossible cette démarche aux yeux de l'opinion publique de son pays. Cette apparente contradiction entre les mots et les gestes est une constante de ce président pour qui les premiers n'engagent pas et ont une signification avant tout médiatique. Il n'attend pas qu'on les prenne au sérieux. Interrogé à ce sujet – l'ouverture d'une négociation avec l'Iran – un an plus tard, en septembre 2018, par le président de la République, Trump s'est contenté d'estimer que c'était trop tôt : il fallait d'abord que l'Iran ressente la force des sanctions américaines avant que ne s'ouvre une négociation. Car, s'il a un talent, c'est de comprendre les rapports de force et de les utiliser sans le moindre scrupule. Que l'interlocuteur soit la Chine, l'Iran ou l'Allemagne, Trump devinera les failles de l'autre partie et en fera le meilleur usage pour une confrontation où n'interviennent aucun principe et aucune retenue et où seuls comptent les intérêts matériels des États-Unis. Cela étant, au-delà de ce bras de fer avec l'Iran, aucune stratégie identifiable : il ne suffit pas d'amener les Iraniens à la négociation, encore faut-il savoir le cadre de celle-ci et ses objectifs. Or, les Américains qui ont établi une liste d'exigences face à l'Iran sont incapables d'y définir des priorités ou de proposer une méthode pour couvrir des sujets aussi différents et aussi complexes que le nucléaire, le terrorisme ou la situation régionale. C'est un peu le résumé de l'approche de cette administration : annoncer une politique puis ne pas en déduire de stratégie parce qu'il n'y a pas de stratège dans l'avion. Elle compte des idéologues comme Bolton, le conseiller de Sécurité nationale, des exécutants comme le secrétaire d'État ou des petites mains, mais pas de Kissinger ou de Scowcroft.

X

Ambassadeur en Israël (2003-2006)

À 50 ans, directeur des Affaires stratégiques, j'avais largement atteint l'âge et le niveau hiérarchique pour prétendre à une ambassade ; de son côté, Dominique de Villepin, qui voulait améliorer les relations bilatérales avec Israël, voyait en moi un des rares experts de ce pays au Quai d'Orsay. Il me proposa donc le poste en juillet 2003 ; je l'acceptai avec joie.

Tout commença très mal. Alors que je venais d'être nommé, je plaisantai avec des collègues dans une réception au Quai d'Orsay sur le fait que Sharon, le Premier ministre israélien, était un peu « voyou », en me référant à sa tendance à grignoter la Cisjordanie par le biais du tracé de la barrière de sécurité qu'Israël édifiait pour se défendre du terrorisme. Or, je ne savais pas qu'un journaliste israélien m'écoutait et allait titrer dans son journal que j'avais traité Sharon de « voyou », ce qui était vrai et faux. Le sens des mots peut changer du tout au tout selon le contexte : on peut être « voyou » à l'occasion sans être un voyou.

Je faillis y perdre mon poste avant même de l'avoir occupé, mais Dominique de Villepin me soutint et me permit de surmonter l'épreuve. Mes amis israéliens me défendirent sur place. J'avais passé une mauvaise nuit. Trois semaines plus tard, j'étais à l'aéroport de Tel-Aviv.

Relations bilatérales entre la France et Israël

L'ambassadeur de France en Israël ne traite pas que du conflit israélo-palestinien. Il est d'abord responsable des relations bilatérales. Même pour moi, dont le mandat, fixé par les instructions que recevait tout ambassadeur à son départ, était explicitement d'améliorer celles-ci dans tous les domaines, ce n'était pas une sinécure. Leur dimension passionnelle les rend chaotiques, tout geste, toute déclaration des autorités françaises étant immédiatement analysé à l'aune de la conviction d'une politique étrangère hostile, voire antisémite. Que plusieurs pays européens adoptent la même position et ce sera quand même la France qui sera vilipendée. L'origine en est, selon moi, le traumatisme de 1967, qui n'est qu'une note en bas de page dans les livres d'histoire français, mais qui représente un moment central de l'histoire d'Israël. En effet, avant cette date, les relations entre les deux pays étaient étroites. Français et Israéliens s'étaient trouvé côte à côte en 1956 contre l'Égypte ; l'essentiel de l'armement de Tsahal était français, au point que Shimon Peres, jeune directeur de l'Armement israélien, disposait d'un bureau au ministère français de la Défense, rue Saint-Dominique. Mais les avions Mirage III n'expliquent pas tout : face aux États-Unis et au Royaume-Uni, proches des pays arabes par passé colonial ou par intérêt pétrolier, la France était la référence culturelle et sentimentale d'un pays dont les passeports étaient rédigés en français. On chantait du Brassens dans les rues de Tel-Aviv. Fin mai 1967, lorsque Nasser, après avoir uni les pays arabes autour de lui, décida de fermer le détroit de Tiran, en violation du droit international ; lorsque se multiplièrent les bruits de bottes à toutes les frontières de l'État juif, le pire sembla soudain possible dans ce pays minuscule sur lequel pesait l'ombre d'un malheur infini. De Gaulle conseilla la patience aux Israéliens, qui décidèrent qu'ils ne pouvaient attendre que l'ennemi profite de sa supériorité numérique écrasante. Ce fut la guerre des Six Jours, la débâcle des armées égyptienne, jordanienne et syrienne et l'occupation du Golan, du Sinaï et de la Cisjordanie. La colère gaullienne s'abattit alors sur le vainqueur, qui fut soumis à un embargo sur les armes. Progressivement, sous le Général et ses successeurs, le fossé se confirma puis s'approfondit, jusqu'à la vente en 1971 de 110 avions Mirage au pire ennemi d'Israël, la Libye de Kadhafi. Ce furent les grands jours de la politique arabe de la France qui, il faut l'avouer, ne se préoccupait guère des intérêts d'Israël, qui ne nous a jamais pardonné cette volte-face. La colère y a été d'autant plus grande, le ressentiment plus profond que les relations avaient été intenses, intimes et affectives. La France de la

171

Résistance devint celle de Vichy; l'affaire Dreyfus, de preuve de l'humanisme de la France, celle de son antisémitisme. Au cours de mon premier séjour à Tel-Aviv, en 1982, l'émotion était encore palpable; l'amour-haine envers notre pays, prêt à ressurgir. En 2003, les cendres en étaient froides, mais en restait la conviction unanime que la France était un pays hostile dont il fallait se méfier. Les affirmations répétées de la France qu'elle était un «ami d'Israël» faisaient hausser les épaules. Apparemment, le Quai d'Orsay était le seul à le croire.

À cet héritage s'ajoutait, pour l'ambassadeur, le fait que les organisations de la communauté juive de France soutenaient passionnément et inconditionnellement Israël, partageaient son analyse de notre politique moyen-orientale et accusaient tout bonnement d'antisémitisme le ministère français des Affaires étrangères. Or ces Juifs de France venaient souvent en Israël, y rencontraient l'ambassadeur et lui faisaient vertement connaître leurs sentiments. Par ailleurs, environ 100 000 de nos concitoyens s'étaient établis dans le pays et assiégeaient l'ambassade de leurs critiques avec le zèle du néophyte. J'étais pris entre l'enclume et le marteau : entre une direction ANMO (Afrique du Nord et Moyen-Orient) du Quai d'Orsay qui se préoccupait comme d'une guigne du partenaire israélien et donc de l'ambassadeur sur place et des Juifs français remontés contre la politique que j'étais supposé expliquer et défendre et qui parfois, à force d'en rajouter, étaient plus israéliens que les Israéliens. Quelles qu'en furent les difficultés, j'aimais ce poste où je jouais de ma chaleur méditerranéenne pour établir des rapports de confiance avec mes interlocuteurs. Je savais ce qu'il ne fallait pas dire, les arguments qu'il fallait éviter et les sentiments qu'il fallait exprimer pour ne rien céder sur le fond, ne rien renier de la politique de notre pays mais néanmoins parvenir à une entente sur les principes, à défaut d'un accord sur le fond. C'était parfois du funambulisme rhétorique ou de l'ambiguïté constructive, mais je préservais l'essentiel. Même le président du Conseil représentatif des institutions juives de France (CRIF), Roger Cukierman, tout en continuant de se méfier de moi, baissait parfois la garde en ma présence.

En 2003, Israël faisait face à une terrifiante campagne terroriste qui devait coûter la vie à plus d'un millier de civils (dont une soixantaine de Français). Les bombes explosaient dans les bus, les mariages, les restaurants avec pour seule finalité de tuer le plus de civils possible. Les réactions officielles de Paris avaient été rituelles et les condamnations tièdes, qui paraissaient justifier les attentats en les reliant directement à la situation politique. Lues dans un bureau du Quai d'Orsay, elles paraissaient une merveille de logique et d'équilibre ; en Israël, d'indifférence et d'hypocrisie. Villepin, lorsqu'il avait pris ses fonctions, m'avait demandé conseil : je lui avais suggéré de se rendre lui-même à la salle de presse au premier attentat et de le condamner sans qualification, ce qu'il fit. Je connus moi-même à Tel-Aviv, à plusieurs reprises, l'angoisse qui étreignait chacun lorsque s'élevaient les sirènes des ambulances et que tous mes collaborateurs se précipitaient sur le téléphone pour appeler leur famille ; en vain parce que le réseau était saturé. Je me rappelle l'angoisse d'un journaliste qui était venu déjeuner à la résidence lorsqu'il apprit que la police était aux trousses d'un terroriste dans le quartier de l'école de sa fille. Je rendis visite aux proches des victimes françaises et je partageais leur peine.

Dominique de Villepin signa, avec son homologue israélien, en octobre 2003, une feuille de route pour une amélioration progressive des relations entre les deux pays, dans tous les domaines, que j'étais chargé de mettre en œuvre. Une étape en fut la visite d'État du président d'Israël en France en février 2004. Les méfiances subsistaient du côté israélien, et les résistances du côté français. Je devais donc désarmer les unes et surmonter les autres, non par conviction personnelle – comme on me l'a reproché sur tous les sites anti-israéliens – mais parce que c'était la politique de notre pays. Coopérations culturelle, scientifique et même militaire furent les axes de cette action. Je bénéficiais, par ailleurs, du soutien des collectivités locales françaises et je profitais des visites des responsables politiques de notre pays. Je reçus, en particulier, instructions de me battre pour que Veolia obtienne la concession du tramway de Jérusalem parce que le contrat était essentiel pour la survie d'Alstom, qui fournirait les machines. Juridiquement, l'affaire n'était pas claire dans la mesure où la ligne du tramway reliait la ville à un quartier construit au-delà de la « Ligne verte », c'est-à-dire en Cisjordanie occupée, donc nominalement en territoire palestinien. Certes, chacun savait qu'en cas de traité de paix, la nouvelle frontière inclurait le quartier dans Israël, mais, dans l'attente de celui-ci, en droit, nous ne devions rien faire qui puisse préempter ce que serait le règlement final. La légalité du tramway pouvait donc, à juste titre, être contestée. À tout autre moment, le Quai d'Orsay s'y serait opposé ; il dut s'incliner devant l'impératif économique. Comme on pouvait s'y attendre, les ONG protestèrent, et leur mouvement prit une telle ampleur que Veolia commença à s'inquiéter pour sa réputation et le Quai à revenir à sa politique traditionnelle. Je sentis soudain que je pouvais servir de bouc émissaire : en effet, la presse m'attaquait nommément, et le ministère se gardait de me défendre. Je dus envoyer à Paris un télégramme rappelant in extenso les instructions que j'avais reçues sur le sujet et citant les discours du Premier ministre et du ministre à Jérusalem, qui allaient dans le même sens. Je sous-entendais que je ne me laisserais pas offrir en victime expiatoire pour une décision qui n'était pas la mienne. Le ton monta au téléphone puis tout se calma.

Les maires des grandes villes françaises venaient régulièrement en Israël, en compagnie des représentants locaux de la communauté juive. Je les accueillais volontiers dans le jardin de la résidence Bauhaus que j'occupais à Jaffa. Un jour, Jean-Claude Gaudin, avec l'accent inimitable que tous les maires de Marseille croient indispensable d'adopter (et qu'ils oublient à Paris), m'apostropha devant sa délégation : « Monsieur l'ambassadeur, comme je l'ai déjà dit à Menahem Begin (prononcé Beguinne), le Golan (Golanne) est israélien. Dites-le aux autorités françaises. » J'en avais entendu d'autres et le remarquai à peine, mais, plus tard, le maire me prit à part : « Vous comprenez que ce que j'ai dit, c'est pour la communauté ; vous n'avez pas besoin de le dire à Paris »...

Je reçus aussi Édouard Balladur, président de la commission des affaires étrangères de l'Assemblée nationale, accompagné de plusieurs députés. Ce fut un grand moment. D'un côté, il était juste dans l'analyse et précis dans l'expression, mais, de l'autre, je m'étonnais de son étrange personnalité. J'avais été membre du même mouvement de jeunesse catholique que lui à Marseille ; l'appartement de ses parents était à quelques rues de celui des miens. J'essayais donc de l'attirer vers notre commune origine méditerranéenne. Il s'y refusait à un tel point que j'en fis un jeu : il regardait le paysage et je lui faisais remarquer qu'il évoquait la Provence, et je restais sans écho ; lorsqu'il me demanda ce que c'était que l'arak qu'on lui proposait, je lui répondis que c'était du pastis ; ses yeux ne cillèrent pas et il fit mine de ne pas être plus éclairé. Il me ravissait par ses manières de vieille dame : mettant un glaçon dans son vin rouge, il minaudait : « Je sais que ce n'est pas convenable, mais ce qui n'est pas convenable est parfois fort agréable. » Il exigeait que tout le monde soit ponctuel au point de nous faire partir à l'heure exacte tandis qu'un de mes collaborateurs repêchait les députés retardataires : « La seule raison de ne pas être à l'heure est d'être en avance. »

Enfin, il disait des horreurs avec des pudeurs de chanoine : « Barnier ? Comme dit Bayrou, une carrosserie sans moteur. » Imperturbable, il visitait l'esplanade des Mosquées par une chaleur de plomb en costume et fusillait du regard le malheureux député communiste qui proposait de « tomber la veste » et qui, intimidé, n'en fit rien.

Lionel Jospin lui avait succédé, et je fus agréablement surpris de l'ouverture, de la curiosité et de l'humour du personnage. Nous eûmes de longues conversations passionnées sur le conflit et sur le judaïsme. Je reçus donc à peu près toute la classe politique française. Je subis en voiture les cigarillos du maire de Paris, Bertrand Delanoë. J'observais le jeu entre M. et Mme Jack Lang qui composait les numéros de téléphone pour son mari et éteignait elle-même l'appareil à l'issue des appels.

En 2005, ce fut le tour du président de l'UMP, Nicolas Sarkozy. La campagne électorale s'annonçait ; la chiraquie était déjà dans les tranchées. L'exercice serait difficile pour l'ambassadeur voué à être condamné par les uns et par les autres pour en faire trop ou pas assez. En réalité, les Israéliens résolurent ce dilemme en organisant spontanément et magnifiquement la visite de celui qu'ils considéraient comme un ami. Ce fut du Sarkozy pur jus : il fut, à la fois, brillant dans l'analyse et créatif et audacieux dans la vision, un homme d'État, un orateur inspiré et chaleureux, et, à côté de ce talent indubitable, coléreux, impatient. La visite se passa parfaitement : les hôtes furent ravis, Sarkozy excellent et convaincant en ami d'Israël. Je sus que l'Élysée me reprochait d'avoir rallié l'ennemi…

Tous mes visiteurs français demandaient à être reçus par Shimon Peres. Toujours francophile, celui-ci y répondait, la plupart du temps, positivement. Il nous accueillait avec le sourire dans une langue que j'appelais le franco-peres, faite de 85 % de français, 10 % d'anglais et 5 % de yiddish. Son charme et son prestige jouaient à plein. La conversation pouvait emprunter deux voies, qui étaient les grands classiques de notre hôte, soit les nanotechnologies, soit le canal entre les mers Rouge et Morte. C'était sans surprise, et les visiteurs repartaient impressionnés par un visionnaire de cet âge tout en s'étonnant parfois que je ne prenne pas de notes… À plus de 80 ans, toujours vert, non seulement il acceptait volontiers les invitations à dîner à la résidence, mais il fallait servir vite pour lui permettre de boire son cognac avant de partir vers un autre dîner. Il en enchaînait ainsi deux ou trois selon les soirées. Mes collaborateurs se battaient pour être chargés de la liaison avec son bureau, où s'activait un bataillon de jeunes femmes dont il était difficile de penser que leur physique n'avait joué aucun rôle dans leur recrutement.

Lorsque j'avais pris mon poste, je lisais *Une histoire d'amour et de ténèbres*, la magnifique autobiographie d'Amos Oz. Je profitais de mon statut pour le rencontrer dans son austère maison aux portes du désert. Je fis de même avec les principaux écrivains de cette grande littérature qu'est l'israélienne. Aharon Appelfeld, inconsolable témoin de la civilisation anéantie du shtetel dont m'avait bouleversé son *Histoire d'une vie*. Avraham Yehoshua, chaleureux et francophile dans sa ville de Haïfa. Yehoshua Kenaz, le plus discret traducteur en hébreu de la littérature française du XIXᵉ siècle, dont j'aimais beaucoup *Infiltration*, qu'Amos Oz m'avait conseillé comme le meilleur livre publié en hébreu depuis Agnon. Je me liais d'amitié avec Élie Barnavi, qui m'expliquait Israël et la France avec amour, humour et érudition. Écrivains, cinéastes (comme Amos Gitaï), universitaires et scientifiques témoignaient du bouillonnement intellectuel de ce petit pays.

J'essayais de faire de la résidence de l'ambassadeur un lieu de rencontre où Français et Israéliens puissent se comprendre au-delà des clichés qui séparent trop souvent les deux peuples. Cette maison résume d'ailleurs l'histoire tourmentée de cette terre. Au cours des années 1930, des architectes, souvent originaires d'Europe centrale, étaient venus en Palestine pour fuir les persécutions antisémites ou par idéal sioniste. Ils y ont introduit le style du Bauhaus dont témoigne encore aujourd'hui tout un quartier de Tel-Aviv. Mais le pays était pauvre, et les constructions le reflétaient par leurs matériaux et la taille réduite des appartements. Or, il se trouve qu'à cette époque, un riche marchand arabe de Jaffa avait décidé de faire appel à un architecte juif pour se faire construire une villa Bauhaus. C'est aujourd'hui la résidence de France, fruit de cette rencontre entre Yitzhak Rapoport et Abdel Rahim. Le premier a pu déployer son talent sans être limité par les contraintes financières : les volumes, les bois précieux et l'ensemble de la décoration en témoignent. Cette rencontre entre les deux hommes est devenue une amitié, ce qui a permis à l'architecte d'empêcher que la maison ne soit saisie par les autorités israéliennes en 1948, après le départ en exil du propriétaire auquel la France l'a achetée.

Le conflit israélo-palestinien

Ma carrière m'a donc conduit à plusieurs reprises à traiter du conflit israélo-palestinien, à Tel-Aviv à deux reprises comme jeune diplomate (1982-1984) puis comme ambassadeur (2003-2006), au Centre d'analyse et de prévision du ministère (1985-1987) et à Washington (1987-1991). C'est du côté israélien et américain que le hasard a voulu que j'analyse ce conflit, ce qui a donné, je le conçois aisément, un angle particulier à mes analyses, mais les a aussi nourries de la connaissance de ce que les deux principales puissances militaires pouvaient ou ne pouvaient pas accepter. C'est sur cette base rationnelle, dégagée de tout affect, que j'ai toujours essayé de rappeler au sens des réalités notre diplomatie qui se mouvait dans l'empyrée des principes et des théories. J'étais la voix impopulaire qui chuchotait que c'est le plus fort qui dicte ses conditions au plus faible et qui haussait les épaules lorsque Paris affirmait que c'est le plus fort qui devait faire des concessions. Non que j'aie une particulière sympathie pour le plus fort ou que je jouisse d'afficher du cynisme, mais j'ai toujours prétendu à la lucidité et je ne connaissais pas un exemple où le fort s'était incliné devant les exigences du faible.

Quiconque s'engage dans l'étude du conflit israélo-palestinien se heurte à une série d'obstacles qui lui sont spécifiques.

Le premier concerne le poids d'une histoire instrumentalisée par les deux ennemis. Certes, tout conflit porte avec lui une profondeur historique, mais nulle part n'est-elle à ce point longue (5 000 ans !), confuse (la Palestine n'ayant cessé de changer de maîtres) et tragique. S'y ajoute une dimension religieuse qui appelle plus au refus de l'autre qu'au compromis. Le résultat en est l'élaboration de deux narrations qui s'ignorent mutuellement et présentent, l'une et l'autre, une telle cohérence et une telle force qu'elles ne permettent pas la discussion et ne demandent que l'adhésion. Chaque camp prétend représenter la justice au nom de l'histoire, du droit voire de ses souffrances. De longues heures à errer d'Abraham à Auschwitz, d'Hadrien à Allenby, d'Aladin à la Nakba, de résolution en résolution des Nations unies, de carnage en massacre, apprennent l'inutilité de ces exercices ressassés ad nauseam. C'est sur une des terres les plus vieilles du monde qu'il faut commencer par faire du passé table rase et se placer aujourd'hui. La question est simple : comment assurer la coexistence de deux États – Israël et Palestine – entre la mer et le Jourdain ? Le moment, c'est 2019 et non 2600 avant J.-C. ou 1948.

Le second obstacle, lié au premier, est l'émotion

dont jouent, avec une indéniable efficacité, les deux adversaires, les Palestiniens ayant supplanté sur ce terrain les Israéliens qui y étaient pourtant passés maîtres. Un des mystères de ce conflit reste d'ailleurs sa capacité à mobiliser les opinions publiques et à faire perdre aux diplomates leur impartialité. Certes, cette guerre, vieille de près d'un siècle, est douloureuse, mais elle est beaucoup moins sanglante que la plupart des grands conflits de notre temps : depuis 2000, moins de quinze mille palestiniens et israéliens en ont été victimes ; chiffre affreux, atroce, inacceptable, mais qui pâlit face aux statistiques africaines (des centaines de milliers de morts au Darfour ou au Kivu), irakiennes, afghanes ou même sri-lankaises (trente mille morts en quelques semaines). Or, la couverture médiatique a été en proportion inverse et, sur les sujets africains ou autres, les diplomates chargés des dossiers ne deviennent pas des zélotes d'une cause. Il faut renoncer à expliquer cette obsession, ces partis pris et cette passion, mais la constater, voire la dénoncer, pour reprendre du champ. Le diplomate français n'est pas responsable des droits des Palestiniens ou de la sécurité d'Israël, mais doit les prendre en compte, non comme des fins qui ne sont pas les siennes mais comme des moyens pour aller vers la paix qui est dans l'intérêt de notre pays.

Enfin, le dernier obstacle réside dans la prétention de chaque commentateur ou diplomate à parler au nom des deux parties, à mieux connaître leurs intérêts qu'elles et donc à en déduire le règlement de paix qui leur convient. Cette certitude ne mène nulle part, parce que seules les parties décideront de ce qui est acceptable pour elles. Beaucoup de journalistes lassés par ce conflit interminable et en quête d'une solution facile et de diplomates frustrés par leur impuissance et emportés par leurs émotions partagent, en particulier, la conviction que des pressions américaines sur Israël régleront le problème. C'est méconnaître les États-Unis et Israël que d'imaginer que les premiers pourraient entrer dans une confrontation prolongée avec le second et que celui-ci pourrait subordonner ses intérêts vitaux aux exigences américaines. Des désaccords peuvent se faire jour; des tensions peuvent apparaître. Mais ne pas comprendre que l'alliance entre les deux pays est de nature existentielle, la réduire au pouvoir d'un lobby ou espérer des pressions fortes de Washington sur Jérusalem, c'est prendre ses vœux pour la réalité. L'administration actuelle le rappelle.

Si, par miracle, l'observateur est sorti du labyrinthe des obsessions locales, s'est endurci au spectacle de ce «conflit de basse intensité» et se met à l'écoute des deux parties, il reviendra à un monde moins émouvant mais plus réaliste. Or, reconnaître la réalité ne signifie pas s'y résigner, mais, tout au contraire, en estimer les lignes de force et les failles pour l'infléchir en fonction de nos intérêts.

La première évidence est que le conflit se présente sous la forme la plus banale de la définition d'une frontière entre un État qui existe et un État à naître. L'Europe n'a cessé d'en connaître de semblables, du Moyen Âge jusqu'à la crise du Kosovo.

Dans ce contexte, deuxième évidence, si solution du conflit il y a, elle se fera en tenant compte des réalités sur le terrain, comme il en a toujours été ainsi. Histoire, justice et émotions peuvent occuper la scène ; ce ne sont pas elles qui décideront.

Il faut donc partir de la réalité et d'elle seule, ne plus voir que les faits, conduire la politique telle qu'elle a toujours été pratiquée dans le monde – au moins en dehors de notre îlot postmoderne ouest-européen – et renoncer à dire ce qui est juste pour atteindre ce qui est possible. Or, pour qu'il y ait une paix, il faut que l'un offre des termes acceptables, mais aussi que son adversaire fasse les sacrifices nécessaires. Et ce n'est pas prendre parti que de constater que Israël, superpuissance régionale dotée de l'arme nucléaire, économie postindustrielle qui bénéficie de l'alliance indéfectible des États-Unis, de l'amitié des Européens et de la connivence des pays arabes, est en position d'imposer ses termes ou, à tout le moins, de refuser ceux qui ne lui conviennent pas.

Dans cette conjoncture, une réalité s'impose à nous, celle de la force d'une partie au conflit et de la faiblesse de l'autre, celle-ci étant due tant à la disproportion des forces par rapport à Israël qu'aux divisions interpalestiniennes et à l'incompétence du leadership de Ramallah. En d'autres termes, brutaux mais réalistes, Israël est en position d'imposer les termes d'un accord à son adversaire. Encore faut-il – la condition est de taille – qu'il sache dominer sa victoire. En effet, confronté à des exigences inacceptables, le faible a la ressource de refuser la capitulation, quitte à lui préférer le statu quo. C'est à conduire ce délicat exercice qu'il faut aider les deux parties.

Au fond, notre objectif devrait être de traiter le conflit israélo-palestinien comme tout autre conflit. On aurait ainsi une chance de passer de l'incantation à l'action, au lieu de lui appliquer, on ne sait pourquoi, des critères totalement différents de ceux qui ont cours pour des conflits tout aussi voire plus meurtriers.

Quand Sharon évacue Gaza (2005)

J'essayais de mettre en œuvre ces principes de la manière la plus dépassionnée qui soit. L'occasion m'en fut offerte par la décision prise par Ariel Sharon, en 2004, d'évacuer la bande de Gaza, où s'étaient installés quelques milliers de colons israéliens au milieu d'une population de plus d'un million de Palestiniens. Cette présence, vécue comme une provocation dans un territoire pauvre, exigu et surpeuplé, était la source d'innombrables incidents et nécessitait de fréquentes interventions de l'armée pour protéger les implantations. Le départ des colons était une décision de bon sens et correspondait à l'intérêt bien compris d'Israël, même s'il suscita un virulent débat au sein de la majorité conservatrice sur laquelle s'appuyait Sharon. La réaction instinctive de la direction ANMO au Quai d'Orsay était prévisible. Sharon était identifié comme le « bourreau de Sabra et Chatila », ces camps palestiniens où il avait laissé entrer, en 1982, les milices chrétiennes qui s'y étaient livrées à un massacre où avaient péri plus de 1 500 victimes. De toute façon, la colonisation israélienne était illégale et donc le retrait n'était que la réparation d'un mal. Enfin l'évacuation, si elle n'était pas totale et coordonnée avec les Palestiniens, ne résolvait pas le problème posé par le territoire. Tous ces arguments étaient vrais, mais je voyais dans cette décision le premier signe que la colonisation n'était pas définitive et l'occupation une donnée. Je jugeais que Sharon, précisément à cause de son passé de « faucon » mais aussi de grand soldat, était le seul qui pouvait convaincre son pays de faire des concessions et je pensais que le succès de ce premier pas pouvait en entraîner d'autres en Cisjordanie. Les autorités françaises suivirent mon raisonnement et exprimèrent leur soutien à la démarche israélienne.

L'évacuation eut lieu : 8 000 colons quittèrent la bande de Gaza, ce qui n'était pas rien. Quelques mois plus tard, à l'automne 2005, le vice-Premier ministre, Ehud Olmert, laissait entendre qu'Israël pourrait faire de même en Cisjordanie. Les colons installés au-delà du mur qu'Israël avait construit pour se protéger du terrorisme seraient rapatriés ; un territoire palestinien se dessinait en négatif. Une dynamique positive se mettait en route. Nous devions la soutenir quelles qu'en soient les limites, dont j'étais conscient. Le trajet du mur, notamment, dépassait parfois sensiblement le tracé de la ligne de 1967 et semblait donc annexer à Israël une partie de la Cisjordanie (un peu plus de 5 % de celle-ci). Mais le mieux était l'ennemi du bien. Il fallait soutenir une dynamique vertueuse qui se créait.

Hélas, Ariel Sharon devait être victime d'une attaque cérébrale, en janvier 2006, et tomber dans un coma profond jusqu'à sa mort en 2014. Nul autre que lui ne pouvait rassurer les Israéliens sur les conséquences de sa démarche pour leur sécurité, qui reste le critère premier à partir duquel ils jugent une proposition. C'était donc l'assurance que cette sécurité était préservée, et elle seule, qui pouvait les convaincre de courir le risque de l'État palestinien, puisque risque il y avait à reconnaître un État, après des décennies de guerre, à quinze kilomètres de la capitale économique du pays.

J'eus l'occasion de rencontrer Ariel Sharon, dont j'avais lu l'excellente autobiographie. Il me racontait, avec le sourire, ses virées à Paris, dans les années 1950, d'où, me disait-il, il rapportait une valise de charcuterie pour ses amis. La nourriture occupait une place importante dans sa vie, comme le montrait son tour de taille. Au cours d'un petit déjeuner auquel j'assistais, il avala tout ce qui se trouvait sur la table sans que ses invités aient leur mot à dire. Mais c'était face à une carte que je retrouvais le grand soldat : pendant une demi-heure, il décrivit à un ministre français de passage, colline par colline, thalweg par thalweg, l'intérêt de la Cisjordanie pour la défense d'Israël. Il était personnellement indifférent à la signification religieuse de la « Judée-Samarie », le nom israélien de la Cisjordanie, où il voyait seulement un enjeu de sécurité. Il avait conclu, avant de disparaître de la scène politique, que l'occupation de ce territoire n'était plus nécessaire à Israël dans cette perspective. Lui seul pouvait en persuader ses concitoyens. En tout cas, pas son successeur, Olmert, qui n'avait même pas fait tout son service militaire parce qu'il s'était foulé la cheville en jouant au foot... L'affaire en resta donc là. Une occasion avait été ratée.

En revanche, la France ne fit pas preuve du même pragmatisme lorsqu'en janvier 2006, le Hamas remporta les élections palestiniennes. C'était un dimanche et, avant même que je transmette mes recommandations, j'appris des Israéliens ravis que Jacques Chirac avait indiqué à leur Premier ministre, au téléphone, que la France refuserait tout dialogue avec le vainqueur tant que celui-ci ne reconnaîtrait pas Israël, ne renoncerait pas à la lutte armée et n'endosserait pas les accords conclus par l'Autorité palestinienne. Demandes légitimes mais qui, posées en conditions préalables, nous interdisaient de jouer un quelconque rôle dans la partie difficile qui s'annonçait entre factions palestiniennes. En tout cas, elle rendait ma situation confortable en Israël...

Opération militaire au Liban (2006)

La manifestation de la satisfaction de nos interlocuteurs fut l'annonce que le Premier ministre et plusieurs autres membres du gouvernement assisteraient à la réception que je donnais pour la fête nationale, le 12 juillet 2006, les 13 et 14 étant exclus pour des raisons religieuses.

Aucun ne vint. Ce fut, en effet, le jour où Israël déclencha une opération militaire au Liban après une attaque conduite par le Hezbollah contre la frontière nord du pays, qui avait coûté la vie à neuf réservistes tandis que deux étaient faits prisonniers. Mon séjour s'achevait dans une nouvelle tragédie. Je passais mes dernières semaines en Israël à relayer, auprès de l'état-major israélien, les appels angoissés de mon collègue de Beyrouth, un vieil ami, soit pour signaler les installations scolaires françaises au Liban soit pour faciliter l'évacuation par notre Marine nationale de milliers de touristes de tous pays, pris au piège par la guerre. Des communications souvent au cœur de la nuit, souvent tendues et pas toujours entendues, que reprenait, de son côté, l'attaché de défense. Je trouvais dans cette opération la confirmation de ma conviction que recourir à la force ne doit être qu'un dernier recours par obligation ou pour atteindre un objectif précis. En l'occurrence, les Israéliens me répétaient, à juste titre, qu'ils avaient été attaqués et qu'ils se trouvaient en situation de légitime défense. Il était exact qu'ils avaient entièrement évacué le Liban et que le Hezbollah n'avait plus aucune raison de se livrer à ce type d'opération. Mais ils étaient incapables de répondre à la question simple que je leur posais sur leur objectif. Car d'objectif clair, il n'y en avait pas au-delà de « donner une leçon » à l'ennemi, ce qui était un peu court. En dehors même de sa finalité, l'opération permit aussi de vérifier l'intuition de mon attaché de défense, qui avait émis des doutes sur les capacités opérationnelles d'une infanterie qui passait son temps à contrôler des civils aux barrages en Cisjordanie. Tsahal eut la surprise de découvrir que l'ennemi s'était doté d'un réseau de fortifications et qu'il se défendait fort bien. Elle eut le dessus, mais non sans pertes et après avoir dû renforcer son dispositif initial. Pendant les combats, le Hezbollah lança sur le nord du territoire israélien, au hasard, des dizaines de roquettes artisanales qui firent peu de victimes mais éprouvèrent la population.

Le ministre français des Affaires étrangères, Philippe Douste-Blazy, voulut se rendre à Haïfa pour manifester sa solidarité avec la population civile, en particulier les milliers de Français qui y résidaient. Une alerte nous obligea à nous réfugier dans une maison, le tout sous l'œil d'une caméra de l'équipe de télévision française qui suivait le ministre pour mettre en valeur son héroïsme. Manque de chance, au moment où les roquettes tombaient à proximité, le ministre parut bien pâle à côté d'un ambassadeur il est vrai bronzé par le soleil local. La presse en fit ses délices et mes amis me félicitèrent de mon « courage ». Il faut toujours se méfier de la communication ; elle peut facilement se retourner contre vous.

Je quittais Israël, à l'été 2006, avec la triste conviction que nous étions à « minuit moins cinq » pour le règlement du conflit israélo-palestinien. Avec le départ d'Ariel Sharon et la marginalisation glorieuse de Shimon Peres, devenu monument national qu'on honore mais ne consulte pas, la classe politique israélienne se banalisait tandis que le pays évoluait de plus en plus vers la droite après l'arrivée d'un million de Russes. Du côté palestinien, les atermoiements d'Arafat, la médiocrité de son successeur, la corruption de son entourage et l'affrontement à mort entre Fatah et Hamas condamnaient l'Autorité palestinienne à l'immobilisme. Pendant ce temps, le «Frankenstein» de la colonisation israélienne en Cisjordanie continuait à échapper à tout contrôle. J'avais assisté à ses premiers pas, au début des années 1980, à Maale Adumim, à l'est de Jérusalem, et, déjà, je m'étais inquiété d'une entreprise dont l'objectif, je le sentais, était de rendre impossible un compromis territorial. De retour, en 2003, j'avais constaté que mes pressentiments étaient hélas justifiés : des dizaines de colonies, souvent sur des terrains spoliés aux dépens des légitimes propriétaires palestiniens, s'étaient progressivement développées et rendaient illusoire toute notion de continuité territoriale palestinienne à moins de rapatrier de l'autre côté de la Ligne verte des dizaines de milliers d'Israéliens dont beaucoup étaient armés et fanatisés. Le gouvernement d'Ariel Sharon était tombé après l'évacuation de 8 000 colons de Gaza, terre ingrate sans passé juif. En Cisjordanie, ils seraient dix fois plus à devoir quitter la terre de la Bible, car c'était là que l'épopée biblique était supposée avoir eu lieu. Ben Gourion avait raison lorsqu'il disait en 1967 que si Israël ne se retirait pas immédiatement sur la Ligne verte, il ne le ferait jamais. En effet, la Cisjordanie amenait avec elle l'alliance mortifère de la religion et du nationalisme. Le lien du judaïsme avec la terre d'Israël, de spirituel, devenait matériel. Les colons ne sont pas tous religieux ni tous nationalistes ; beaucoup se sont installés au-delà de la Ligne verte pour profiter des taux avantageux de prêt immobilier consentis par l'État. Mais une forte minorité est convaincue de réaliser le plan divin ou de poursuivre l'aventure sioniste – ou les deux –, et n'accepterait pas un ordre d'évacuation. Lorsque l'État se décide à donner des gages à la communauté internationale en s'en prenant à une petite communauté récemment installée encore plus illégalement que les autres, l'opération devient une tragédie nationale retransmise en direct sur toutes les chaînes de télévision : les quelques dizaines de colons concernés ont été rejoints par des militants venus de tout le pays et se livrent à un exercice de résistance passive qui permettra ensuite au gouvernement de montrer au monde à quel point l'entreprise est difficile. La réalité reste de la croissance régulière de la colonisation. Certes, les implantations les plus peuplées sont proches de la Ligne verte et pourraient donc être transférées à Israël sans trop de difficultés par le biais d'échanges de territoires avec l'État palestinien, mais ce ne serait pas possible pour 80 000 à 100 000 colons qui sont installés au milieu de ce que serait un État palestinien. Aucun gouvernement israélien, quelle que soit sa composition, ne serait capable de se livrer à cette opération. Il n'y aurait pas de majorité à la Knesset pour le décider. L'armée, où les officiers sont de plus en plus religieux, ne s'y associerait pas. Le pays, où l'idée de Juifs tirant sur des Juifs révulse l'opinion publique, ne l'accepterait pas. Un miracle est toujours possible, mais l'hypothèse la plus probable reste celle du maintien du statu quo. Israël peut ainsi conserver la Cisjordanie sans avoir à trancher du statut des Palestiniens, ce qu'il faudrait faire en cas d'annexion. En effet, l'État aurait alors à décider soit d'en faire des citoyens, ce qui condamnerait à terme son caractère juif, soit des étrangers sur leur propre terre, ce qui signifierait la fin de sa démocratie. De leur côté, les pays arabes ont d'autres priorités, dont certaines, notamment la menace iranienne, les rapprochent de Jérusalem. Les accès de violence ont été, jusqu'ici, limités et temporaires, dans le cadre d'un conflit de basse intensité dont Israël, la région et la communauté internationale peuvent s'accommoder.

S'il y a une certitude après trente ans d'efforts américains, c'est donc l'incapacité des deux parties d'aller à la paix de leur plein gré.

Aujourd'hui, je suis donc à peu près convaincu que jamais il n'y aura de paix entre Israël et les Palestiniens. Des erreurs et des crimes ont été commis des deux côtés dans cette tragédie, ce mot étant utilisé dans son sens le plus fort, ce malheur envoyé par les dieux à deux peuples condamnés à vivre sur la même terre. Aujourd'hui, il n'est plus possible de les séparer ; l'un dominera l'autre. On connaît la souffrance du vaincu. On oublie que le vainqueur paie aussi sa victoire qui apporte avec elle brutalisation, racisme et autoritarisme.

Cela étant, il ne faut jamais renoncer ; il faut toujours œuvrer à la relance du processus de paix, ne serait-ce que parce que la négociation est toujours préférable à la confrontation. C'est une banalité que de dire qu'il n'y aura pas de processus de paix sans les États-Unis, parce qu'eux seuls auraient les moyens et la crédibilité de convaincre les parties de courir le

risque de la paix, une paix qui conduirait deux ennemis, inconciliables depuis près d'un siècle, à coexister
sur un minuscule bout de terre.

De manière assez étrange, Obama, qui disposait
d'un immense capital politique en Israël, en 2009, au
moment où ce pays doutait, après un siège de Gaza
qui avait suscité la réprobation générale, n'en fit rien.
Il choisit de le gaspiller en s'attaquant à la question
de la colonisation israélienne dans les territoires occupés. Certes, celle-ci est une affaire grave, mais elle
n'est qu'un symptôme d'un problème qu'il faut traiter
à la racine. C'est d'une négociation de paix dont les
belligérants ont besoin et non d'un débat sans fin sur
des sujets secondaires où ils savent très bien embour-
ber les bonnes volontés. En quelques mois, Obama
est devenu le président américain le plus impopulaire
de l'histoire en Israël. Une occasion avait peut-être
été manquée ; en tout cas, rien ne devait arriver sur
ce dossier pendant les deux mandats. C'était dans ce
contexte d'une impasse d'un processus de paix que
fut élu Trump, qui avait fait étalage de son soutien
inconditionnel à Israël tout au long de la campagne
électorale. Il est vrai que c'était un exercice inévitable
et que sa concurrente avait agi de même.

L'administration Trump et le conflit israélo-palestinien

Je me rendis en décembre 2016 à la Trump Tower,
à New York, pour évoquer les questions du Moyen-
Orient, à la demande expresse de la nouvelle équipe

présidentielle. Une résolution condamnant la politique d'implantations israéliennes dans les territoires occupés était discutée au Conseil de sécurité. Par ailleurs, la France avait annoncé la tenue à Paris d'une conférence sur le conflit israélo-palestinien. Jason Greenblatt et David Friedman m'accueillirent fort civilement : l'un devait devenir l'envoyé du président pour le conflit et l'autre, l'ambassadeur en Israël. Ils se présentèrent d'ailleurs ainsi. J'ai consacré près de la moitié de ma carrière aux questions du Moyen-Orient. Ce n'est pas me vanter de dire que je connais les argumentations de toutes les parties, les approximations factuelles, les ressorts émotionnels et les impasses conceptuelles, que ce soit du côté israélien ou palestinien. J'identifiai donc assez rapidement l'orientation de mes deux interlocuteurs, typique de la droite juive new-yorkaise : les Palestiniens étaient des terroristes, les Israéliens voulaient la paix, etc. L'ignorance des faits, souvent les plus élémentaires, se doublait d'une foi indéfectible dans la justesse de la cause israélienne. J'avais l'habitude de ce type d'interlocuteurs ; j'en avais rencontré beaucoup à Tel-Aviv, à New York ou à Paris sous leur avatar français. Je savais ébranler leurs certitudes sans franchir la ligne rouge qui m'aurait fait qualifier de pro-palestinien. Je les titillais. Je suggérais des nuances. J'essayai de leur faire comprendre la situation des Palestiniens, mais je savais que ce jeu intellectuel, qui au fond m'amusait, n'ébranlerait en rien leurs préjugés. Nous nous séparâmes en bons termes, Friedman concédant même que je connaissais bien le sujet.

Cela étant, ils avaient, au moins, un argument de taille qu'il était difficile d'ignorer : ils demandaient, au nom du président élu, de reporter la conférence que la France entendait tenir à la mi-janvier sur le conflit israélo-palestinien afin de permettre à la nouvelle administration, qui se mettrait en place quelques jours plus tard, de faire valoir ses vues. C'était frappé au coin du bon sens. À quoi bon se réunir le 15 janvier avec un représentant américain qui ne représente plus rien six jours avant l'inauguration du nouveau président ? C'est non seulement priver la réunion elle-même de sa signification, mais se couper de la nouvelle administration avant même sa mise en place. J'ajoute que, de toute façon, la conférence, à laquelle Israël ne participait pas, n'avait aucune chance de faire progresser la question d'un iota et relevait d'une « diplomatie hôtelière » que nous affectionnons : on invite des ministres qui sont ravis de venir à Paris ; on prend une photo et on en déduit que la France est dans le jeu. La reporter n'aurait donc eu aucune conséquence concrète, mais Jean-Marc Ayrault, ministre français des Affaires étrangères, qui sentait venir la fin d'un mandat qui avait été fort court et sans éclat particulier, ne voulut pas se priver de ce bref moment de gloire. J'imagine que la photo finale de cette réunion, sans lendemain et déjà oubliée, trône aujourd'hui sur le manteau de sa cheminée. Cet entêtement me valut un coup de téléphone brutal du beau-fils de Donald Trump, Jared Kushner, dont les termes me firent comprendre que le « gendre idéal » n'était pas l'enfant de chœur que laissait supposer son apparence lisse. Mon

collègue britannique eut d'ailleurs la même désa-
gréable expérience pour un autre sujet : « Le pire coup
de téléphone de ma carrière », me confia-t-il.

Jared Kushner et Jason Greenblatt furent chargés
de la relance du processus de paix tandis que Friedman rejoignait Tel-Aviv comme ambassadeur. C'était
clairement une équipe d'amis d'Israël. La famille du
premier avait d'ailleurs offert, à plusieurs reprises,
l'hospitalité à Benjamin Netanyahou lors de ses passages privés à New York, et le dernier avait contribué au financement de colonies israéliennes. Il devait
d'ailleurs s'illustrer, dès son arrivée, par ses déclarations répétées pour nier le caractère de territoire
occupé de la Cisjordanie, ce qui conduisit, chaque
fois, le département d'État à faire un communiqué
embarrassé pour affirmer que la politique américaine n'avait pas changé en ce qui concerne le statut
de ce territoire. Le beau-fils du président a su garder
le secret sur les propositions qu'il élabore et qu'il n'a
pas encore présentées. Les conversations que j'ai eues
avec lui et Greenblatt, ainsi qu'un entretien de Jean-
Yves Le Drian avec le premier, ne nous ont pas permis
d'en savoir davantage. Britanniques et Allemands sont
dans la même situation.

La nouvelle équipe n'a consulté aucun des diplomates et experts qui ont travaillé sur ce sujet, que ce
soit sous les républicains ou les démocrates, manière
symbolique de marquer qu'elle entendait examiner le
dossier d'un œil neuf, ce qui n'est pas forcément mauvais lorsqu'on prend en compte l'échec de ses prédécesseurs. Ce que nous avons cru comprendre, les uns

et les autres, est parcellaire et peut-être erroné. Un État palestinien, unissant Cisjordanie et Gaza, serait effectivement créé et reconnu, mais sans que ses frontières soient déterminées à ce stade ; sa capitale serait un faubourg arabe de Jérusalem, Abou Dis ; une aide financière massive permettrait le développement des territoires palestiniens ; aucun droit au retour ne serait reconnu aux Palestiniens qui devraient être intégrés dans leurs pays hôtes. Sur cette base, une négociation s'engagerait entre les deux parties pour finaliser l'accord de paix, en particulier en ce qui concerne les frontières, le statut des colonies et les arrangements de sécurité. À une question sur le sort de celles-ci, Jared Kushner m'avait répondu, de manière cryptique, qu'il ne voyait pas pourquoi il faudrait les évacuer, ce qui sous-entendait soit qu'elles accepteraient la loi palestinienne, ce qui est exclu, soit qu'elles seraient des îlots « mitant » l'État palestinien. Dans sa brutalité, le projet, si c'est bien le projet en discussion, repose sur une logique imparable : la faiblesse des Palestiniens abandonnés à leur sort par les pays arabes, que l'hostilité à l'Iran a rapprochés d'Israël. Kushner est intelligent et rationnel, peut-être trop rationnel parce qu'apparemment, il ne voit pas que si vous donnez le choix à votre adversaire entre la capitulation et le suicide, celui-ci peut choisir le second. Toujours est-il que le plan américain sera, à l'évidence, beaucoup plus proche des positions d'Israël que de celles des Palestiniens. C'est ce qu'ont compris même les pays arabes les plus liés à Israël, comme l'Arabie Saoudite et les Émirats arabes unis, qui ont discrètement fait savoir qu'ils ne pourraient cautionner ce qui apparaîtrait comme une renonciation de fait à Jérusalem. Or, Jared Kushner comptait sur les princes héritiers des deux États, avec lesquels il a noué des relations d'amitié, MBS (Mohamed ben Salman) et MBZ (Mohamed ben Zayed), pour soutenir sa démarche. Leur défection est un mauvais coup pour lui.

De leur côté, à force d'être ostensiblement considérés comme des acteurs de seconde zone par les Américains, à force de les voir piétiner les acquis de deux décennies de négociations, les Palestiniens ont décidé de couper les ponts avec l'administration Trump.

L'occasion en a été le transfert de l'ambassade des États-Unis à Jérusalem. Le président américain voulait simplement prouver qu'à la différence de ses prédécesseurs, il mettait en œuvre ses engagements de campagne ; son ambassadeur, qui défend autant les intérêts d'Israël que ceux des États-Unis, l'y poussait. Paradoxalement, il est probable que Netanyahou, malgré ses cris de joie, n'en ait pas été si satisfait, dans la mesure où toute sa politique repose sur le statu quo et où il se méfie de toute initiative qui pourrait le conduire à sortir de celui-ci. Ce transfert aurait même pu être positif s'il avait été précisé qu'il s'effectuait à Jérusalem-Ouest, ce qui aurait sous-entendu que la partie orientale de la ville devait, aux yeux de Washington, devenir la capitale palestinienne. Mais il n'en fut rien. Tout au contraire, Trump prétendit, par tweet, avoir « sorti la question de Jérusalem de la négociation », ce qui était, au contraire, laisser entendre qu'il reconnaissait d'entrée de jeu que toute la ville devait rester israélienne. C'est d'ailleurs ce que répétait David Friedman à qui voulait l'entendre toujours malgré les démentis du département d'État. Les Palestiniens n'avaient donc pas le choix ; ils en ont conclu qu'ils ne pouvaient plus accepter les Américains comme honnêtes courtiers. Ils l'ont payé cher, puisque l'administration Trump a successivement mis fin à tous les transferts financiers en leur faveur, qu'ils transitent par les agences des Nations unies ou soient versés directement. Cela étant, la décision sur l'ambassade n'a pas suscité l'embrasement que certains escomptaient, tout au plus quelques maigres manifestations sans conviction. Allant encore plus loin, l'administration a décidé de fermer son consulat général à Jérusalem, qui était chargé des relations avec les Palestiniens, indépendamment de l'ambassade de Tel-Aviv, pour en charger celle-ci. Le département d'État, qui n'a évidemment pas eu son mot à dire, a été encore moins convaincant que d'habitude en affirmant que ce n'était qu'une mesure de rationalisation des services (*sic*). Le résultat est que les Palestiniens dépendent désormais de l'ambassade en Israël, ce qui, d'une part, laisse entendre que les territoires occupés font partie de ce pays et, d'autre part, donne à l'ambassadeur la haute main sur les relations avec eux ; un ambassadeur qui, le 23 octobre 2018, affirmait : « Je suis un homme de droite, fier soutien d'Israël. » Il est difficile d'aller plus loin dans la remise en cause de tous les fondamentaux du conflit au profit d'Israël et aux dépens des Palestiniens. Il est vrai que Jared Kushner devait me confier qu'en se plaçant ainsi « à la droite » de

Netanyahou, l'administration américaine serait ainsi en position de «pousser» le Premier ministre vers le centre, d'autant que Donald Trump bénéficie de la confiance de l'opinion publique israélienne.

En 2019, nous en sommes donc là. L'administration Trump prépare, dans le plus grand secret, un plan de paix. Les Palestiniens n'y contribuent pas. Tout laisse entendre qu'il sera favorable à Israël mais «moins qu'on ne le pense», m'a dit Jared Kushner en novembre 2018. Cela étant, sa présentation a été retardée de mois en mois. On pourrait même douter qu'elle ait lieu si Trump n'avait pas dit, à plusieurs reprises, que telle était son intention. Or, il fait toujours ce qu'il a annoncé.

XI

L'Assemblée générale des Nations unies

Les Nations unies sont une partie de toute carrière diplomatique. En effet, non seulement il n'est de crise internationale qui n'apparaisse tôt ou tard à l'ordre du jour du Conseil de sécurité, mais tout sujet de préoccupation de la communauté internationale (du climat aux droits des LGBT) finit également par faire l'objet d'un débat voire d'un texte de l'Assemblée générale de cette organisation, qui réunit tous les États-membres, qui y disposent tous d'une voix mais dont les décisions n'ont pas d'autre valeur juridique que de recommandation.

Directeur politique depuis 2006, j'espérais que le poste de représentant permanent de la France auprès du Conseil de sécurité, à New York, serait la prochaine étape de ma carrière. Bernard Kouchner me le proposa en mai 2009. Cette nouvelle était d'autant plus inespérée que j'en étais alors à caresser l'idée d'une carrière en dehors du Quai d'Orsay. Le poste de directeur politique est supposé être le sommet d'une carrière diplomatique ; c'est, en effet, le bras droit du ministre pour le cœur de métier du ministère, c'est-à-dire la négociation politique de haut niveau. Or, le ministre auprès duquel j'avais servi, Philippe Douste-Blazy, n'avait rejoint les Affaires étrangères que pour « cocher une case » dans son CV et se désintéressait du fond des affaires. Il découvrait les notes d'entretien en face de son interlocuteur et les ânonnait d'un air morne, n'aimait pas les diplomates et le leur faisait sentir et ne voulait pas montrer qu'il ne parlait pas l'anglais, ce qui donnait lieu à des quiproquos qui auraient été amusants s'ils n'étaient désolants. Ainsi, à New York, recevant les représentants de la communauté juive, il ne comprit pas une question qui portait sur l'Organisation pour la sécurité et la coopération en Europe (OSCE) – organisation qu'il ne connaissait pas – et répondit sur l'UE ; j'essayai d'intervenir et il me réprimanda devant tout le monde : « Je ne suis pas sous perfusion », me dit-il. J'avais donc passé une année sans intérêt à ses côtés ; c'était, de surcroît, la fin de la présidence d'un homme déjà physiquement affaibli. Bernard Kouchner était aux antipodes, passionné par les affaires internationales, connu de tout le monde et connaissant tout le monde, chaleureux et intelligent. Il avait fait de grandes choses et je ne pouvais l'oublier ; je respectais son passé. Je découvrais également que le spectacle toujours renouvelé de la folie des hommes, qu'il avait maintes fois constatée à Médecins sans frontières, avait nourri en lui un réalisme parfois grinçant. S'il avait un défaut, ce n'était certainement pas la naïveté ou l'irénisme. Pour lui, la politique étrangère, c'était la gestion des crises. Il était alors à son meilleur, courageux, rapide, décisif et lucide. Mais les dossiers techniques l'indifféraient, ce qui faisait l'affaire de la cellule diplomatique de l'Élysée qui s'en saisissait. J'étais frustré de me voir marginalisé sur des sujets qui auraient dû être les miens. C'est à ce moment que je commençais à envisager de quitter le ministère ; un ami, dans une situation comparable dans une autre administration, se disait prêt à partager l'aventure.

La proposition de partir à New York brisa cet élan et je pris mes fonctions le 29 août 2009.

Nations unies et tiers-mondisme

Les Nations unies sont un lieu unique où se croisent les ambassadeurs de 192 pays, les journalistes du monde entier et les représentants de centaines d'ONG. À l'occasion s'y ajoutent les délégations, qu'elles soient nationales ou liées à des populations ou groupes particuliers. On y croise dans les couloirs tous les costumes nationaux de la terre ; les bonzes voisinent avec les Indiens d'Amazonie. Il est aisé d'ironiser sur ce marché planétaire où se déversent, sans fin, platitudes et hypocrisies et où les flots toujours renouvelés de discours interminables ne débouchent, le plus souvent, que sur des déclarations insignifiantes, pleines de bons sentiments et non appliquées. La rhétorique l'emporte souvent sur le fond.

Par ailleurs, les Nations unies conservent un parfum des années 1970, fait d'anti-américanisme et de contestation de l'ordre établi, qui permet aux pays les plus virulents (de Cuba à la Corée du Nord, de la Syrie au Venezuela) de s'opposer à toute avancée dans le domaine de la défense des droits de l'homme ou même dans celui de l'efficacité de l'organisation, au nom du respect des souverainetés nationales. Ce n'est pas seulement que quelques radicaux dictent leur loi au marais des modérés, mais s'y ajoute également le jeu trouble des grands pays émergents, Chine, Brésil, Inde, Afrique du Sud en particulier, qui ne les décourage pas. Une posture anti-occidentale leur permet de justifier leur statut de pays pauvre au sein de l'organisation, que leur puissance réelle n'explique plus. En restant solidaires du «groupe des 77» (131 pays qui correspondent, en gros, à ce qu'on appelait autrefois le tiers-monde), les puissances émergentes évitent ainsi d'assumer les responsabilités budgétaires mais aussi politiques qui devraient être les leurs en tant que grandes puissances : il est confortable de pouvoir critiquer les initiatives des autres sans être appelé à contribuer à la solution. Le Brésil aux Nations unies aujourd'hui, c'est le grand bourgeois qui s'habille en bleu de chauffe pour manifester. Il ne recule devant aucune surenchère. Il ne contribue à aucun compromis. L'élection de Bolsonaro à la présidence brésilienne pourrait changer ce positionnement agressivement tiers-mondiste.

Cela étant, le G77, qui réunit l'Inde, le Qatar, Singapour mais aussi le Niger et Tuvalu, n'est plus qu'un ensemble hétéroclite aux intérêts divergents, qui maintient son unité parce que les petits ont besoin des grands pour être leurs porte-parole, les grands des petits pour s'abriter derrière eux. Essoufflé, divisé, le G77 est plus que jamais un facteur d'obstruction dont la seule dynamique repose désormais sur la volonté de contester le leadership de l'Occident.

Cela étant, il ne faut pas jeter le bébé avec l'eau du bain. Que la communauté internationale ait un endroit où elle accepte de se rencontrer, de dialoguer et d'essayer de trouver des compromis inévitablement faibles et boiteux est sain ; que la société civile estime qu'elle peut y faire connaître ses aspirations est nécessaire. Il n'y a là ni naïveté ni attente excessive, mais le sentiment que, d'une part, conserver un lieu neutre où chacun peut se retrouver est utile et que, d'autre part, ériger une institution au-delà des États leur oppose implicitement l'existence d'une opinion publique internationale dont ils doivent tenir compte. Même si, sur certains sujets, le pont aux ânes de la rhétorique tiers-mondiste est et restera de rigueur, il revient aux pays occidentaux attachés au multilatéralisme et aux droits de l'homme d'éviter de susciter la constitution d'un front du G77 qui ne va plus de soi. Il ne faut pas se lancer dans de grandes croisades. Il faut choisir ses combats en fonction de la possibilité d'obtenir des avancées concrètes, même modestes. Car le temps joue pour nous : les sociétés se réveillent. Internet décloisonne le monde. Les classes moyennes partagent les mêmes aspirations pour leurs enfants d'un avenir sans pollution, sans corruption et sans violence. Nous pouvons donc avancer au cas par cas, en choisissant notre vocabulaire, en respectant l'ADN d'une organisation dont les deux piliers sont la décolonisation et la souveraineté nationale et en nouant des liens non avec les grands émergents qui ne veulent que prendre notre place sans payer leur cotisation, mais avec tous les pays « moyens » qui aspirent à être reconnus (de la Colombie à l'Indonésie). La partie est loin d'être désespérée, et la France dispose d'un capital de sympathie pour contribuer à surmonter les méfiances.

Changement climatique

La lutte contre le changement climatique en est un bon exemple. En tant que représentant permanent aux Nations unies, j'ai eu l'occasion de participer à des débats ou à des réunions consacrées au changement climatique. Chaque fois, la même opposition entre pays avancés volontaristes dans cette entreprise et non-alignés, qui soulignaient que les premiers leur demandaient de ne pas faire ce qu'eux-mêmes avaient abondamment fait pour atteindre leur niveau de développement. On exigeait d'eux des efforts pour pallier une situation dont les pays industrialisés étaient responsables, qui pourraient ralentir leur propre croissance, c'est-à-dire leur sortie de la pauvreté. Ils estimaient donc que les pays riches devaient assumer l'essentiel du fardeau. Le débat était répétitif et ne menait nulle part, mais il permettait à la Chine, au Brésil et à l'Inde, qui devenaient des pollueurs massifs, de s'abriter derrière les revendications de petits pays dont, de toute façon, la contribution au phénomène était si minime que leur participation n'était en rien essentielle au succès de l'entreprise globale. L'affrontement était donc non seulement stérile mais inutile. Je sentis, néanmoins, au cours des cinq années que je passai à New York, une évolution des positions dans la mesure où les petites îles du Pacifique, qui constataient la montée du niveau de la mer, et les États menacés de désertification commencèrent à s'alarmer des conséquences pratiques du changement climatique et à regretter que le débat aux Nations unies ne mène nulle part. Cette fragmentation du G77 nous permit de sortir de l'impasse. Ce n'était désormais plus une confrontation Nord/Sud, si confortable pour les grands pays émergents ; c'était un sujet qui échappait aux clivages traditionnels, où des alliances pouvaient être nouées entre pays du Nord et du Sud.

Dès son élection, François Hollande avait décidé d'accepter la présidence de la COP, en 2015, l'année où il était prévu que soit adopté un instrument international qui résume l'engagement de la communauté internationale dans ce combat. Mes collègues du Quai d'Orsay et moi-même avions été inquiets de cette décision. Il fallait, en effet, obtenir le soutien unanime de 192 pays alors que non seulement les différences d'approche étaient marquées entre Nord et Sud mais que Chine, Inde, Brésil, Russie voire Arabie Saoudite pouvaient considérer que leur intérêt était de faire échouer nos efforts de manière à continuer à polluer. À ce menu déjà peu attractif s'ajoutaient les trouble-fête dont l'habitude est de s'opposer au consensus, quel que soit le sujet, par tradition et, pourrait-on dire, par vocation : Cuba, Nicaragua, Corée du Nord et Syrie. Dans ce contexte, la division du G77 était une bonne nouvelle pour les négociateurs français parce qu'elle plaçait en première ligne Chine, Inde et Brésil, qui ne pouvaient plus se cacher derrière le reste du groupe et devaient donc assumer publiquement leur position alors que leur propre opinion publique s'alarmait de la détérioration de l'environnement. On sentit cette atmosphère nouvelle lorsque les Nations unies commencèrent à négocier les « Objectifs du développement durable », en 2013, qui devaient fixer, d'un commun accord, les cibles à atteindre en 2030 afin d'éradiquer la pauvreté, protéger la planète et garantir la prospérité de tous. Leur adoption par tous les membres des Nations unies était fixée à septembre 2015. La diplomatie brésilienne, qui excelle dans les manœuvres dilatoires, ne put, malgré le soutien de la Chine, retarder les discussions qui progressèrent rapidement vers la définition de 17 objectifs parmi lesquels figurait, en numéro 13, « la lutte contre le changement climatique ». Ce résultat n'avait été obtenu qu'au prix de l'engagement des pays avancés d'un financement annuel de 100 milliards de dollars à partir de 2020 en faveur des pays en développement. Le compromis était donc implicite : les pays du Sud n'accepteraient de s'engager dans la lutte contre le changement climatique, qui les obligerait à changer leur modèle de croissance, qu'en échange d'un financement substantiel par le Nord. Il n'y a pas d'accord sans compromis.

L'Occident est aujourd'hui sur la défensive aux Nations unies dans le domaine de la défense des droits de l'homme. Il est confronté à une coalition hétéroclite mais efficace qui s'oppose à ses propositions, en particulier dans le domaine des droits sexuels et reproductifs et des droits des personnes LGBT. La Conférence de la coopération islamique (53 États), la majorité du groupe africain (54 États), des États radicaux (les Latino-Américains de la coalition dite de l'Alba), des pays socialement conservateurs (Russie, Chine, Asie centrale), quelques pays catholiques animés par le nonce apostolique constituent une majorité automatique lorsque arrive le moment du vote. De notre côté, nous ne pouvons mobiliser que les Européens, la majorité des Latino-Américains et quelques Asiatiques. Le Brésil et l'Afrique du Sud, qui devraient nous soutenir, se font inhabituellement discrets pour ne pas s'aliéner le reste du G77. Les négociations deviennent donc soit des combats de tranchée pour ne pas reculer et perdre des acquis de la période précédente soit des confrontations directes face à des tentatives de remettre en cause les fondements mêmes des droits de l'homme, par exemple par l'introduction de notions nouvelles comme «les valeurs traditionnelles», «la famille traditionnelle» prônée par la Russie, ou «le respect dû à la religion», cheval de bataille de l'Arabie Saoudite.

Cette situation nous expose à un dilemme connu dans ce domaine, le choix entre le combat frontal sur des revendications justifiées mais inacceptables par l'autre camp et la recherche de compromis boiteux et médiocres qui non seulement maintiennent l'acquis mais permettent quelques progrès. La décision doit être prise au cas par cas, mais je me demande si les Occidentaux ne choisissent pas trop souvent la première voie, alors que nombre de nos interlocuteurs préféreraient éviter une confrontation publique et sont prêts à certaines concessions. Cela étant, la pression des ONG, la gravité des sujets et le radicalisme de quelques membres du G77 ou européens ne nous laissent souvent guère de choix : il faut se battre, et nous le faisons. Il n'est d'ailleurs pas toujours facile de prôner la prudence à son propre gouvernement, où la justesse de la cause paraît l'emporter sur toute autre considération. Ainsi, en 2012, Paris m'annonçait notre intention de présenter un projet de résolution à l'Assemblée générale des Nations unies pour la décriminalisation de l'homosexualité. L'objectif était évidemment louable, à une époque où plus de 70 pays font encore des relations homosexuelles un crime, jusqu'à la peine de mort dans quelques cas. J'y étais sensible, plus que nombre de mes collègues, mais je savais que nous ne réunirions pas de majorité sur ce sujet, parce qu'aux pays directement concernés se joindraient les paladins de la souveraineté nationale, les adversaires patentés de l'Occident et les États conservateurs en matière de mœurs, où coexistaient Arabie Saoudite, Vatican, Chine et Russie. Une défaite signifierait un renvoi du sujet aux calendes grecques. Je fis donc valoir ces arguments à Paris ; à l'occasion d'une visite de la ministre compétente en la matière, Mme Vallaud-Belkacem, j'organisai un dîner autour d'elle avec les principales organisations LGBT de la place, qui relayèrent mes arguments qu'elles partageaient. Elle comprit la situation et nous n'allâmes pas à un vote perdu d'avance, non sans que je sois qualifié d'homophobe par une association française... À défaut de grandes victoires, de petites ne sont pas exclues : ainsi, nous avons réussi à obtenir l'accréditation officielle des organisations LGBT auprès de l'Onu, à laquelle s'opposaient certains, en rappelant que la procédure d'accréditation était jusqu'ici quasiment automatique et qu'il ne fallait pas créer de précédent qui pourrait être ensuite utilisé bloquer d'autres organisations pour n'importe quelle raison.

Dès que nous quittons le territoire des principes, dès que l'ombre de la religion, quelle qu'elle soit, ne pèse plus sur les débats, nous pouvons convaincre une majorité d'États-membres de nous suivre. Ainsi le faisons-nous, chaque année, pour le vote de résolutions qui condamnent l'Iran, la Corée du Nord et la Syrie pour leur violation massive des droits de l'homme. Ainsi le faisons-nous au Conseil de sécurité à l'occasion du vote ou du renouvellement des mandats des opérations de maintien de la paix (OMP). Certes, la Russie est devenue plus vigilante et plus difficile récemment, mais nous avons réussi à faire de la protection des civils le cœur de métier de la plupart des OMP, en plus d'y ajouter une dimension de plus en plus exhaustive de défense des droits de l'homme. La France a joué un rôle central dans cette entreprise, par le biais de la rédaction des mandats de la force des Nations unies au Mali (MINUSMA) et en République centrafricaine (MINUSCA) : l'introduction de conseillers spécialisés dans les questions de genre, pour l'égalité entre sexes, ou d'enfants-soldats, pour leur démobilisation, en témoigne. La leçon que nous devons tirer de ce bilan contrasté est un optimisme raisonnable : nous pouvons défendre nos valeurs aux Nations unies, mais en faisant preuve de patience et de discrétion et en privilégiant les progrès concrets par rapport aux grandes questions de principes, sur lesquelles aucun compromis n'est possible de part et d'autre. Il ne s'agit pas de renoncer à celles-ci, mais de peser le pour et le contre avant toute confrontation. Il est parfois nécessaire de prendre date, mais il ne faut jamais oublier le coût d'une éventuelle défaite.

Si j'ai aimé les cinq années que j'ai passées à la tête de la mission auprès des Nations unies, ce n'est pas seulement à cause de New York, à cause de mon bureau au 44e étage d'où la vue portait vers le sud jusqu'à la mer au-delà du Verrazano Bridge ou à cause de mes jeunes collaborateurs vifs, intelligents et toujours disponibles, c'est aussi parce que j'y ai trouvé un microcosme qui était une fenêtre sur le monde. Jusqu'ici, j'avais servi auprès d'organisations multilatérales occidentales, l'Otan et l'Union européenne, fortes de leur efficacité mais aussi de leur bonne conscience. Soudain, j'étais plongé dans une organisation réellement mondiale où l'Occident est non seulement minoritaire mais l'objet de suspicions et souvent d'un vif ressentiment, soit par référence au passé, en particulier colonial, soit par dénonciation de politiques jugées iniques (le conflit israélo-palestinien, l'Irak, le double standard qui fait condamner les uns mais pas les autres tout aussi fautifs, Guantánamo, etc.), soit par opposition au contrôle exercé par les pays occidentaux sur les institutions internationales, en particulier à l'Onu. J'ai compris les traces qu'avait laissées la colonisation lorsque j'interrogeais des collègues africains sur leur soutien à Mugabe, le dictateur capricieux du Zimbabwe. Francophones ou pas, ils m'ont répondu que jamais ils ne soutiendraient «l'Occident» face à un ancien combattant de la décolonisation. En outre, c'est un fait que des Occidentaux se retrouvent à tous les échelons de l'organisation et qu'ils en sont, de loin, les principaux contributeurs budgétaires. Le G77, qui réunit les pays du tiers-monde, soit 132 membres, paie 9,5 % du budget… Aux Nations unies, on peut donc traverser le miroir et se voir tels que les autres nous voient, ce qui est passionnant. Après un discours que j'avais prononcé sur les droits de l'homme à Cuba, le représentant permanent de ce pays, que je connaissais, remarqua dans son français chantant qu'il attendait la même éloquence de ma part sur la situation en Arabie Saoudite. Il n'avait pas tort, même si les péchés de Pierre n'ont jamais excusé ceux de Paul. Être diplomate, c'est parfois un exercice de schizophrénie entre la défense des intérêts de son pays et la compréhension que d'autres peuvent avoir de bonnes raisons de ne pas les favoriser.

Le segment de haut niveau de l'Assemblée générale des Nations unies (AGNU)

Tout représentant permanent à New York sait que la troisième semaine de chaque mois de septembre sera son chemin de croix. En effet, s'y tient alors le « segment de haut niveau » de l'Assemblée générale qui réunit, chaque année, plus d'une centaine de chefs d'État et de gouvernement qui viennent s'y exprimer. C'est toujours le cas du président de la République française.

On ne peut parler des présidents de la République sans évoquer l'ambiance monarchique qui les entoure dans le système institutionnel de la Ve République, qui n'existe chez aucun de nos grands partenaires. En effet, en mettant à part les États-Unis, où les traditions et la culture sont différentes, ni l'Allemagne, ni le Royaume-Uni, ni l'Italie, ni l'Espagne ne concentrent dans une seule personne le symbole de l'État et le pouvoir de gouverner. Le président de la République française, seul, réunit sur sa personne le cérémonial du premier personnage de l'État (et le respect qui s'y attache) avec un pouvoir effectif. Le palais de l'Élysée résume ce double caractère, avec, d'un côté, ses fastes désuets qui isolent le nouvel élu dans une bulle de protocole et, de l'autre, des bureaux qui rappellent plus le XIXe siècle qu'une démocratie moderne. La chancellerie à Berlin est un immeuble de bureaux sans charme mais aussi sans prétention ; le « 10, Downing Street » a une élégance mais aussi une discrétion de bon aloi; ni l'un ni l'autre ne projettent cette image palatiale qui est celle de l'Élysée.

La chancelière et la Première ministre peuvent voyager en avion de ligne avec une suite réduite; le président est toujours entouré sans le demander, et souvent en le regrettant, par la pompe républicaine. Ajoutez le pouvoir qu'il détient, lui qui n'a pas à négocier en permanence avec sa coalition comme en Allemagne ou avec son parlement comme au Royaume-Uni, et vous comprendrez qu'autour de lui se crée une ambiance de cour, quelquefois surréaliste. Chaque sommet de l'Otan me permettait de le vérifier: en effet, l'ordre alphabétique anglais nous place à côté de l'Allemagne, et je pouvais comparer le naturel des échanges entre la chancelière et ses collaborateurs avec l'aura d'inaccessibilité qui entoure le président français. En réalité, les mythes fondateurs du pouvoir en France sont Louis XIV et Napoléon, et ces modèles continuent de fonder la conception du pouvoir qu'ont les Français, qu'ils soient gouvernants ou gouvernés. Ce n'est pas anecdotique: nul ne peut subir impunément la solitude que suscite la crainte que conseils et amitiés ne soient tous intéressés, le fardeau que représente le pouvoir, surtout s'il est grand, et l'exaltation que nourrit le sentiment de la puissance. L'isolement du monde réel dans les ors de l'Élysée et les rigueurs du protocole, l'approbation toujours acquise de l'entourage et le regard permanent des autres vous transforment et vous endurcissent. La condition humaine n'est pas toujours réjouissante à ces hauteurs.

C'est donc ce monarque républicain et cet entourage que le représentant permanent doit accueillir à New York. Accompagné de plusieurs ministres, dont évidemment celui des Affaires étrangères, il profitera de l'occasion pour rencontrer ses homologues et pour participer à différents événements organisés en marge de l'AG sur des thèmes particuliers (climat, droits de l'homme par exemple). Il faut imaginer un marathon de réunions à travers un New York quasiment à l'arrêt du fait des embouteillages monstres suscités par cette multiplication de cortèges officiels. La mission française, qui assure l'organisation et la gestion de cette semaine, est en surchauffe ; le représentant permanent aux aguets pour éviter un raté. Il faut d'abord, au début de l'été, obtenir que le président prenne la parole la première journée de l'Assemblée, si possible le matin, pour être assuré qu'il ait le maximum d'auditeurs. Dès que l'ouverture des inscriptions est annoncée, un jeune diplomate s'installe donc à l'aube devant le bureau concerné pour retenir le bon créneau puisque « le premier arrivé est le premier servi ». Ensuite, il s'agit de préparer les programmes non seulement du président mais aussi des ministres présents et également de certains hauts fonctionnaires qui savent qu'ils pourront rencontrer, en quelques jours, leurs collègues sans avoir à se rendre dans leur pays. On calcule les temps de parcours en tenant compte de la circulation ; chaque diplomate reçoit « son » ministre ou « son » directeur, qu'il aura pour mission d'accompagner dans son gymkhana.

Chaque président, chaque ministre a son style et ses

goûts ; café ? espresso ? chocolat ? thé ? avec ou sans lait ? Les détails ont de l'importance ; un ambassadeur est aussi – hélas – parfois un maître d'hôtel de luxe ou un agent de voyage : Nicolas Sarkozy détestait attendre, ne serait-ce qu'un instant, ce qui imposait un programme coordonné à la minute près. Or, en 2010, Kadhafi, qui s'exprimait avant lui, loin de se contenter des quinze minutes qui lui étaient accordées, s'était lancé dans un soliloque incohérent qui finalement a duré plus d'une heure et demie ; le président de séance l'interrompait d'autant moins qu'il était... libyen. Nous étions tétanisés devant l'écran de télévision, prêts à donner le feu vert au chef du protocole qui était à l'hôtel avec le président, calculant le temps du trajet et essayant de deviner quand Kadhafi allait se fatiguer de vaticiner. Lorsqu'il a lancé la Charte des Nations unies au visage du président de l'Assemblée, j'ai jugé qu'on pouvait y aller ; j'avais deviné juste.

Avec Emmanuel Macron, l'humour, le brio dans l'expression et la courtoisie dans les relations sont au rendez-vous, mais c'est le retard qu'il faut gérer par avance puisqu'il ne respecte jamais les horaires. La solution est alors de prévoir des «moments tampons» entre les rendez-vous. Ainsi, en septembre 2017, lors du lancement, à l'université de la ville de New York, d'un fonds que nous avions créé pour aider les écoles publiques américaines à devenir bilingues, il était arrivé en retard en me disant qu'il n'avait qu'un quart d'heure pour la cérémonie : nous assistâmes d'abord à une courte pièce de théâtre donnée dans les deux langues par des enfants d'une école américaine – à vrai dire bouleversante sur le sort des migrants en mer ; il fit ensuite de chic un discours éblouissant sur le bilinguisme. Le quart d'heure était déjà largement dépassé lorsqu'il me demanda de rencontrer les enfants avec lesquels il passa, loin des caméras, un long moment. Son programme était en miettes. Cela étant, comment le lui reprocher ?

XII

Le Conseil de sécurité des Nations unies

Le Conseil de sécurité est le cœur des Nations unies. Il est le seul qui a le pouvoir d'imposer des décisions à des États souverains. Les années où j'y ai représenté la France furent bien remplies, avec des succès comme la résolution 1975, qui a permis la fin de l'impasse en Côte-d'Ivoire, le respect du jugement des urnes et la stabilisation d'un pays qui aurait pu connaître le destin tragique du Liberia ou de la Sierra Leone. Des décisions difficiles comme les résolutions 1970 et 1973, qui conduisirent à l'intervention internationale en Libye. Des engagements forts de la France pour la stabilisation du Mali (cinq résolutions) ou de la RCA (trois résolutions). Des échecs enfin sur la Syrie (quatre vetos russe et chinois) ou sur l'Ukraine.

Tous ces épisodes ont signifié des négociations, le cœur de mon métier, c'est-à-dire des moments de grande satisfaction personnelle où j'ai eu l'impression de servir mon pays tout en participant à un jeu intellectuel et psychologique de grande qualité. Ce bonheur, je le dois d'abord à la confiance que m'ont toujours accordée les plus hautes autorités de l'État. On ne peut remplir ce poste sans bénéficier d'une autonomie de décision pour la mise en œuvre, à New York, de la politique déterminée à Paris. Cette liberté, il faut savoir la prendre.

Fonctionnement du Conseil de sécurité

Le Conseil de sécurité a été appelé, ces dernières années, à créer des opérations de maintien de la paix à un rythme inégalé. Il est capable de prendre des décisions parce qu'il réunit plusieurs des principales puissances militaires (États-Unis, Russie, Chine, France et Royaume-Uni) comme membres permanents et que sa taille réduite (quinze membres : cinq permanents, trois pays africains, deux asiatiques, deux latino-américains, un européen de l'Est et deux européens de l'Ouest élus par l'Assemblée générale pour deux ans) permet de vrais débats entre ses membres. C'est donc une institution qui reflète les rapports de force du monde. Le droit de veto, qui protège les intérêts de grandes puissances, lui a permis d'échapper au destin de la Société des nations, qu'avaient quittée successivement Allemagne, Italie, Japon et URSS parce qu'ils y avaient été condamnés. Son fonctionnement dépend donc de l'accord entre ces mêmes puissances. En l'absence de celui-ci, il est paralysé comme on l'a vu pendant la guerre froide, période où il était, à peu d'exceptions près, quasiment en sommeil. Le Conseil de sécurité est donc un compromis entre l'idéalisme qui a conduit à la création des Nations unies et la réalité des rapports entre les États.

Au sein du Conseil, les membres permanents du P5 jouent un rôle central. Certes, ils disposent du droit de veto, mais leur permanence est, en elle-même, un atout majeur dans la mesure où ils disposent toujours d'équipes compétentes, familières des usages et des procédures du Conseil, habituées à rédiger des projets de résolution, alors que les nouveaux élus perdent souvent plusieurs mois à les comprendre et à y recourir. Par ailleurs, si le P5 est divisé, le droit de veto fait que rien de substantiel ne se passe. Ce fut le cas récemment en ce qui concerne la Syrie et l'Ukraine.

En revanche, s'il est uni derrière un texte, le reste du Conseil, parfois en maugréant, le suivra. Or, c'est fréquent lorsque les Cinq ont conclu que leur intérêt est de gérer une crise en commun. La question nucléaire iranienne en fut le meilleur exemple, puisque toutes les résolutions de sanctions furent d'abord négociées à cinq avant d'être votées par le Conseil. Les trois occidentaux (États-Unis, Royaume-Uni et France) se réunissent souvent avant les sessions à cinq pour éviter de faire apparaître leurs propres divisions, qu'ils essaient donc de régler préalablement entre eux. Toutes ces réunions sont des secrets de Polichinelle. Il m'est arrivé d'être apostrophé par un autre membre du Conseil pour me demander quand le P5 arriverait à un accord. Les ambassadeurs du P5 essaient de conserver des relations civiles voire amicales même lorsque des désaccords les divisent. C'est la raison pour laquelle ils déjeunent régulièrement ensemble : le Russe, le regretté Vitali Tchourkine, après nous avoir énergiquement pris à partie, que ce soit sur la Syrie ou l'Ukraine, faisait de son mieux ensuite pour égayer notre réunion de ses plaisanteries qui, pour le moins, n'étaient pas « politiquement correctes », sous les applaudissements du Chinois et les sourires gênés des autres. Il connaissait si bien l'Occident que je suis convaincu qu'il le faisait exprès. Des cheveux blancs immaculés que contredisait un visage poupin, Vitali était la quintessence du diplomate russe, attaché aux procédures et aux usages, négociateur tenace, brutal à l'occasion, volontiers cynique ; il ne croyait qu'aux rapports de force et était prêt à tout pour les établir en sa faveur. Nos accrochages étaient homériques : j'avais pour principe de toujours rendre immédiatement la gifle que je recevais sur la joue gauche, et les gifles – diplomatiques, entendons-nous bien –, Vitali en distribuait avec générosité. Je répliquais, le ton montait, aucun de nous ne cédait jusqu'à ce que le président nous sépare. À peine étions-nous sortis de la salle qu'il me prenait par le bras et tout était oublié. J'ai senti son émotion lorsque, après cinq années de travail ensemble, je lui ai annoncé mon départ. Sa femme était professeure de français et il vivait, disait-il, avec Brel et Brassens en fond musical. Son décès subit, deux ans plus tard, m'a attristé.

Le chapitre VII de la Charte (articles 39 à 51) donne au Conseil, « en cas de menace contre la paix, de rupture de la paix ou d'actes d'agression », le pouvoir de prendre des mesures y compris impliquant le recours à la force (article 42).

Le fait malheureux que les opérations de maintien de la paix soient souvent nécessaires en Afrique francophone (République démocratique du Congo-RDC, Côte-d'Ivoire, Mali, République centrafricaine-RCA) confère à la France une responsabilité particulière et fait de notre pays le membre le plus actif du Conseil en termes de présentation de résolutions. En effet, contrairement à l'Union européenne, où l'initiative appartient à la Commission, à New York, seuls les États-membres du Conseil peuvent présenter des projets de résolution au vote de leurs partenaires. La conséquence en est que la France est aujourd'hui un des membres les plus influents de l'organe le plus important des Nations unies. Elle le doit évidemment à son statut de membre permanent, puisque la plupart des textes sont d'abord agréés en P5, aux crises africaines, on l'a dit, mais aussi à des atouts qu'elle ne partage qu'avec le Royaume-Uni : la réactivité et l'imagination. En effet, la Russie et la Chine ne prennent guère d'initiatives et se contentent de réagir aux propositions des autres, ou alors la première met sur la table un texte à ce point inacceptable qu'il disparaît rapidement. De leur côté, victimes de la lourdeur de leur système, les États-Unis sont incapables de répondre rapidement aux besoins qui se présentent inopinément : ils mettent des jours à proposer la moindre déclaration à la presse. Le Conseil prend alors parfois l'aspect d'une concurrence amicale entre Français et Britanniques pour savoir qui sera le premier à « dégainer » un texte. Lorsque la Finlande a été battue par l'Australie et le Luxembourg pour l'élection au Conseil de sécurité, en 2012, elle a fait procéder à une étude des raisons de cet échec, dont une des conclusions était que la France était le membre le plus influent du Conseil.

Les campagnes électorales pour le Conseil de sécurité durent plusieurs années, sont souvent coûteuses et recourent à des méthodes parfois contestables. Certains groupes géographiques les évitent en réussissant, au prix d'un mécanisme de rotation qui couvre des décennies pour satisfaire tous les membres, à désigner leur candidat qui ensuite est automatiquement élu, mais d'autres n'y parviennent pas, notamment l'Europe occidentale, parce qu'elle comporte de petits États (Andorre, Monaco, Liechtenstein, Saint-Marin) qui refusent par principe une rotation qui les exclurait, étant donné leur taille, et des grands (Italie, Allemagne) qui demandent un traitement privilégié que les moyens leur dénient. Il faut donc faire campagne auprès de chacun des 193 États-membres, que ce soit dans les capitales ou à New York. On invite les ambassadeurs dans le pays candidat sous le prétexte d'un séminaire bien peu accaparant, on finance un projet de développement, on flatte dans les couloirs, on fait des promesses ; jusqu'ici, rien de surprenant pour une élection, mais des bruits courent régulièrement sur des chèques qui finissent sur les comptes privés de certains ambassadeurs. Il est vrai que, d'une part, certains pays « oublient » parfois de payer leur représentant à New York, qui se retrouve ainsi dans une situation difficile, ou ne le rémunèrent que pauvrement dans une ville particulièrement chère et que, d'autre part, le vote est secret. Je ne suis évidemment sûr de rien, mais, dans le cas d'un pays pétrolier, c'en était presque ostensible.

Le Conseil de sécurité tire donc son prestige à la fois du pouvoir réel dont il dispose et du nombre restreint de ses membres, qui peut être vu comme un indicateur de l'importance politique de ceux-ci, quitte à ce qu'ils ne se fassent guère remarquer une fois élus, ce qui n'est pas rare. À l'évidence, l'élection est souvent conçue par le gouvernement du pays candidat comme un facteur de politique intérieure plus que comme une démarche de politique étrangère.

Cela étant, le Conseil est limité dans son action par la volonté déterminée des États-Unis, de la Russie et de la Chine de l'exclure du règlement de toute crise où leurs intérêts vitaux sont engagés. Ils veulent garder le contrôle du processus et refusent toute interférence qu'ils ne contrôlent pas. Conflit israélo-palestinien, Ukraine, Syrie (mais aussi Sri Lanka et Myanmar en d'autres temps) soit ne sont pas traités par le Conseil soit le sont de manière subsidiaire. Cet état de fait ne changera pas. Le Conseil continuera donc de s'occuper des conflits qui n'intéressent que marginalement les grandes puissances, ce qui ne signifie pas qu'ils n'ont aucune importance : des millions d'êtres humains sont morts en RDC depuis 2000.

Le Conseil de sécurité est présidé, par chaque État-membre, pendant un mois, sur la base d'une rotation fondée sur l'ordre alphabétique anglais. J'ai assumé, pour ma part, cette fonction en février 2010, mai 2011, août 2012 et décembre 2013. Le président présente un programme de travail, préside les travaux et convoque les réunions, mais il le fait sous le contrôle du Conseil, qui ne lui laisse qu'une marge d'initiatives limitée. Les réunions peuvent être publiques ou à huis clos. Le principe fondamental reste le respect des souverainetés nationales, auxquelles sont particulièrement attachés la Russie et la Chine mais aussi nombre d'États du tiers-monde qui se méfient de toute «ingérence» dans leurs affaires intérieures. Pour qu'un sujet fasse l'objet d'un débat, il doit figurer à son ordre du jour qui lui-même nécessite un accord des membres du Conseil. Dans ce contexte, les batailles de procédure qui reposent sur des différends politiques ne sont pas rares, les uns demandant que le Conseil évoque une crise particulière et les autres s'y opposant, en général au nom de la souveraineté nationale. Étant donné la composition du Conseil, «l'Occident» y est, le plus souvent, en mesure d'y imposer sa loi, ce qui contraint la Russie et la Chine à faire usage de leur droit de veto pour défendre leurs intérêts, plus souvent que les autres Membres-permanents. En effet, il y dispose de trois membres permanents (États-Unis, Royaume-Uni et France), des deux sièges d'Europe occidentale, d'au moins un siège d'Amérique latine et un d'Asie, souvent un d'Afrique et celui d'Amérique orientale, ce qui lui donne d'entrée de jeu la majorité de neuf voix. La conséquence en est l'obligation pour la Russie de jouer de son droit de veto pour défendre ce qu'elle considère comme ses intérêts dans une assemblée qui ne lui est pas structurellement favorable. Dans l'ordre

décroissant de leur valeur juridique et de leur importance politique, le Conseil peut voter une résolution,
adopter une déclaration présidentielle, agréer un communiqué de presse ou de simples éléments à la presse.

La crise libyenne

Le vote de la résolution 1973 sur la Libye, en 2011,
illustre le fonctionnement de cette institution.

Dans un premier temps, à la demande de certains
États-membres et avec l'accord du Conseil, la direction des affaires politiques du secrétariat général
– dirigée par un Américain depuis des lustres – a présenté une description des événements en Libye. Cet
exercice qui se doit d'être le plus neutre possible offre
l'occasion aux petits États d'acquérir une connaissance
de la situation alors qu'ils n'ont pas de moyens propres
de le faire et aux grands d'exprimer leurs positions.
Le représentant du groupe arabe, en l'occurrence le
Liban, s'y est régulièrement fait l'écho de l'inquiétude
que suscitait, au sein de la Ligue arabe, la perspective
d'une répression massive en Libye dans le cas d'une
victoire de Kadhafi. L'excellent ambassadeur Nawaf
Salam, parfait francophone, intellectuel brillant et
attachant, me confiait que lui, sunnite, avait acquis
une popularité inattendue chez les chiites de son pays
dans la mesure où ceux-ci n'oubliaient pas l'imam
Moussa Sadr, leur chef spirituel, qui avait « disparu »
en Libye en 1978. Ce schéma de séances d'information était conforme aux pratiques du Conseil, qui suit

la situation internationale pour ne pas être pris par surprise par d'éventuels développements.

Tout a changé lorsque mon collègue britannique et moi avons reçu de nos capitales instructions de présenter ensemble un projet de résolution dont l'objet devait être d'autoriser une intervention internationale pour venir au secours des populations civiles. Nous avions « raté » la révolution tunisienne ; nous n'en ferions pas autant en Libye.

A priori, ce n'était pas simple, dans la mesure où le Conseil se refuse obstinément, sauf dans les cas les plus extrêmes, à intervenir dans les affaires intérieures d'un État. Son opposition est encore plus ferme lorsqu'une opération militaire est demandée. Il n'avait donné son accord en ce sens qu'à une seule occasion, en novembre 1990, avec la résolution 678, mais c'était un cas différent, celui de l'invasion et de l'occupation d'un État-membre par un autre, le Koweit par l'Irak, et non une intervention dans une crise purement intérieure, comme nous allions le demander. Nous disposions cependant d'un atout, le soutien actif du Liban, au nom de la Ligue arabe qui nous apportait sa légitimité régionale et permettait de prouver que l'affaire n'était pas un « complot occidental ». Par ailleurs, Kadhafi lui-même nous fournissait de solides arguments par sa réputation de dictateur fantasque, en particulier au sein des Nations unies, qui avaient pu constater de visu, lors de ses passages à New York, son comportement capricieux à la limite du déséquilibre mental. En Afrique, il n'y avait pas un État qui n'ait eu à déplorer ses ingérences sous la forme de soutien actif à l'opposition ou même à la guérilla ou un chef d'État qui n'ait subi ses foucades exaspérantes voire humiliantes. Les circonstances nous aidaient également. Le « Printemps arabe », de Tunis au Caire, balayait la région d'un vent de liberté et de démocratisation qui paraissait à ce point irrésistible, en ce printemps 2011, qu'aucun pays ne voulait se retrouver du mauvais côté, celui des dictateurs en fuite contre les peuples en révolte. Or, Kadhafi ne cessait d'annoncer qu'il ferait « couler des fleuves de sang » lorsqu'il aurait repris Benghazi. La Russie, qui, encore plus que les pays occidentaux, s'était identifiée aux régimes autoritaires, était désemparée ; le Brésil, l'Inde et l'Afrique du Sud, qui faisaient alors partie du Conseil, l'étaient tout autant parce qu'attachés à la souveraineté nationale ; mais ces pays sont aussi des démocraties, sensibles aux revendications populaires libyennes.

Le texte franco-britannique ne demandait pas au Conseil de « recourir à tous les moyens nécessaires », l'expression consacrée aux Nations unies pour autoriser le recours à la force depuis la résolution 678 de 1990 contre l'Irak. Il évoquait la protection des populations civiles en des termes assez ambigus pour être lus comme une telle autorisation. Tous les membres du Conseil en étaient conscients, ce qui conférait sa gravité à la négociation que je conduisais avec mon collègue et ami britannique, Mark Lyall Grant. Washington avait refusé de nous soutenir, ce qui se traduisait par le silence de la délégation américaine et l'absence de la représentante permanente, Susan Rice.

Le mardi 14 mars, Jean-David Levitte, le conseiller

diplomatique de Sarkozy, m'appela pour me donner instruction de passer au vote le plus rapidement possible. L'auteur d'un texte a, en effet, le droit de demander, à tout moment, un vote pourvu qu'il donne un délai de 24 heures aux autres membres pour obtenir des instructions de leur capitale. J'informai donc mes collègues de cette décision. J'étais dans ma voiture sur le chemin du retour à la résidence lorsque, au téléphone, Susan Rice exigea que je renonce à le faire. Le ton monta rapidement : elle m'assura que les États-Unis ne nous suivraient pas dans notre « guerre de merde » (« *shitty war* ») ; je lui répondis que la France n'était pas une filiale de US Inc. et raccrochai. Trois heures plus tard, elle me réveillait pour m'annoncer que les États-Unis nous apporteraient finalement leur soutien à condition que le texte soit sans ambiguïté sur l'autorisation de recours à la force. La secrétaire d'État, qui était alors à Paris et y avait rencontré Nicolas Sarkozy et les dirigeants arabes, en avait conclu que son pays ne pouvait rester en marge de l'opération et en avait convaincu Obama. La volte-face était telle qu'avec mon collègue britannique, nous nous demandâmes si Washington ne faisait pas monter les enchères pour susciter un veto russe ou chinois et ne pas porter le blâme d'un échec. Susan Rice fit le mercredi sa première apparition au Conseil et se jeta dans la bataille à nos côtés. Je pris la direction de la négociation en « mettant le texte en bleu », ce qui signifiait qu'il pouvait être mis au vote à tout moment et que seul je pouvais désormais en accepter la modification. Je m'assurais ainsi le contrôle du processus d'amendement. Le Russe – c'était l'époque de Medve-dev – n'aimait pas le texte, mais n'avait visiblement pas instruction de s'y opposer ; l'Indien et le Brésilien, qui l'auraient volontiers suivi, étaient désemparés. Vint le jour du vote, le 17 mars. Sarkozy et Cameron avaient pris leur téléphone et contacté les chefs d'État des États-membres jusqu'à pourchasser le président nigé-rian, difficilement joignable dans son village. Au der-nier moment, l'Allemagne fit défaut par opposition au recours à la force. La majorité fut serrée, avec dix voix (neuf étaient nécessaires) et cinq abstentions (Russie, Chine, Brésil, Allemagne et Inde).

On connaît la suite et la polémique qui fait encore rage aujourd'hui sur la mort de Kadhafi et la situation en Libye. Je n'ai pas manqué moi-même de m'inter-roger sur le bien-fondé de la politique suivie par la France, que j'avais mise en œuvre de mon mieux. L'élargissement de l'opération militaire était inévi-table. On ne peut « protéger » indéfiniment, par voie aérienne, les populations civiles. Il faut atteindre cet objectif le plus rapidement et avec le moins de pertes possible. En l'absence de toute ouverture de la part du dictateur libyen, il fallait donc le vaincre. Une fois le pays libéré, pendant près d'un an, la Libye sembla sur la voie d'une reconstruction pacifique, avec des élections générales réussies et le maintien de la paix civile. Des troubles éclatèrent ensuite. Or les Libyens avaient refusé la notion même d'une force de main-tien de la paix de l'Onu et n'avaient accepté qu'une mission de conseil, restreinte dans ses effectifs comme dans son mandat. Il n'y eut donc pas d'indifférence internationale pour ce pays qui avait les ressources et apparemment la volonté de s'en sortir par lui-même. Nul ne pouvait ignorer le nationalisme voire la xénophobie de la population. Jusqu'à la mi-2012, tout paraissait aller bien sur le terrain. Au fond, même si on ose rarement le mettre sur ce plan, le vrai débat porte sur les avantages et les inconvénients d'une dictature. Kadhafi contrôlait ses frontières et protégeait donc l'Europe des migrations ; il maintenait l'ordre dans un pays divisé entre Cyrénaïque et Tripolitaine, régions côtières et désert ; il contenait l'islamisme. En tant qu'Européen, ma réponse égoïste serait sans doute qu'il servait les intérêts de notre continent mieux que l'instabilité actuelle ; aux Libyens de répondre en ce qui les concerne.

En politique étrangère, il n'y a jamais de «bonne» ou de «mauvaise» décision, mais des choix qui tous entraînent avec eux des conséquences positives et négatives. La décision de prendre en compte celles-ci et de leur accorder une importance plus ou moins grande est donc subjective et de nature politique. C'était aux experts d'expliquer ce qui pouvait arriver à la Libye si la communauté internationale ne faisait rien et si elle agissait. C'était au président de la République de faire son choix ; ce qu'a fait Nicolas Sarkozy. Il est trop facile de pontifier après coup. La diplomatie ne se déploie pas dans un monde du noir et blanc, mais de toutes les nuances de gris.

Avec tous leurs défauts et leurs insuffisances, les Nations unies sont la seule organisation à essayer de mettre fin à la souffrance des populations et de la pallier, que ce soit par le déploiement d'une force de maintien de la paix ou l'action des agences dont l'objet est l'aide ou le développement (Programme des Nations unies pour le développement-PNUD, Organisation des Nations unies pour l'alimentation et l'agriculture-FAO, Fonds des Nations unies pour l'enfance-UNICEF, par exemple). D'autres crises, au contraire, comme la Syrie et l'Ukraine, qui mobilisaient les opinions publiques, ont mis en lumière l'impuissance de l'Onu lorsque les grandes puissances sont divisées.

La crise syrienne

La Syrie est l'exemple le plus tragique d'une telle impasse. Dès 2011, lorsque les premières manifestations pacifiques dans le sud de la Syrie ont prouvé que ce pays n'était pas immunisé contre l'aspiration au changement qu'on a appelé le «Printemps arabe», le Conseil de sécurité a demandé au secrétariat de le tenir régulièrement informé des événements. Semaine après semaine, il a pu constater la dégradation inéluctable de la situation : la répression brutale qu'a opposée le régime aux demandes des manifestants a lentement enfoncé la Syrie dans la guerre civile. Qu'attendre d'autre d'un système politique qui s'était toujours caractérisé par sa sauvagerie ? Hama, rasé en 1982 au prix de milliers de morts, en avait été la preuve la plus sinistre. Personnellement, je n'en étais pas surpris : j'avais écrit, dès 1986, dans la revue

Commentaire, sous le pseudonyme de «Damien Beauchamp», un article qui décrivait les fondements de la Syrie d'Assad, la domination alaouite et la force. Assad fils restait fidèle aux ressorts d'une dictature mise en place par son père. Il n'essayait même pas d'offrir des concessions de façade. Il faisait tirer dans la foule. Ses services arrêtaient, torturaient et liquidaient. Peu à peu, les manifestants répliquèrent aux tirs des forces de l'ordre; les affrontements s'étendirent; les puissances étrangères choisirent leur camp, Russes et Iraniens du côté de Damas, Saoudiens et Émiratis de l'autre.

Il ne s'agit pas ici de faire l'histoire de ce conflit qui a déjà coûté la vie à plus d'un demi-million de personnes, mais de souligner que la Russie, au Conseil de sécurité, a multiplié les vetos pour s'opposer non à une intervention internationale contre Assad qui n'a jamais été évoquée, mais à toute tentative de prôner et d'organiser une transition politique qui donnerait la parole aux Syriens sous supervision internationale pour s'assurer de la régularité du scrutin. Jamais, au cours de la guerre civile, le régime d'Assad n'a fait mine de se prêter à un règlement politique qui permette aux Syriens de s'exprimer. Jamais il n'a fait la moindre concession. Jamais il n'a coopéré avec l'envoyé spécial des Nations unies, Staffan de Mistura, qui pourtant était prêt à se contenter de peu. Fidèle à lui-même, le régime d'Assad n'a conçu la fin du conflit que comme une victoire militaire totale qui conduirait à la liquidation physique de ses ennemis. La Russie et l'Iran y ont massivement coopéré. Les États-Unis, qui, sous Obama comme sous Trump, ont considéré que leurs intérêts n'étaient pas en jeu dans ce conflit, ont fait le minimum au dernier moment, lorsque la pression de leurs partenaires devenait trop forte. En fait, l'Occident a reculé devant une intervention à la même échelle que celle de la Russie et de l'Iran et s'est contenté de demi-mesures qui ne pouvaient qu'échouer.

Comme dans toute guerre civile, les radicaux ont progressivement pris le dessus sur les modérés parmi les insurgés. Par le biais de libérations ciblées de prisonniers et de bombardements sélectifs, le régime n'a pas hésité à aider les premiers aux dépens des seconds ; son intérêt était de prouver qu'il luttait contre l'islamisme. Aux Nations unies, soit le Conseil de sécurité examinait un texte substantiel et il se heurtait au veto russe, soutenu par la Chine ; soit il votait des textes énonçant des principes qui n'étaient pas mis en œuvre par Damas. Il s'est donc déchiré, mais n'a jamais pu faire ployer Moscou : il nous est arrivé de parvenir en P5 à un accord sur un projet de résolution avec le représentant permanent russe, un « dur » en contact constant avec son ministère, pour le voir néanmoins désavoué à la veille du vote, notre collègue nous faisant comprendre que le Kremlin était intervenu.

Je présentai au Conseil les photos qu'avait sorties de Syrie un dissident du nom de code de César et qu'avaient récupérées les services français. Dans le cadre de ses fonctions officielles, il avait dû prendre des milliers de photos de cadavres des victimes des prisons du régime, un cortège sans fin de corps émaciés et torturés. Au cours d'une séance publique, le représentant permanent de Syrie me prit à partie, dans son français parfait, en mettant en cause notre mandat entre 1919 et 1945. Je lui rappelai que si les alaouites avaient pris le pouvoir, c'était parce qu'ils avaient été les seuls à avoir accepté de servir comme supplétifs la puissance mandataire, qu'ils étaient ainsi devenus, après notre départ, la colonne vertébrale de l'armée syrienne, ce qui leur avait permis ensuite de fomenter un coup d'État à Damas. J'ajoutai que ces mêmes alaouites avaient demandé, en 1936, à la France de ne pas accorder l'indépendance au pays et de rester. Nous aussi, nous connaissions l'histoire… Passes d'armes rhétoriques devant les caméras qui ne changeaient hélas rien au sort des Syriens. Tôt ou tard, le supplice subi par le peuple syrien viendra nous hanter.

La France fut à l'origine de maintes autres résolutions, notamment pour créer des forces de maintien de la paix au Mali (résolution 2100) et en République centrafricaine (résolution 2149) en 2013, mais aussi pour mettre un terme à la crise qui menaçait de faire sombrer la Côte-d'Ivoire dans la guerre civile (résolution 1975). Chaque fois, la mission à New York prépare un projet de texte, l'envoie pour accord à Paris et ensuite aux autres États-membres du Conseil. Commence alors la négociation conduite par un diplomate français avec ses quatorze homologues, souvent ligne par ligne, voire mot par mot. En cas de difficulté, les numéros trois (le conseiller politique) et deux (le représentant permanent adjoint) de la mission et finalement le représentant permanent lui-même peuvent intervenir pour l'aider en appelant leurs homologues rétifs. Une résolution, c'est pour le diplomate responsable un tunnel de deux ou trois semaines. Après avoir négocié toute la journée, il doit envoyer un télégramme de compte rendu à Paris, le soir même, pour obtenir de nouvelles instructions le lendemain matin. Les bureaux restent allumés tard à la mission française aux Nations unies…

L'art de négocier

La négociation est le cœur du métier de diplomate, et nulle part mieux qu'à New York – à l'exception peut-être de Bruxelles auprès de l'Union européenne – cet art n'est mis à l'épreuve. Un négociateur agit sous instructions de ses autorités. Or ces instructions sont le plus souvent incomplètes dans la mesure où elles ne peuvent prévoir toutes les hypothèses d'évolution des discussions ou peuvent être dépassées par leur cours. Il appartient donc au négociateur de prendre, le cas échéant, ses responsabilités, ce qui dépend de son rang hiérarchique, de sa personnalité plus ou moins affirmée, de l'importance du sujet et de ce qu'il sait des intentions de ses autorités. Le négociateur, qui est « au front », doit donc avoir une connaissance et une compréhension assez fines de « l'arrière », de l'état d'esprit qui y règne – plus ou moins favorable à un accord, plus ou moins impatient d'y parvenir –, mais également des équilibres entre les différents acteurs nationaux (ministère des Affaires étrangères, présidence de la République mais aussi, selon les sujets, ministères techniques concernés). Il en déduira l'existence ou non de ses marges de manœuvre. Le téléphone portable et Internet ont bouleversé ces calculs en rendant beaucoup plus facile, dans l'urgence, le contact avec la capitale ; avantage évident mais aussi contrainte supplémentaire puisque le négociateur ne peut plus arguer de la nécessité pour justifier d'une décision qu'il aura prise sans instructions.

Le négociateur se trouve donc, d'une certaine manière, entre l'enclume de la partie adverse et le marteau de ses autorités, celles-ci souvent irréalistes dans leur appréciation des concessions à arracher à celle-là. Schizophrène, d'un côté il défend des positions dont il comprend qu'elles ne mènent à rien et, de l'autre, il plaide pour leur modération. Face à l'adversaire, il doit le faire loyalement mais sans exagérer, pour ne pas rompre le dialogue. Face à sa capitale, il doit éviter d'apparaître comme un capitulard, soupçon qui pèse toujours sur lui de la part des stratèges de cabinet. Exercice délicat où il faut progressivement amener ces derniers à accepter l'inévitable retraite vers des demandes plus raisonnables. Lorsque les attentes des autorités sont irréalistes ou les circuits de décision dysfonctionnels, le négociateur y échouera et devra alors soit prendre sur lui d'accepter des concessions avec le risque d'être désavoué, soit, la plupart du temps, s'en tenir à des demandes dont il sait qu'elles sont inacceptables par l'autre partie. Cette seconde négociation, derrière la première, qui n'est pas toujours la plus facile, explique souvent les blocages, les accélérations, les incohérences, les occasions manquées voire les embardées qu'exhibent parfois les positions d'une délégation.

Une négociation est une représentation théâtrale. Deux ou plusieurs interlocuteurs s'affrontent. Ils devront dissimuler, séduire, égarer et convaincre dans des échanges où rhétorique et psychologie prendront la forme d'un véritable jeu où chacun fera appel aux qualités de sa personnalité. Il y a, cependant, un travers qu'un diplomate doit éviter à tout prix et que j'ai toujours combattu : confondre la cause qu'on défend et la satisfaction de son ego. Dans une négociation, encore plus qu'ailleurs, le moi est haïssable. Parce qu'un interlocuteur est déplaisant ou parce que l'affrontement devient une question personnelle, il est facile de perdre de vue l'objectif, qui n'est pas de l'emporter comme dans une épreuve de sport, mais de parvenir à un compromis mutuellement acceptable qui corresponde aux intérêts de la France. Sans aller trop loin, il est possible d'estimer qu'une victoire aux dépens d'un adversaire peut se révéler négative dans la mesure où celui-ci cherchera rapidement à remettre en cause l'accord et à prendre sa revanche. Une bonne négociation se mesure à la satisfaction des deux parties.

Il n'y a pas un style de négociateur. Il y en a autant qu'il y a de pays et de diplomates. Mais il y a néanmoins des tempéraments nationaux qu'il faut connaître pour ne pas se tromper sur le sens de déclarations ou de manœuvres. Le diplomate russe en est un bon exemple : il connaît par cœur tous les textes et tous les précédents, refuse par réflexe toute approche nouvelle et est capable de prolonger la négociation pendant des heures sans qu'il soit possible de voir son intérêt dans cette guerre de tranchées sur la moindre virgule. Il exprime ainsi son pouvoir et son refus de se laisser guider par quiconque, mais, une fois qu'il a le feu vert de sa capitale, il peut céder, en un instant, sur tout ce qu'il a défendu pendant des semaines. L'Américain, lui, est lent et pusillanime dans la mesure où il devra attendre que lui soient transmises des instructions qui auront subi le feu d'un arbitrage interministériel aussi long que formaliste et qui, en outre, sera d'une telle précision qu'il aura bien peu de marge de manœuvre pour les interpréter. Aux Nations unies, le rang ministériel de la représentante permanente lui permettait de décider par elle-même, souvent sans consulter Washington, mais cette souplesse était largement compensée par la personnalité de Susan Rice (représentante permanente de 2009 à 2013), qui, sourde aux arguments des autres, ne négociait pas mais dictait ses conditions. Adepte de la microgestion, elle paralysait sa mission, qui, pour le moindre sujet, devait remonter jusqu'à elle. J'ai rarement vu un tel contraste entre sa chaleur humaine, son humour et sa générosité en dehors du bureau et son intransigeance dans la négociation. Le Britannique était l'interlocuteur que je préférais : nul besoin d'effet de manche et de longs raisonnements, une compréhension à demi-mot, le pragmatisme, c'est-à-dire les qualités qui mènent à un bon compromis. Nous partagions le même statut de « petits » parmi les Cinq et nous étions d'autant plus attachés au Conseil qu'il jouait, dans la diplomatie de notre pays, un rôle plus important que pour les autres parce que nous détenions moins d'autres atouts qu'eux dans notre politique étrangère et par attachement plus grand au multilatéralisme. Mark Lyall Grant était à la fois un allié et un confident lorsque l'amie américaine nous pesait un peu trop. Nos deux équipes travaillaient ensemble. L'entente franco-britannique permet aux deux pays d'exercer une influence disproportionnée au Conseil.

Je ne voudrais pas terminer cette évocation de mes collègues sans citer Samantha Power, qui succéda à Susan Rice en 2013. D'origine irlandaise, venue aux États-Unis à l'âge de 9 ans, elle avait été journaliste et conseillère d'Obama pour les questions relatives aux droits de l'homme et était l'auteur d'un prix Pulitzer, « *A Problem from Hell* » : *America and the Age of Genocide.* Elle fut une collègue exceptionnelle, ouverte, disponible et chaleureuse. Le *New Yorker*, qui faisait un portrait d'elle, m'appela et j'eus la mauvaise idée de révéler qu'un jour, je lui avais envoyé un SMS : « Au nom de la délégation française, permets-moi de te dire que tu es très belle ce matin. » J'avoue que ce n'est pas le genre de messages que s'échangent, en général, les ambassadeurs. Le journal publia l'anecdote et fut immédiatement submergé de protestations contre mon machisme et sa soumission. On n'est pas lecteur du *New Yorker* pour rien…

Les Nations unies essaient, depuis une vingtaine d'années, de proposer un élargissement du Conseil de sécurité dans les deux catégories de membres, permanents et non permanents, qui rencontrerait un consensus ou, au moins, une majorité des deux tiers de ses membres. Ces efforts sont au point mort et y resteront. En effet, un bloc déterminé d'États s'y opposent : Chine (par hostilité au Japon et à l'Inde), États-Unis (par attachement à une composition du Conseil qui leur est favorable), tous les pays moyens qui n'en seront pas et qui ne veulent surtout pas que leur voisin en soit (par exemple, Italie contre Allemagne, Pakistan contre Inde, Mexique contre Brésil, etc.), et enfin les pays africains qui demandent l'impossible (deux membres permanents) pour ne rien obtenir dans la mesure où ils n'éprouvent aucun enthousiasme à l'idée de consacrer l'hégémonie de l'Afrique du Sud. La France et le Royaume-Uni sont en faveur d'une réforme par intérêt national bien compris pour consolider leur statut : ils soutiennent les candidatures du G4 (Brésil, Japon, Inde, Allemagne) et « d'un » pays africain. Nos partenaires du G4 évoquent régulièrement l'éventualité d'un passage au vote, mais reculent par peur de ne pas réunir une majorité des deux tiers. La réforme est sans doute embourbée pour longtemps. Pour ma part, j'avais conclu que si réforme il y avait, elle ne pourrait pas se conclure par la création de nouveaux membres permanents, qui suscitait trop de jalousies et donc d'oppositions ; en revanche, il serait peut-être possible d'introduire au Conseil une nouvelle catégorie de membres, élus pour cinq ou sept ans au lieu de deux. Entre la « classe économique » – deux ans – et la « première » – permanents –, nous aurions donc une « classe affaires » réservée de facto aux grands pays, qui pourraient donc siéger au Conseil plus que les autres. Paris ne m'a pas autorisé à aller plus loin dans cette voie de peur de nous aliéner nos alliés du G4. Si réforme il y a, ce sera celle-là.

Certains évoquent la transformation du siège de la France en représentation de l'Union européenne, qu'ils le fassent par enthousiasme européen ou, du côté allemand, comme contre-feu aux propositions d'Emmanuel Macron pour réformer l'eurozone. Cette proposition n'a aucun sens juridique et politique. En effet, les Nations unies sont une organisation d'États, ce que n'est pas l'Union européenne. Par ailleurs, la liste des membres permanents figure dans la Charte, qu'il faudrait donc amender, ce qui suppose l'accord des cinq membres permanents et des deux tiers de l'Assemblée générale. Or, les États-membres qui n'accepteraient pas que l'Union europénne ait un profil privilégié n'ont aucune envie d'élargir l'Onu en y admettant les autres organisations régionales. Ils l'ont prouvé lorsqu'ils se sont victorieusement opposés, en 2010, à une modeste amélioration du statut de l'Union européenne en tant qu'observateur aux Nations unies. Politiquement, encore faudrait-il que l'Union européenne puisse mener une politique cohérente au Conseil de sécurité, ce qui est exclu d'abord sur les sujets où n'existe pas de consensus entre les

États-membres (Palestine/Israël, Russie par exemple), et ensuite sur ceux qui suscitent l'indifférence d'États-membres qui ne se sentent pas concernés au-delà de préoccupations humanitaires. De toute façon, agir au Conseil suppose une rapidité dans la décision qui est antinomique du fonctionnement des institutions européennes.

Les opérations de maintien de la paix (OMP)

Les Nations unies déploient aujourd'hui plus de 120 000 hommes et femmes dans le cadre de 19 opérations de maintien de la paix. Le Conseil de sécurité est supposé en assurer la direction politique. Or, le secrétariat ne dispose pas des moyens pour diriger et gérer au mieux ces forces, réparties aux quatre coins du monde, sur des théâtres toujours difficiles et souvent excentrés. Une centaine d'officiers et quelques centaines de civils à New York sont supposés les superviser, sans moyens de communication dignes de ce nom alors qu'un état-major moderne mobiliserait des moyens et des effectifs au moins dix fois plus importants. L'Onu est donc contrainte de laisser une très large autonomie aux responsables locaux de ces forces, au premier rang desquels le représentant spécial du secrétaire général (RSSG) et le commandant de la force.

Dans ce contexte, le Conseil de sécurité se heurte dans la direction de ces opérations à une double opacité, voulue et entretenue par les échelons local et central des Nations unies, qui ne lui transmettent que des rapports «pasteurisés» pour éviter des interventions intempestives. Il est donc difficile, parfois impossible, au Conseil de savoir ce qui se passe sur le terrain, par exemple au Darfour ou au Soudan du Sud, où la volonté des autorités locales interdit à la presse et aux ONG d'agir et donc de fournir une information non filtrée. RSSG, commandant de la force et secrétariat s'associent ainsi pour empêcher le Conseil de s'ingérer dans la gestion de la force, ce qui leur est d'autant plus facile que celui-ci ne se penche sur leur dossier que lorsque le mandat de la force est renouvelé, une fois par an ou tous les six mois, sauf crise majeure. Le Conseil de sécurité se rend certes, en corps, sur le terrain pour des inspections, en général deux fois par an : je participai à ces missions au Sud-Soudan, en RDC, en Côte-d'Ivoire, au Mali et à Haïti. Je les dirigeai lorsqu'elles concernaient des pays francophones. Tout est pimpant, tout est préparé, tout est parfait. L'inspection n'en est pas une. Cette visite nous permet, au moins, de rencontrer les plus hautes autorités locales, ce qui est parfois édifiant, comme à Port-au-Prince ou à Kinshasa, où nos interlocuteurs, deux ou trois téléphones devant eux, montre de prix au poignet, costume impeccable, montraient dans un français parfait que les conditions de vie de leur peuple leur importaient fort peu. Il n'y en avait que pour leurs querelles byzantines de pouvoir. Pendant ce temps, devant le parlement de Kinshasa, un enfant accroupi essayait de vendre deux vis… Et pendant ce temps, dans les prisons, la densité était de un détenu par mètre carré.

Les forces de maintien de la paix suscitent de nombreuses critiques, dans la presse, de la part des ONG. Elles seraient inefficaces et passives, ne rempliraient pas leur mandat, éviteraient soigneusement tout affrontement et se livreraient sur place à des trafics voire à des viols. Le fait est que ces forces ne sont ni organisées, ni équipées, ni commandées pour être des forces de combat. Elles visent à stabiliser une situation, idéalement après la conclusion d'un accord de paix. Elles doivent être neutres et impartiales. La logique veut qu'elles se retirent en cas de reprise des affrontements. Ce modèle d'OMP traditionnelle est progressivement remis en cause par le vote de mandats qui donnent aux forces de maintien de la paix un rôle plus actif sur des théâtres où non seulement aucun accord de paix n'a été signé mais où opèrent des forces ennemies. Au cours de ma mission à New York, c'est la France qui a été à l'origine de la résolution 2098, qui a conduit à la création d'une brigade d'intervention au sein de la force des Nations unies en RDC (MONUSCO), pour affronter victorieusement un mouvement rebelle, le M23, qui agissait avec le soutien et pour le compte du Rwanda ; c'est la France qui a suscité la création de la MINUSMA au Mali et de la MINUSCA en RCA, dans des pays où il faut neutraliser des groupes armés voire combattre des mouvements terroristes. Cela étant, tout en mettant ainsi en œuvre mes instructions, je m'interrogeais sur leur pertinence. Elles conduisaient à donner un mandat exigeant aux forces de maintien de la paix sans en changer la composition, alors qu'à des opérations de plus en plus complexes et dangereuses devrait correspondre une amélioration qualitative des hommes et des équipements, qui ne vient pas. Parmi les premiers fournisseurs de Casques bleus figurent le Bangladesh, le Nigeria et le Pakistan, qui y voient un moyen d'occuper leurs soldats et de faire de l'argent en conservant une partie de la solde qui leur est versée par l'Onu (environ 1 400 dollars par soldat et par mois ainsi que les équipements). Le représentant permanent du Bangladesh me disait d'ailleurs que nous n'avions qu'à demander, et son pays fournirait autant de Casques bleus que nécessaire. Il est vrai que, selon certains calculs, ce pays encaisse ainsi entre 100 et 200 millions de dollars chaque année. Enfin, quelle que soit la nationalité des contingents, leur commandant est naturellement économe de la vie de ses soldats dans une opération qui ne met pas en jeu les intérêts de son pays. C'était le cas des Français en Bosnie en 1992-1995 ; il n'y a pas de raison que les autres pays échappent à cette logique.

Le secrétariat a donc beau jeu de souligner que, d'un côté, le Conseil de sécurité vote des mandats de plus en plus complexes, mais que, de l'autre, les moyens ne suivent pas, en particulier en ce qui concerne la mobilité (hélicoptères dans des zones vastes et sans infrastructures) et le commandement. Le nombre des OMP augmente alors que le vivier de troupes disponibles reste le même, ce qui conduit à accepter des bataillons de qualité de moins en moins adéquate. Nous nous approchons du point de rupture où les mandats deviendront de plus en plus virtuels, ce qu'ils sont déjà en partie. Pour conclure, la manière dont les forces de maintien de la paix remplissent leur mission est à leur image ; il ne faut pas trop attendre de contingents mal armés, mal équipés, souvent mal payés, envoyés dans des pays dont ils ne connaissent ni la langue ni les coutumes. Ils peuvent remplir un rôle de stabilisation après une période de troubles ; ce serait une erreur de leur demander de s'engager dans des opérations de guerre, ce que nous avons tendance à faire de plus en plus.

La francophonie

Le représentant permanent de la France doit veiller au respect du régime linguistique de l'organisation, qui prévoit six langues de travail (anglais, arabe, chinois, espagnol, français et russe) et deux langues officielles (anglais et français). Je prenais donc toujours la parole en français mais le fonctionnement de l'organisation consacre la prééminence de l'anglais. C'est sur la base de textes dans cette langue que sont conduites toutes les négociations parce que toutes les délégations sont capables de lire et de parler l'anglais, ce qui n'est pas le cas pour les autres langues. La traduction du texte original ainsi agréé n'est effectuée qu'après coup, d'une manière souvent médiocre, ce qui nous oblige parfois à exiger des corrections. Enfin, les entretiens officieux, où sont souvent réglés les différends, ont toujours lieu en anglais sans que Russe ou Chinois s'en offusquent. Leur maîtrise de cette langue a d'ailleurs été une condition de leur nomination. Mon collègue russe était même un interprète de l'anglais dans son ministère. J'étais conscient de la sensibilité exceptionnelle de mes concitoyens à cette question et je veillais à respecter scrupuleusement les règles en ne m'exprimant qu'en français au Conseil. Un jour, devant présenter le programme de travail de la présidence française du Conseil de sécurité à la presse, je constatai qu'il n'y avait pas d'interprète et m'apprêtai à faire la séance en anglais lorsque je vis toute la presse française au premier rang ; je compris le risque que j'allais courir et refusai de m'exprimer dans ces conditions. Bien m'en prit. Alors que mes collègues ne comprenaient pas la raison de ce remue-ménage, les journaux français reprirent l'information et je reçus des dizaines de lettres de félicitations, y compris de deux ministres. Les Français et leur langue, sujet d'inépuisable incompréhension des étrangers...

De son côté, le secrétariat, installé à New York, ville anglophone, est tout aussi tatillon, au point d'imposer aux missions dans des pays francophones de lui envoyer leurs rapports en anglais. On en arrive à l'absurdité de préférer, pour cette raison, un candidat anglophone pour une mission en pays francophone à un francophone incapable de rédiger en anglais. Je n'ai cessé de dénoncer cette pratique, parfois en termes virulents en plein Conseil de sécurité, non seulement au nom du respect de la diversité linguistique, mais par souci d'efficacité, notamment après la nomination d'un chef de la police de la mission en Côte-d'Ivoire qui ne parlait pas un mot de notre langue, aux dépens d'un candidat français compétent mais à l'anglais défaillant. Autant le dire, c'était pisser dans un violon. J'avais réveillé mes collègues, mais n'avais obtenu que des promesses qui ne seraient pas tenues. Les jurys de sélection, composés d'anglophones malgré mes protestations, continuent de considérer l'anglais comme essentiel quelle que soit la mission, quelle qu'en soit la localisation.

L'organisation internationale de la francophonie n'est pas d'un grand secours. En effet, la plupart des pays francophones sont de petits États aux moyens limités qui ne pèsent guère aux Nations unies. La Belgique, pour des raisons nationales, n'y est guère active et le Canada s'en tient à un bilinguisme officiel visiblement minuté mais peu militant. Par ailleurs, l'unité de référence de l'organisation reste les groupes régionaux, qui ne fonctionnent pas sur une base linguistique. C'est aux groupes régionaux que va la loyauté des pays francophones et non à l'organisation internationale de la francophonie. J'ai vu les pays africains francophones voter comme un seul homme pour un candidat nigérian contre un mauricien parce que le premier était le choix officiel du groupe africain. Cela étant, je n'en suis ni surpris ni indigné. Je n'ai jamais compris l'affirmation selon laquelle la «langue transmettrait des valeurs», comme si le français était plus démocratique ou plus humaniste que l'anglais ou l'espagnol. Je n'ai jamais vu un pays définir ses intérêts sur la base de sa langue. Je ne pense pas qu'une dictature soit plus douce parce qu'elle torture en français. La langue française est un merveilleux outil, tout comme les autres langues d'ailleurs. La communauté de langue favorise les échanges mais elle ne les détermine pas. Les intérêts n'ont pas de langue.

Au printemps 2014, je me vis proposer par Laurent Fabius le poste d'ambassadeur aux États-Unis. Je l'avais déjà refusé, à deux reprises, en 2007, à l'élection de Nicolas Sarkozy, lorsque le diplomate pressenti avait déclaré préférer devenir directeur politique, fonction que j'exerçais alors, et en 2011, alors que je n'étais à New York que depuis dix-huit mois. Chaque fois, j'avais préféré achever ma mission. À vrai dire, je n'étais pas enthousiaste à l'idée de retrouver Washington, ville bien provinciale après New York, et la diplomatie bilatérale avec les lourdes obligations mondaines et de représentation qu'elle implique. Je connaissais les exigences de nos compatriotes, qui attendent à Dallas les mêmes services qu'à Cavaillon, et je redoutais de devoir arbitrer les querelles entre les services de l'État, sur lesquels l'ambassadeur n'exerce qu'une autorité nominale. L'ambassadeur face au service du Trésor, c'est Hugues Capet face au duc de Normandie... Avec deux refus, j'avais déjà dépassé la mesure et, après cinq années à New York, je n'avais aucun argument pour ne pas accepter ma nomination. Le 1er septembre 2014, j'étais donc à Washington.

Au moment de mon départ, les journalistes de toutes nationalités, accrédités auprès de l'organisation, firent un compendium de ce qu'ils considéraient comme mes meilleures boutades et choisirent leur préférée. À une question sur l'attitude de l'ambassadeur russe, après les vetos répétés qu'il avait opposés au Conseil sur la Syrie, j'avais répondu : « Le veto, c'est comme le sexe ; la première fois on rougit, et ensuite on s'habitue… »

XIII

Ambassadeur à Washington sous Obama
(2014-2016)

La personne de Barack Obama dominait l'actualité non seulement par son talent, son charisme et son élégance, que relevait la presse européenne, mais aussi par l'hostilité virulente qu'il suscitait chez les républicains. Le rejet à son encontre semblait viscéral et prenait parfois la teinte de la haine. Politicien centriste, dont l'administration était exempte de tout scandale et dont les vertus familiales étaient exemplaires, il se heurtait au refus de l'opposition de toute coopération, alors que le système politique américain ne peut fonctionner que sur la base de compromis entre présidence et Congrès et entre démocrates et républicains. La polarisation du pays pouvait l'expliquer, mais il était impossible de ne pas y voir également le racisme qu'avait exacerbé la victoire du premier président noir. On n'osait pas lui reprocher la couleur de sa peau, mais on mettait en cause le lieu de sa naissance voire sa religion : né à l'étranger, il n'aurait pas eu légalement le droit de se présenter ; musulman, il aurait été rejeté par un pays profondément chrétien.

Rationnel, froid, assuré de la supériorité de son intelligence et introverti, replié sur le cercle familial, Barack Obama opposait inlassablement la raison aux passions mauvaises qui se levaient dans le pays, d'un ton doctoral où parfois perçait la condescendance. Le *New York Times*, qu'on ne peut soupçonner de lui être hostile, avait commencé un portrait de lui, en 2011, par la phrase : « Dans une pièce, il pense toujours être le plus intelligent. » Solitaire, accaparé par ses dossiers et sans amis dans le milieu politique, qu'il négligeait ostensiblement, il lui manquait une capacité à persuader les électeurs de son empathie comme savait si bien le faire Bill Clinton. Les Américains ne veulent pas un souverain, mais un chef auquel ils puissent s'identifier ; il leur était difficile de le faire avec Barack Obama. À l'extérieur, il manifestait la même distance envers ses homologues : il les appelait peu et n'avait noué de relation étroite avec aucun. Même le Premier ministre britannique n'avait pas réussi à percer l'armure du président américain.

Étrange personnage, difficile à connaître, que Barack Obama : secret, pudique et réservé dans un pays où on l'est peu ; prudent sur la question raciale au point d'être accusé par certains leaders de la communauté noire de n'être noir que de peau mais « blanc à l'intérieur » ; charismatique mais lointain.

Lorsque j'arrivai à Washington, Obama entamait la sixième année de sa présidence. Fort de sa réélection et convaincu de son expérience, il était

256

plus « impérial » que jamais. Entouré d'une petite équipe de fidèles, il était difficilement accessible, au grand dam des élus démocrates, qui s'en plaignaient. J'avais retrouvé à la Maison Blanche Susan Rice, mon ancienne collègue de New York, devenue conseillère nationale de Sécurité, et j'avais fait la connaissance de Ben Rhodes, son adjoint, qu'on qualifiait de « lobe gauche » du cerveau d'Obama tant il en était intellectuellement proche. Ils partageaient la même assurance et la même intelligence ; la même arrogance aussi. Il est vrai qu'être ambassadeur aux États-Unis est toujours un exercice de modestie. Quel que soit le président, Washington est à ce point accaparé par ses conflits internes et assuré de sa suprématie que les préoccupations des pays étrangers, alliés ou pas, ne jouent qu'un rôle mineur dans le processus de décision. En outre, dans le cas d'Obama, s'y ajoutaient fascination pour l'Asie et indifférence pour l'Europe : il s'était rendu quatorze fois dans la première et trois fois dans la seconde. Dans un entretien avec le journal *The Atlantic*, il avait d'ailleurs laissé entendre qu'il jugeait que l'avenir de l'humanité se jouait entre New Delhi et Los Angeles.

Un ambassadeur européen n'avait donc que peu de chances d'être entendu. Pivot vers l'Asie et refus de nouvelles interventions ne plaidaient pas pour un engagement américain en Ukraine ou en Syrie. À mon arrivée, j'avais attiré l'attention de Susan Rice sur la crise multiforme que traversait l'Europe sans recevoir d'autre réponse que : « *The president is not interested.* » Le président n'est pas intéressé, j'étais averti. Il l'avait d'ailleurs prouvé en refusant d'intervenir directement dans la crise ukrainienne et en limitant l'implication de son pays dans la guerre civile syrienne.

Les cycles électoraux américains étant brefs, deux ans pour la Chambre et quatre ans pour la présidence, le pays entrait, à mon arrivée, en campagne électorale et l'administration Obama bouclait ses principaux dossiers avant de les transmettre à son successeur. C'était une atmosphère un peu crépusculaire de fin de règne, d'autant que les deux chambres du Congrès, aux mains des républicains, bloquaient toute initiative du pouvoir exécutif dans l'attente d'un nouveau président. La voie parlementaire lui étant fermée, celui-ci répliquait en multipliant les décrets, dont la constitutionnalité était douteuse et dont la pérennité dépendrait de l'élection d'un successeur démocrate. Le système était dans une impasse.

Une tradition américaine est d'examiner le bilan d'un président à la fin d'un mandat. Dans le cas de Barack Obama, peu contestaient qu'il ait bien géré une économie qui entrait, au moment de son élection, dans la plus grave crise depuis celle de 1929. Dès sa prise de fonction, il avait massivement utilisé le budget fédéral pour soutenir l'activité et venir au secours des institutions financières menacées de faillite. La croissance avait repris, à un rythme inférieur à 2 % il est vrai. En 2016, le chômage était retombé à moins de 5 % et le pays connaissait la plus longue croissance ininterrompue depuis 1945.

Par ailleurs, il avait tenu sa promesse de mettre en place une couverture médicale accessible à tous, mais, toujours centriste, il avait refusé l'instauration d'un mécanisme étatique, ce qui avait conduit à un système mixte d'une effarante complexité, que les républicains dénonçaient. Le dossier était donc loin d'être clos.

C'est en politique étrangère qu'il faisait l'objet des plus vives critiques des experts. Qu'ils soient néo-conservateurs ou libéraux interventionnistes, ils lui reprochaient la hâte avec laquelle il avait voulu mettre fin aux engagements extérieurs des États-Unis, dont témoignait le retrait d'Irak, à leurs yeux précipité, qui y avait ouvert la voie à Daesh. Ils condamnaient, de même, la relative inactivité américaine en Ukraine et en Syrie. Les Français se joignaient volontiers à ce chœur, en rappelant qu'au dernier moment, fin août 2013, il avait renoncé à procéder à des frappes en Syrie après l'utilisation de l'arme chimique par le régime. À l'évidence, il avait senti la lassitude de son pays pour les interventions extérieures et en avait conclu à la nécessité d'un certain repli américain dans le monde. Il avait ainsi ouvert un débat qui n'est pas terminé et que Donald Trump a repris à son compte, à sa manière inimitable.

À cet égard, un Américain pourrait rétorquer que si son pays est actif en politique étrangère, on lui reproche son impérialisme et, s'il ne l'est pas, sa faiblesse. Cette remarque souligne la difficulté pour les États-Unis de définir leur rôle sans froisser les uns et décevoir les autres. En effet, leur hyperpuissance est à ce point disproportionnée par rapport à celle de leurs alliés et parfois de leurs adversaires que toute initiative – ou absence d'initiative – revêt pour ceux-ci et ceux-là une importance qui est souvent incomprise, vue de Washington.

Cinq ans plus tard, je me dois de revenir sur la haine – le mot n'est pas trop fort – que suscitait Obama, à la lumière de la crise politique que traverse la France, en 2019. Emmanuel Macron fait face aujourd'hui au même sentiment, tout aussi virulent, tout aussi irrationnel. C'est à se demander si le populisme, en supposant une unité mythique du peuple, ne conduit pas inévitablement à la recherche d'un bouc émissaire accusé de briser celle-ci. On lapidait autrefois le bouc ; on hait aujourd'hui le président. Le plus consternant est de voir, aux États-Unis comme en France, des dirigeants politiques s'approprier, sans vergogne, un sentiment aussi vil et aussi dangereux. Obama et Macron partagent la même confiance dans la raison en un temps où règnent les passions. Ils ont aussi la même difficulté à sortir d'eux-mêmes pour suggérer l'empathie à leur opinion publique. Enfin, centristes, ils ne croient pas aux solutions tranchées et aux remèdes immédiats. Ce sont donc des cibles toutes trouvées pour le populisme.

XIV

Nuit électorale de l'élection présidentielle
(8 novembre 2016)

Il était exclu que je passe la nuit électorale de l'élection présidentielle du 8 novembre 2016 ailleurs qu'avec mes collaborateurs. J'avais été invité par la plupart des organes de presse américains à participer à leur soirée à cette occasion, mais je ne m'y voyais pas partager leur vin blanc tiède et échanger des banalités, alors que je venais de passer plus d'une année à commenter et à analyser la campagne électorale avec les jeunes et moins jeunes diplomates de l'ambassade. La politique américaine, en apparence si différente de la nôtre, était devenue pour nous une addiction au rythme des trois réunions de chancellerie que je présidais chaque semaine dans la « chambre sourde » de l'ambassade, à l'abri des écoutes, et de nos échanges après des visites, la lecture d'articles de presse ou des rencontres qui nous avaient particulièrement impressionnés. J'avais moi-même été diplomate à Washington il y a une trentaine d'années, époque où l'ambassadeur était une présence lointaine et souveraine ; nous n'entrions dans son bureau qu'en veste et à sa demande, ce qui a dû m'arriver une dizaine de fois au cours des quatre années que j'avais passé à l'ambassade. Dieu merci, même au Quai d'Orsay, les mœurs ont changé et, si elles restent un brin compassées par rapport au reste de la société, elles n'en permettent pas moins des relations plus fréquentes et plus ouvertes au sein de l'équipe. Les diplomates venaient donc souvent me voir pour comparer leurs impressions avec les miennes ; c'était un travail d'équipe qu'il me fallait conclure avec eux le soir fatidique.

L'ambassadeur aux États-Unis doit voyager beaucoup, d'autant que Washington n'est que la capitale politique fédérale, tandis que culture, économie et finances sont ailleurs et que, souvent, la politique locale de l'État est celle qui passionne réellement l'opinion publique, qui se désintéresse volontiers du cirque washingtonien. J'avais donc sillonné le pays, accueilli par maires, gouverneurs, universitaires et Américains de toute activité, avec partout la même gentillesse et la même disponibilité. J'avais pu les interroger sur la campagne. J'avais souvent senti qu'ils étaient déconcertés par son caractère inhabituel, mais je n'en avais pas tiré de conséquences.

J'avais accumulé confidences et analyses, que je partageais avec mon équipe à mon retour. La presse nous abreuvait de sondages, les journalistes de confidences, nos dix consuls généraux d'aperçus sur la situation dans leur circonscription et le jeune diplomate chargé de la politique intérieure se rendait souvent sur place pour assister aux principaux meetings de la campagne. Nulle surprise que tout le monde ait son opinion, d'autant que j'encourageais chacun à s'exprimer, à me contredire si nécessaire : j'ai toujours eu à ce point horreur de la langue de bois et du conformisme de groupe que je n'allais pas l'imposer autour de moi. Cette année de campagne nous avait passionnés parce qu'elle avait été différente de ce que nous attendions, que ce soit à gauche, où la candidate quasiment officielle avait été étrillée par un sénateur inconnu de 74 ans, socialiste de surcroît dans un pays où ce mot équivaut à communiste chez nous, ou à droite, avec la victoire inattendue d'un ovni, Donald Trump. Ces soubresauts nous mettaient en demeure de dépasser le niveau de la politique traditionnelle et nous exhortaient à chercher ailleurs leurs causes, quitte à fréquenter économistes ou sociologues pour comprendre ce qui se passait dans ce pays. Je me retrouvais quasiment seul à juger que la source de la crise était l'économie alors que mes jeunes collaborateurs invoquaient plus facilement les tensions identitaires et culturelles. Nos débats étaient incessants. Ils nous obligeaient à affiner nos arguments et, en bons diplomates, à rechercher des synthèses, mais le différend restait entier.

Nous nous sommes donc retrouvés, le 8 novembre 2016 au soir, dans le salon dit des boiseries de la résidence de France où, sous un beau Largillière et sous les portraits de George Washington et de Vergennes – souvenirs de la guerre d'Indépendance obligent –, une grande télévision, des ordinateurs et un buffet annonçaient la nuit électorale. J'avais invité mes collaborateurs à nous rejoindre s'ils étaient intéressés. En réalité, il n'y a avait pas foule ; nous étions au plus une dizaine, tant les sondages et les commentateurs des deux camps avaient semblé nous priver d'entrée de jeu de tout suspense. La victoire d'Hillary Clinton était une certitude ; l'hypothèse de celle de Trump n'était évoquée qu'en passant. À 18 heures, un cadran qui trônait au centre de la salle électorale du *New York Times* donnait Hillary favorite à plus de 90 % comme probabilité. Au même moment, j'appelai deux sondeurs, représentant les deux sensibilités politiques, qui me confirmaient, l'un et l'autre, sur la base de sondages de sortie des urnes que c'était, en effet, le cas, le républicain l'annonçant d'ailleurs par Twitter. Les équipes de campagne faisaient écho, l'une arborant un large sourire et l'autre concédant que ce serait « difficile ».

Nous regardions donc les écrans avec une certaine indifférence et nous attardions autour du buffet avec la conviction que la partie était finie pour Donald Trump. J'envoyai un email au conseiller diplomatique du président de la République pour l'en informer. Cette soirée sans doute assez courte ne serait que la confirmation de toute une campagne entre une machine bien huilée quoiqu'un peu ennuyeuse et un homme plus ou moins seul. Le professionnalisme le plus exigeant ne pouvait que l'emporter sur l'amateurisme le plus brouillon. Les sondages, qui avaient toujours donné Hillary Clinton vainqueur, parfois avec plus de dix points d'avance, le prouvaient. De mon côté, dans les déjeuners et les dîners que je donnais, où se retrouvaient l'establishment démocrate et républicain de Washington ainsi que la presse de toute orientation, je n'ai jamais rencontré un seul interlocuteur qui pensait que Donald Trump pouvait être élu. On riait ou on s'indignait qu'il ait pu obtenir l'investiture du parti républicain, mais on concluait que cet « accident » garantissait la victoire de son adversaire, non que celle-ci suscitât l'enthousiasme d'ailleurs, cependant elle apparaissait avoir tous les atouts dont il manquait.

La nuit fut beaucoup plus longue que prévu

Elle commença sur les chapeaux de roues en Floride, État plutôt conservateur mais qui parfois s'offre un gouverneur ou un sénateur démocrate. Une forte immigration d'origine latino-américaine devrait jouer en faveur des démocrates, mais, parmi eux, les Cubains votent massivement pour le parti républicain, partisan d'une politique de fermeté vis-à-vis du régime des Castro ; par ailleurs, les nombreux retraités de l'État pèsent également dans ce sens. De ce fait, les résultats de la Floride sont toujours incertains : les premiers, qui proviennent des comtés ruraux, penchent à droite, et la question est de savoir si ceux du Sud feront ou pas la différence, longue incertitude qui nous mobilisa sans entamer nos certitudes. Même lorsque l'État parut voter pour Trump, ce revers, qui était concevable, ne fit bouger que de quelques degrés le cadran du *New York Times*. Hillary restait favorite.

Pendant ce temps, les résultats tombaient sans apporter de grande surprise : les petits États ruraux votaient, comme d'habitude, républicain et les grands centres urbains démocrate, constance électorale qui faisait d'ailleurs que le candidat démocrate, assuré du soutien des États peuplés comme New York, la Californie et le Massachusetts, qui lui étaient acquis, partait avec un avantage d'au moins 80 délégués au collège électoral, ce qui était loin d'être négligeable alors que la majorité nécessaire y est de 270. Vers 22 heures, le doute s'installa ; le cadran se mettant à se déplacer. Les chiffres de Pennsylvanie commençaient, en effet, à arriver et paraissaient annoncer un résultat serré. Or, cet État, même s'il comporte des comtés conservateurs, a choisi le candidat démocrate depuis 1992 du fait des grandes villes, notamment Philadelphie et Pittsburgh, et figurait donc, dans tous les calculs, comme acquis à Hillary Clinton, le bloc de ses vingt délégués y constituant même souvent la garantie de sa victoire. C'est à l'écoute des résultats de cet État que, pour la première fois, vers 23 heures, l'inconcevable devint concevable pour nous comme pour tous les observateurs : Donald Trump pouvait gagner. Quand le Wisconsin (pour la première fois depuis 1984) et le Michigan (depuis 1988) ont fait le même choix, c'était chose faite. Entre 1 heure et 2 heures du matin, mon équipe devait se faire une raison : Donald Trump serait le 45e président des États-Unis.

La vraie question qui se posait, pour nous et,

au-delà de notre petite équipe, pour l'ensemble des experts, journalistes et sondeurs de toute espèce – Dieu sait qu'ils sont nombreux dans ce pays –, était simple : comment et pourquoi n'avions-nous, à aucun moment, vu venir la victoire de Trump ?

Pour notre défense, outre le rappel des particularités du système américain, qui permet à un Trump qui obtient 44 % des voix de battre une adversaire qui en réunit plus de 46 %, nous pouvions invoquer la succession d'incidents qui aurait dû disqualifier n'importe quel candidat. Voilà un politicien qui traitait les immigrants mexicains de violeurs et de criminels et qui se vantait, dans les termes les plus crus, de ses succès auprès des femmes, dans un pays où les électeurs d'origine latino représentent une minorité substantielle et où le puritanisme reste présent, en particulier chez les évangélistes, soutien traditionnel du parti républicain. Voilà un candidat qui alignait les déclarations incohérentes ou fausses avec le vocabulaire d'un enfant de 10 ans et qui montrait, à chaque instant, son ignorance des dossiers ; qui mimait un journaliste handicapé pour s'en moquer et insultait ses adversaires. Naïvement, nous pensions que ces excès disqualifiaient Donald Trump. Nous avions tort.

À vrai dire, si nous avions noté les réserves que suscitait la personne d'Hillary Clinton, nous ne leur avions pas accordé assez d'importance. Elle était une mauvaise candidate : peu le disaient et beaucoup le pensaient, mais, comparé à Trump, tout candidat nous paraissait meilleur. Nous aurions dû voir en Hillary Clinton, non la professionnelle bien rodée qui paraissait devoir faire un président compétent mais une politicienne usée par près de trente années de vie publique, un orateur sec et sans élan, lié à ce qu'une partie du pays vomissait, Washington et Wall Street. La représentante d'une machine, la famille Clinton, dont la fortune était passée de rien en 2001 à 135 millions en 2016, une machine à faire de l'argent dans l'opacité la plus totale. Manque de chance, juste au début de la campagne électorale, avait été révélé que, secrétaire d'État, elle avait utilisé son compte email personnel et non celui, protégé, du département d'État. Si elle y avait transmis des informations confidentielles, le délit relevait du pénal. Au cours de l'enquête, qui ne détecta aucune faute, on découvrit que des milliers de messages avaient été détruits, ce qui alimenta la réputation de secret qui entourait les Clinton. Trump en fit largement usage. L'annonce soudaine par le FBI, à quelques jours des élections, qu'il rouvrait l'enquête sur cette affaire pour la clore d'ailleurs presque immédiatement fit probablement des ravages dans l'électorat. Un sénateur démocrate du Colorado me confia qu'en ce qui le concerne, il avait perdu six points d'avance à cette occasion.

Du côté républicain, nous aurions dû prêter plus d'attention à certains signes : les meetings que tenait le candidat faisaient salle comble et suscitaient l'enthousiasme de l'assistance. Certains s'étonnaient que, dès qu'on quittait les villes, les panneaux pro-Trump se multiplient dans le pays. Le lieutenant-gouverneur de l'Idaho, où je suis allé inaugurer une usine de Lactalis, un conservateur à l'image de son État, m'avait dit sa surprise d'avoir constaté, à un dîner de donateurs républicains, la forte proportion de partisans de Trump. «Ce monsieur n'est pas l'un d'entre nous», me disait ce notable légèrement agacé. Un sondeur m'avait indiqué que les électeurs étaient remarquablement fidèles à Trump, jusqu'à être prêts à le suivre s'il quittait le parti républicain, mais il devait, lui aussi, le soir des élections, annoncer la victoire d'Hillary Clinton. Nous avons tous été aveugles à ces signes faibles et dispersés qui ne faisaient pas le poids face aux certitudes que nous partagions tous. Nous n'avions pas compris que les temps étaient mûrs pour une rupture par rapport aux trente dernières années de la vie politique américaine; nous avions ignoré la crise de la société américaine que dissimulaient les excellents chiffres macroéconomiques.

XV

De quoi Trump est-il le nom ?

L'annonce tonitruante de la candidature de Donald Trump n'avait suscité que des haussements d'épaules. Comment prendre au sérieux un homme d'affaires, héritier d'une entreprise dans l'immobilier new-yorkais dont il avait épousé le style vulgaire et flamboyant ? Comment penser que les électeurs de ce pays puritain fermeraient les yeux sur ses divorces, ses adultères, ses procès, ses bagarres et ses obscénités ? Comment imaginer qu'ils enverraient à la Maison Blanche un présentateur d'une émission de télé-réalité où, devant des millions d'Américains, il avait rudoyé, bousculé et insulté les candidats avant de les renvoyer d'un célèbre « *you are fired* » ? Sans oublier une absence totale d'expérience de la gestion d'une organisation complexe, de la politique et du service public…

Cependant, le 8 novembre 2016, Donald Trump était bel et bien le 45e président des États-Unis d'Amérique, sans doute l'homme le plus puissant du monde.

271

Un président que nul n'avait vu venir après une campagne improvisée, émaillée de scandales et de gaffes.

L'establishment contre Trump

Washington, qui a voté pour Hillary à 94 %, n'admet toujours pas sa défaite et n'a pas fait son deuil.

Les premiers jours après l'élection l'annonçaient déjà. Dans les dîners en ville, où se retrouvent démocrates et républicains, le jeu était alors de lire le manuel des maladies mentales de l'Association américaine de psychiatrie pour vérifier que le président élu avait toutes les caractéristiques du narcissique pathologique. Une fois cette conclusion atteinte, ce qui est, il est vrai, assez rapide étant donné l'adéquation de la théorie à la personnalité de Trump, on passait au concert des lamentations. Dans une superbe résidence, belle illustration de l'architecture des années 1950, au milieu des œuvres d'art, une maîtresse de maison nous demandait de voter pour savoir si nous pensions que Trump serait encore président au bout d'une année. Dans une autre, j'entendis un médecin nous expliquer, en présence de deux membres de la Cour suprême apparemment pas surpris, que l'élu manifestait tous les symptômes de la syphilis au niveau 3. Ailleurs, c'était son habitude de chercher les rampes pour monter les escaliers qui permettait d'annoncer qu'il était sénile. Ces saillies sont dérisoires et pitoyables, mais aussi le reflet du désarroi moral des élites, qui ne peuvent concilier leur respect de la fonction présidentielle et le mépris qu'elles éprouvent pour celui qui assume celle-ci. Il ne s'agit, en effet, pas essentiellement d'une opposition politique mais d'un sentiment de honte – le mot n'est pas trop fort – que « cet homme » puisse accéder à la Maison Blanche. Après l'élection, mes interlocuteurs s'excusaient devant moi au nom de leur pays en m'assurant que les États-Unis, ce n'était pas « ça ». Qu'en savaient-ils, d'ailleurs, dans ce bocal à poissons qu'est Washington, où républicains et démocrates se partagent le pouvoir tout en fréquentant les mêmes clubs, en allant aux mêmes dîners et en s'affrontant sur des nuances plutôt que sur la substance même de la politique ? Les uns sous les auspices de Reagan et les autres sous ceux de Clinton se retrouvaient sur la souveraineté du marché, le libre-échange et la nécessité de baisser les impôts.

Un jour, je reçus à déjeuner un diplomate américain passé dans le secteur privé, qui avait été mon homologue dans un de mes postes précédents. Je n'avais jamais entendu de remarque personnelle de la part de cet homme austère et froid. Nul ne l'aurait soupçonné de gauchisme. Il n'avait jamais été franchement gai, mais, ce jour-là, je dus lui demander s'il allait bien tant il exhalait de tristesse silencieuse. Il me répondit qu'il comprenait enfin le sens de l'expression « *my heart sinks* » (littéralement : « mon cœur sombre » donc « j'ai le cœur serré ») depuis le jour de l'élection. Le déjeuner fut ponctué de soupirs, d'exclamations et de moments de silence. Le vin français n'y fit rien. Je renouvelai souvent cette expérience, avec des réactions différentes selon le visiteur, mais le ton était le même, le refus d'accepter un résultat, encore inconcevable plusieurs semaines après sa proclamation. Une ville entière était au bord de la dépression nerveuse. La crise d'hystérie, qui dure encore, n'allait pas tarder.

Aujourd'hui, la personnalité hors du commun de Donald Trump est devenue le centre presque unique des attentions et des commentaires à Washington. Pas un dîner, pas un entretien qui ne dévie tôt ou tard sur le dernier tweet, sur la dernière déclaration ou la dernière décision du président. Aussitôt, toute l'assistance en rajoute dans l'indignation ou dans la condamnation. « Mussolini », crie un grand journaliste, « agent du FSB », ajoute un autre, et chacun d'aller de son anecdote pour entretenir la communion qui lie élites démocrates et républicaines dans la même détestation ou plutôt le même mépris de leur président. On n'analyse pas comment on en est arrivé là ; on ne se demande pas si, derrière le personnage, il n'y a pas un phénomène politique dans les profondeurs du pays ; on vomit Trump en s'appuyant sur ses défauts, il est vrai patents, en refusant ainsi implicitement de considérer que son élection est autre chose qu'un accident, une aberration, fruit des manœuvres russes et, concèdent certains, du mauvais choix du candidat démocrate. Je ne juge pas mes amis américains. Je connais leur attachement sincère à leur pays et aux valeurs démocratiques ; je conçois la réprobation morale à l'égard d'un président pour lequel la dignité de la fonction, le sens de l'État et le respect de la vérité ne signifient rien. Je ne sais pas si je n'aurais pas réagi de manière aussi instinctive, quasi viscérale, si Marine Le Pen avait été élue en mai 2017.

Lisez le *New York Times* ou le *Washington Post* ; naviguez sur les médias sociaux et vous retrouverez ad nauseam les mêmes dénonciations incessantes du personnage. Nul ne semble remarquer que cette obsession implique que Donald Trump dicte ainsi les programmes de télévision et les unes des journaux, qui deviennent les metteurs en scène de la dramaturgie présidentielle. Une publicité bonne ou mauvaise est mieux que le silence et l'indifférence, pense certainement celui qui a toujours conçu sa carrière en fonction de son exposition médiatique et qui a mis, en lettres gigantesques, « Trump » sur tous les bâtiments qu'il a possédés ou construits.

Non seulement le refus de la personne même du président conduit à ces conversations lassantes à force de répétition des mêmes anecdotes, non seulement la guerre que lui mène la presse généraliste fait de lui le centre de toute la vie politique, mais cette confrontation, qui ne grandit personne, interdit toute réflexion de fond sur la signification profonde de son élection.

Les raisons d'une victoire inattendue

Lorsqu'on me demande mon analyse de Trump, au-delà de ses fantaisies personnelles, je réponds par un proverbe chinois : « Si le doigt montre la lune, le fou regarde le doigt et le sage la lune. » Le doigt, c'est

Trump ! Il n'est que le symptôme de la crise que traversent les États-Unis et la plupart des sociétés occidentales. C'est la crise et non la Russie qui l'a élu, c'est sur cette crise et les moyens d'y répondre que devrait porter l'attention. L'establishment à Washington regarde un peu trop le doigt…

Oui, c'était un piètre orateur sans chaleur et sans spontanéité. Oui, on ignorait tout de ses convictions à force de la voir suivre le vent du moment. Oui, les manœuvres russes lui ont coûté quelques milliers de voix. Oui, elle a gagné le vote populaire de près de trois millions de voix, soit deux points de pourcentage (46 % contre 44 %), et a été victime du système du collège électoral. Mais tous ces éléments ne suffisent pas à expliquer la victoire d'un candidat que tous les experts jugeaient inéligible, qui a multiplié les gaffes et qui a conduit une campagne d'amateur trois fois moins coûteuse que celle de son adversaire. Même s'il avait été battu, le simple fait qu'il ait réussi à s'imposer comme le candidat du parti républicain et à réunir 44 % de l'électorat sur son nom aurait été un événement méritant l'analyse.

Après cette élection que nul n'avait prévue, les universités et les centres de recherche dont les États-Unis sont si riches se sont précipités sur les statistiques pour comprendre ce qui s'était passé dans leur pays. Les articles se succèdent encore aujourd'hui, qu'ils soient fondés sur des entretiens, sur des sondages, sur l'étude méticuleuse de la carte électorale, sur le dépouillement du recensement ou l'analyse des revenus, décile par décile, depuis plusieurs décennies. La conclusion commune en est que la société américaine traverse effectivement une crise, qui a jeté une partie de l'électorat dans les bras d'un dirigeant populiste, mais le diagnostic diverge sur ses causes autour de l'identité ou de l'économie. Chaque bord rejette les conclusions de l'autre et oppose les chiffres aux chiffres. Il n'y a pas un mois où trois professeurs de Harvard, Yale ou Chicago ne publient pas l'article « définitif » sur le sujet.

Pour les uns, c'est l'homme blanc sans éducation supérieure qui est en crise ; c'est lui qui a voté à près de 70 % pour Trump ; qui lui a apporté le Michigan, le Wisconsin et la Pennsylvanie, États touchés de plein fouet par la désindustrialisation. Il se serait rebellé parce qu'il voit le pays lui échapper, lui devenir étranger dans sa composition ethnique et ses valeurs, et les élites se désintéresser de son sort et s'éloigner de son mode de vie. Il ne se reconnaîtrait plus dans un pays où la religion recule, où les homosexuels peuvent se marier et où les minorités deviennent inexorablement la majorité. Le fait est que, depuis quelques années, la majorité des enfants qui naissent aux États-Unis ne sont plus « caucasiens », et ce devrait être également le cas pour le pays en 2050.

Pour les autres, c'est l'économie qui explique tout. Les revenus des Américains ont stagné voire diminué depuis trente ans pour une partie substantielle d'entre eux. Les statisticiens débattent à l'infini des pourcentages selon le type de revenu qu'on prend (avant, après impôts et transferts sociaux) et la manière dont on divise la population, mais reste le fait brut d'une stagnation de long terme du niveau de vie d'un nombre significatif d'Américains. S'y ajoute l'impact de la crise de 2008, dans un pays qui ne dispose pas des amortisseurs sociaux des pays européens : plus de dix millions de foyers ont dû abandonner leur logement, c'est-à-dire qu'ils ont perdu tout le capital dont ils disposaient au moment même où l'État finançait massivement les banques pour éviter que la crise n'entraîne un désastre comparable à celui de 1929. Cette action décisive, lancée d'abord par George W. Bush à la fin de son mandat et amplifiée par son successeur, a sans doute protégé le monde d'une crise dévastatrice, mais Barack Obama n'a pas tenu de discours qui rende acceptable par tous ce soutien massif des banques qui portaient une responsabilité dans la crise. Aucun banquier n'alla en prison alors que des millions d'Américains perdaient leur emploi ; bien plus, dès 2010, alors que le marché du travail atteignait ses pires chiffres, les bonus du secteur financier reprenaient leur hausse. Aucune banque ne fut nationalisée. Certains ont jugé qu'Obama avait raté son « moment FDR », c'est-à-dire n'avait pas, comme Franklin D. Roosevelt, adopté un vocabulaire et des mesures qui auraient répondu à la colère des électeurs. Était-il trop centriste pour le faire ? Ou trop contraint par le Congrès ? Certes l'État récupéra l'argent qu'il avait investi dans les entreprises et les fonds, mais beaucoup d'Américains en ont conclu qu'on était pleins d'attention pour les banques et les banquiers mais pas pour eux. À ce ressentiment s'ajoute le caractère partiel de la reprise, avec des salaires qui retrouvent à peine leur niveau de 2008, avec un bas taux d'activité, ce qui signifie que des millions d'Américains ont quitté le marché du travail, et avec la croissance des «petits emplois», qui permet une amélioration des statistiques du chômage mais ne satisfait pas forcément ceux qui doivent s'y résoudre. Aujourd'hui, 57 % des Américains seraient incapables de faire face à une dépense inattendue de 500 dollars, 16 % travaillent plus de 60 heures par semaine.

Une nouvelle droite américaine

Fort de sa victoire et attaché à répondre aux aspirations de sa base, Trump a d'ores et déjà bouleversé le paysage politique américain. Il est en train de redéfinir la droite américaine : le parti républicain était libre-échangiste, favorable à la rigueur budgétaire et interventionniste à l'extérieur. Trump le rend protectionniste, isolationniste et nationaliste et accroît le déficit budgétaire de plus d'un point de PNB en pleine période de croissance. Fort du soutien enthousiaste des électeurs républicains, il accule ses adversaires à la démission ou à la soumission. Les dirigeants conservateurs américains pensaient qu'ils prendraient l'ascendant sur un président isolé et inexpérimenté : aujourd'hui, ils sont domestiqués et ont dû donner des gages de trumpisme à leurs militants avant les récentes élections intermédiaires. Ils se consolent en se disant qu'après tout, ce président, si peu fréquentable qu'il soit, choisit des juges ultra-conservateurs et a fait voter une réforme fiscale conforme à leurs vœux. Paris vaut bien une messe… J'ai rencontré un jour, par hasard, un groupe d'artisans du bâtiment qui rénovaient une maison et qui, voyant que j'étais un étranger, m'ont demandé mon avis sur leur président. Une conversation s'en est ensuivie : «Oui, me disaient-ils, c'est un escroc, un menteur ; on ne lui confierait pas notre fille, mais il fait le boulot : un doigt d'honneur aux élites» ; «il rend furieux le *New York Times*», a remarqué l'un d'entre eux, avec satisfaction. Sur ce terreau de colère, le vent de la révolte a soufflé, avec comme symptômes la haine de ceux qui s'en tirent, la peur de ceux qui sont différents, le sentiment de n'avoir rien à perdre et l'attente de l'homme providentiel. Trump joue ce rôle : ils ne retiennent pas contre lui qu'il est milliardaire parce qu'il parle comme eux et parce qu'il flatte leurs préjugés. Il leur dit, encore aujourd'hui dans les grands meetings politiques qu'il organise régulièrement et dont il faut sentir la ferveur, qu'ils ont raison d'avoir peur, de se sentir abandonnés et trahis et de se méfier des élites. Lui seul les écoute, les respecte, les défend et les comprend. Les États-Unis sont dans une situation épouvantable. Le monde entier les exploite. Des millions d'immigrants, violeurs et criminels potentiels, les submergent et leur volent leur emploi. L'économie est à la dérive. Le pays est embourbé dans des guerres qui ne sont pas les siennes et prisonnier d'alliances coûteuses et inutiles. Ce fut là le discours de l'inauguration du nouveau président ; c'est le thème ressassé de ses déclarations. Cette colère contre l'establishment,

Trump l'a comprise et captée ; il continue de l'incarner par son comportement, qui correspond à ce que ses électeurs espéraient de lui. Nulle surprise qu'ils lui restent étonnamment fidèles. Jamais, depuis un demi-siècle, un président n'a réussi à conserver, à ce point, le soutien de ceux qui l'ont élu (entre 80 et 85 % !).

Trump, un président solitaire

S'arrêter là serait négliger la personne de Trump, qui introduit dans ce schéma l'irrationalité, l'imprévisibilité et le chaos. Rien ne serait plus faux que d'imaginer un Machiavel calculant, analysant et enfin agissant. Trump ne lit rien, au point que ses amis proches pensent qu'il est dyslexique ; il passe des heures devant la télévision, en priorité devant la chaîne conservatrice Fox News, où se déchaînent des commentateurs adeptes des théories du complot et prêts à toutes les approximations, les exagérations et les imprécations. Son narcissisme pathologique le fait évoluer dans une sphère cognitive qui lui est propre où, si les faits ne lui conviennent pas, il en invente d'autres. Les journaux relèvent ses « mensonges », qui sont légion, mais ce mot ne convient pas, parce qu'il croit dans les contrevérités qu'il assène à ses interlocuteurs, même chefs d'État. N'a-t-il pas affirmé que son père était né en Allemagne pour prouver son amitié pour ce pays alors que chacun peut vérifier que c'est faux ? Ce ne sont pas des arguments sophistiqués mais des phrases simples qu'il répète plusieurs fois dans des entretiens où il ne répond pas à son interlocuteur, mais se contente de s'écouter. Il y exprime, en politique étrangère, quelques obsessions auxquelles rien ne le fera renoncer.

Prisonnier de ses certitudes, imperméable aux conseils et sûr de ses talents, Trump vit sa présidence seul. Il traite les États-Unis comme la Trump Organisation, une petite entreprise familiale, et ses ministres comme son comptable. Il ne voit pas l'utilité de l'administration, dont il ignore les avis et qu'il n'informe pas de ses décisions. Il tranche sur tout avec superbe sans que quiconque sache sur quelle base il le fait. Les détails l'indiffèrent une fois qu'il a clamé victoire. Il n'accepte autour de lui que des exécutants. L'administration américaine est aujourd'hui à la dérive. Sans contact avec son président, dont elle ne peut prévoir les foucades et dont profondément elle n'approuve pas les orientations, elle n'est plus qu'un canard sans tête qui continue sur sa lancée. Sans conviction, elle réaffirme les positions traditionnelles des États-Unis, quitte à se faire désavouer publiquement. En réalité, aujourd'hui, la politique américaine, c'est Donald Trump et lui seul.

Un chef autoritaire, sûr de lui-même et indifférent au droit et aux convenances, un parti domestiqué, une base inconditionnelle (autour de 35 % de la population) et une opposition tétanisée par le personnage, on pourrait craindre le pire si ce pays n'avait pas des institutions solides et une société civile active. Les États fédérés, les autorités locales et le pouvoir judiciaire jouent pleinement leur rôle de contre-pouvoirs.

Des juges exigent et obtiennent des modifications des règlements et s'apprêtent à examiner le démantèlement de la réglementation de protection de l'environnement. Un juge, Mueller, a décidé de l'avenir du président en concluant à l'issue d'une enquête qu'il n'y avait pas de preuve de collusion entre son équipe de campagne et la Russie. Si sa conclusion avait été différente, Trump aurait éprouvé les plus grandes difficultés juridiques et politiques à rester à son poste. De son côté, la presse, malgré les menaces, les insultes et les critiques du président, reste entièrement libre et ne lui fait aucun quartier. Jamais les associations n'ont été aussi actives pour protester, manifester et ester en justice.

Populisme et démocratie américaine

Certes, la démocratie américaine est forte et résiste à l'épreuve, mais elle n'en sortira pas intacte.

Ce qui était hier scandale ne suscite plus qu'indifférence, que ce soit le torrent jamais tari de ses contre-vérités, son absence de dignité personnelle et son recours aux insultes ; même la révélation du paiement d'une actrice de cinéma pornographique pour acheter son silence sur une liaison laisse de marbre un pays connu pour son puritanisme sexuel. Le président se contredit lui-même et contredit ses ministres ; les ministres se contredisent entre eux ; la porte-parole de la Maison Blanche justifie les plus évidentes contre-vérités. Rien n'y fait ; on s'habitue à tout.

Lassitude devant l'accumulation des révélations ou cynisme nouveau, les Américains ne se font aucune illusion sur leur président, mais beaucoup, y compris dans les milieux les plus religieux, ne lui reprochent pas sa propension au scandale. Au silence des uns répond la surenchère des autres, qui se sentent autorisés par cet exemple en haut lieu à en ajouter dans l'invective, le mensonge et souvent le racisme. Le complotisme connaît des beaux jours. Invoquer les faits et la vérité ne compte guère quand il s'agit de crier le plus fort. De toute façon, que les faits démentent une argumentation n'est plus retenu contre elle ; la réalité s'efface progressivement devant les fantasmes.

Dans ce contexte, l'opposition enfourche les grands chevaux de l'indignation ; elle pousse de hauts cris chaque fois qu'il lui tend un chiffon rouge. Elle fait ainsi son jeu en prouvant qu'il est effectivement l'ennemi des élites et en recourant à des arguments éthérés, beaucoup moins efficaces que ses affirmations simplistes. En faisant de la morale au lieu de faire de la politique, elle exaspère les électeurs de Trump, qui y voient de la condescendance et n'en sentent pas le rapport avec leur vie quotidienne.

De son côté, face à ce déferlement d'hostilité, enfermé dans le camp retranché qu'est devenue la Maison Blanche, il réplique coup pour coup ; il a découvert que Twitter lui permet de s'adresser directement à son électorat par-dessus la tête d'une presse ennemie et il y recourt sans s'embarrasser de nuances et de convenances. C'est une lutte à mort ; il ne cédera pas et ne concédera rien. Je me suis trouvé, lors d'un grand dîner donné par un club de Washington, à côté d'une de ses proches conseillères, Kellyanne Conway. Comme les invités venaient en foule la saluer et que je plaisantais sur sa soudaine popularité, elle m'a répondu qu'elle ne se faisait aucune illusion : « ils nous haïssent », « ils » étant, à l'évidence, l'establishment washingtonien qui constituait l'essentiel de l'assistance. Remarque qui résume assez bien le face-à-face entre cette administration et les élites de Washington. Cela étant, cette hystérie signifie que l'opposition en est réduite à parler de Trump et seulement de Trump. Il est le maître des horloges.

Les États-Unis offrent donc l'exemple, avec un recul de près de dix-huit mois, de la prise de pouvoir d'un dirigeant populiste dans une démocratie occidentale. La leçon en est amère. Trump a prouvé ou rappelé que le jeu démocratique reposait sur le respect de l'autre, la rationalité et le débat, mais que les électeurs s'habituaient rapidement à leur abandon. Il a démontré qu'on pouvait impunément mentir, trahir ses promesses, abandonner toute dignité et insulter ses adversaires et qu'on pouvait faire accepter l'inacceptable en dix-huit mois, à condition que les électeurs aient le sentiment que c'est pour défendre leurs intérêts. Voilà peut-être une définition du populisme. Mais Trump a aussi involontairement souligné l'importance des institutions pour la défense de la démocratie libérale. Nulle surprise qu'ailleurs, elles soient les premières cibles des dirigeants autoritaires.

Cela étant, Trump s'est débarrassé de tous ceux qui essayaient de le modérer. Le secrétaire d'État (Mike

Pompeo) et le conseiller national de Sécurité (John Bolton) qu'il a choisis ne l'ont été que pour mettre en œuvre une politique dont il est seul juge. La récente déclaration de guerre commerciale avec la Chine et celle qui menace l'UE, qui correspondent à ses instincts protectionnistes les plus profonds, le prouvent. Il est désormais sans contrôle, avec, à sa disposition, les pouvoirs immenses d'un président des États-Unis. Le pire est encore devant nous.

Le protectionnisme

La première obsession de Trump, celle qui domine sa vision du monde, c'est la conviction que la politique commerciale suivie par ses prédécesseurs a été un désastre pour l'industrie de son pays. Selon lui, tous les partenaires des États-Unis, que ce soit l'UE, la Chine ou un autre, ont abusé de la faiblesse de Washington pour parvenir à des surplus commerciaux qu'il veut passionnément réduire et, à terme, faire disparaître. Il y est d'autant plus déterminé qu'il sait avoir été élu par les États qui ont souffert de la globalisation, le Michigan, le Wisconsin et la Pennsylvanie, qui n'avaient pas voté républicain depuis des décennies. C'est eux et les autres États industriels du Midwest qu'il sillonne encore aujourd'hui à coups de grands meetings où il communie avec une foule enthousiaste. « *My guys* », dit-il affectueusement. Il veut les défendre en défendant l'industrie américaine. Il lui est indifférent que celle-ci ne représente plus que

14 % du PNB et que les États-Unis dégagent de forts surplus dans les échanges de services. Il nourrit une passion personnelle pour l'industrie conçue dans sa forme la plus traditionnelle, c'est-à-dire également la plus archaïque : l'acier, l'aluminium et, plus que tout, l'automobile. Dans ce cadre, il ne conçoit le commerce que sur une base bilatérale avec, pour chaque pays, l'objectif de l'établissement de l'équilibre commercial. Inutile de lui parler des services, inutile de lui expliquer que le commerce contemporain, avec ses chaînes de valeur et ses spécialisations, s'inscrit dans une logique plus complexe : il s'en tient au chiffre du bilan commercial, seule réalité qui compte. Par ailleurs, les règles de l'OMC lui sont indifférentes ; il est prêt à recourir à toute méthode qui lui permette de parvenir au résultat qu'il vise, la résorption du déficit commercial américain, qu'elle soit ou non conforme au droit international.

Enfin, que l'interlocuteur soit la Chine, l'UE, un ami, un allié ou un adversaire ne compte pas. S'il ne se soumet pas, il sera traité de la même manière brutale. L'UE peut d'autant moins compter sur un traitement privilégié qu'il lui voue une hostilité toute particulière dont on ne connaît pas l'origine : « L'UE est pire que la Chine », répète-t-il ; « L'UE a été créée pour tirer avantage des États-Unis », ose-t-il dire, ignorant, à l'évidence, que les États-Unis ont été un des parrains de la construction européenne ; « la manière dont l'UE traite les États-Unis est horrible », et d'autres déclarations à l'avenant. Pas un entretien avec un homologue de l'UE où il ne revienne donc sur le déséquilibre dans ce secteur et où il ne se plaigne de la percée des Européens, en réalité des Allemands, sur le marché américain. Subsiste la menace, un instant écartée, de droits de douane de 25 % sur les importations en question. L'UE, à l'occasion d'une visite du président de la Commission, sous pression de l'Allemagne, a proposé pour l'éviter la négociation d'un accord de libre-échange avec des droits de douane nuls sur les produits industriels. Cependant, lorsque Macron a réitéré cette idée devant Trump, à New York, en septembre 2018, il s'est vu répondre que celui-ci n'était pas intéressé parce que « les Européens n'achèteront jamais de voitures américaines et les Américains continueront d'acheter des voitures européennes ». Ce qui laisse entendre qu'il est en faveur de mesures autoritaires – contingents, droits de douane punitifs – pour changer cet état de fait. Les négociations en cours, au niveau technique, montrent que l'objectif de l'administration n'est pas de parvenir à une concurrence loyale entre les deux rives de l'Atlantique mais à une réduction effective du déficit américain, quelle qu'en soit la méthode, qu'elle soit conforme ou non aux règles de l'OMC.

Pour l'heure, c'est à la Chine qu'on a déclaré la « guerre commerciale » à coups de droits de douane massifs sur la majorité des importations de ce pays. Prise par surprise, elle ne sait comment réagir dans la mesure où elle dégage un tel surplus dans ses échanges avec les États-Unis qu'elle ne peut que perdre dans une guerre de droits de douane. On sent le désarroi à Pékin à la modération des commentaires de la presse et à l'absence de manifestations populaires suscitées par le régime. Une capitulation, plus ou moins déguisée, n'est donc pas exclue, d'autant que la structure étatisée de l'économie permet éventuellement de répondre aux exigences de Washington, par exemple en achetant des Boeings au lieu d'Airbus ou en augmentant les importations américaines de gaz naturel ou de soja. Cela étant, le discours prononcé le 8 octobre 2018 devant le Hudson Institute, à Washington, par le vice-président Pence, élargit la confrontation entre les deux pays pour en faire un face-à-face stratégique comparable à celui qui a opposé les États-Unis et l'URSS en d'autres temps. Il ne s'agit plus seulement de commerce, mais de rivalité géopolitique globale. Le ton a soudain monté. En mer de Chine du Sud, où Pékin a imposé sa présence militaire en violation du droit international maritime, un incident est, à tout moment, possible entre les navires des deux pays, les Américains patrouillant ostensiblement dans des eaux que la Chine clame siennes. La méthode Trump, qui est de traiter tout pays à la même enseigne, celle du rapport de force le plus cru, pourrait trouver ses limites avec la Chine, qui ne peut accepter de perdre la face et ne peut reculer sur toute la ligne.

Néanmoins, jusqu'ici, dans le domaine commercial, les affaires ne marchent pas trop mal pour Trump. Mexique et Canada ont dû accepter la renégociation de l'accord qui unissait les trois pays, l'Accord de libre-échange nord-américain (ALÉNA, en anglais : NAFTA), et ont fait des concessions dont l'administration peut se prévaloir. La Corée du Sud a suivi ; le Japon a également ouvert des négociations commerciales. Dans tous les cas, c'est dans l'objectif de réduire le déficit commercial américain. Il sait ce que sont les rapports de force et les utilise à bon escient.

La lutte contre l'immigration

Dès sa déclaration de candidature, au printemps 2015, Trump avait fait de la lutte contre l'immigration son cheval de bataille en dénonçant les «violeurs mexicains» sur le sol américain. Tout au long de sa campagne, il a martelé l'engagement de construire un «mur» le long de la frontière méridionale du pays, avec son talent pour les phrases simples voire simplistes qui enthousiasment une foule. À chacun de ses meetings, l'assistance entonnait d'ailleurs «*build the wall*» (construis le mur) et continue de le faire aujourd'hui lorsqu'il tient une réunion publique. Sur le fond, cette mesure n'a pas grand sens : la majorité de l'immigration illégale se fait par les points de passage et non à travers la campagne ; les Texans, pourtant fort conservateurs, ne veulent pas d'un obstacle qui empêcherait leurs troupeaux d'accéder au Rio Grande et les républicains du Congrès partageaient le scepticisme des experts, mais l'idée a conquis l'électorat de droite. Dans un premier temps, l'opposition des démocrates offrait un bon prétexte à la majorité républicaine du Congrès pour ne pas faire grand-chose pour financer le projet. Le fameux «mur» risquait donc de devenir une promesse non tenue. C'était mal le connaître, d'autant que tous les commentateurs d'extrême droite de Fox News l'ont pris à partie sur le thème de sa «trahison». En décembre 2018, il a donc annoncé qu'il ne signerait pas les budgets des agences des ministères qui restaient à approuver tant que le Congrès ne financerait pas le «mur». En d'autres termes, plus de 800 000 fonctionnaires se sont retrouvés du jour au lendemain sans salaire, otages de l'épreuve de force entre président et nouvelle majorité démocrate de la Chambre, le premier menaçant de tenir des mois, des années si nécessaire. Face à une nouvelle majorité démocrate à la Chambre, chauffée à blanc, Trump a finalement dû céder, le 25 janvier, et accepter de mettre un terme à l'épreuve de force sans rien obtenir, mais il n'a pas dit son dernier mot.

Ces 35 jours de fermeture d'une partie de l'administration illustrent de manière spectaculaire la crise politique que traverse le pays. Voilà quand même le président des États-Unis qui prive de leurs salaires 800 000 agents publics pendant plus d'un mois pour faire pression sur le Congrès afin d'obtenir le vote d'une proposition dont les démocrates ne veulent pas ; mais voilà aussi une opposition qui non seulement relève le défi en ne cédant pas mais décide, en représailles, de refuser au président de l'inviter pour le traditionnel discours sur l'état de l'Union.

La polarisation est telle à Washington que bien peu dénoncent le caractère puéril de ce face-à-face et le fait que les deux côtés refusent, l'un autant que l'autre, tout compromis. Chacun rejette sur l'autre la responsabilité de la crise. Deux adolescents vindicatifs ne feraient pas mieux. C'est une preuve supplémentaire que Trump et les démocrates ne se placent plus dans une logique de combat politique classique, mais dans une lutte à mort, quel qu'en soit le prix. Trump, en populiste conséquent, a refusé de respecter les règles de la démocratie libérale ; les démocrates en ont tiré les conséquences en renonçant à toute coopération avec lui. Les républicains, qui savent que la grande majorité de leur électorat soutient le président, sont contraints de le suivre.

On peut comprendre la réaction des démocrates tant les méthodes et les manières de leur adversaire sont atterrantes. Les sondages semblent d'ailleurs leur donner raison, au moins jusqu'ici. Le fait est quand même qu'ils sont entraînés dans cette politique de l'imprécation et du manichéisme qui caractérise le populisme, dont on découvre ainsi qu'il est dangereusement contagieux. Or c'est un terrain glissant où Trump reste le maître.

En tout cas, une chose est sûre : les deux années qui viennent ne seront pas de grandes années de la démocratie américaine.

Les perspectives politiques

Les élections dites intermédiaires du 6 novembre 2018, pour le renouvellement de la Chambre et du tiers du Sénat, ne se sont pas mal passées pour le président. Certes, il a perdu la majorité à la Chambre, mais tous ses prédécesseurs en ont fait autant lors des premières élections qui ont suivi la leur, et il ne l'a pas fait de manière spectaculaire ; il a, par ailleurs, renforcé sa majorité au Sénat, où il est quasiment assuré de la maintenir en 2020, au prochain renouvellement, étant donné les sièges qui seront en jeu. Le Sénat va donc pouvoir continuer à confirmer la nomination de juges conservateurs, ce qui importe au plus haut point à la base évangéliste du parti républicain. Ces élections ont également confirmé une évolution qui pourrait marquer l'inscription durable du populisme dans la vie politique américaine : la classe moyenne supérieure, traditionnellement républicaine, s'est, pour la première fois, tournée vers les démocrates. Ce fut le cas dans les banlieues prospères des grandes villes, mais le plus bel exemple en reste le « Orange County », en Californie, « où les républicains viennent mourir », pour citer Reagan, qui n'a élu, le 6 novembre 2018, que des démocrates à la Chambre.

Si ce schéma était confirmé, s'affronteraient désormais un parti réunissant minorités, riches blancs, jeunes et femmes à un autre qui s'appuierait sur les « petits Blancs », les vieux et les évangélistes. Ce n'est évidemment qu'une caricature qui dit bien que le trumpisme n'est pas qu'un accident. Il correspond à un réalignement politique dont on ne peut prévoir l'avenir. Cela étant, une telle coalition, si elle a donné la victoire en 2016 et peut, de nouveau, le faire en 2020, serait démographiquement condamnée par le recul des « Blancs ». C'est la crainte de tous les analystes républicains. Ils savent, cependant, que les Latinos sont souvent conservateurs pour des raisons religieuses, avec la percée parmi eux des évangélistes comme en Amérique latine, et pourraient les rejoindre, mais encore faudrait-il qu'ils définissent une politique migratoire acceptable par cette population. C'est moins difficile qu'il n'y paraît dans la mesure où souvent l'immigré est disposé à laisser «fermée la porte derrière lui». Mais reste la question des illégaux – sans doute entre 11 et 12 millions aujourd'hui –, souvent liés à des parents déjà sur place. Il faudrait donc envisager, au minimum, une forme d'amnistie ou de chemin vers la régularisation, que les électeurs républicains refusent avec force. La percée républicaine chez les Latinos, clé de l'avenir du parti, n'est donc pas pour demain, même si le score du parti dans cette population s'améliore lentement. S'y ajoute l'incapacité de Trump à élargir sa base; il la galvanise, mais autour de thèmes et dans un style qui ne peuvent qu'éloigner les électeurs centristes, qui, ici comme ailleurs, jouent un rôle déterminant dans une élection.

Cela étant, rien n'exclut que Trump soit réélu en 2020. Comme on l'a vu, il n'est que partiellement un accident de l'histoire, fruit du système électoral. Derrière l'homme, il y a la crise de la classe moyenne, frappée par les choix économiques des quarante dernières années et menacée par les évolutions technologiques. Le pire est devant nous : l'automatisation et surtout l'intelligence artificielle vont détruire des millions d'emplois faiblement et moyennement qualifiés. Obama l'avait senti. Élu sur le thème du changement, il avait essayé d'y répondre mais sans sortir du paradigme néo-libéral.

Or le durcissement, sensible à droite, n'épargne pas la gauche. Chauffés à blanc par la haine et le mépris de leur adversaire, les militants virent à gauche. En 2020, les démocrates seront confrontés à l'alternative de choisir soit un candidat centriste, à l'image de ce qu'ils ont fait depuis 1976, soit, dans une ère de polarisation, d'aller franchement à gauche. Cette dernière hypothèse est loin d'être exclue. En effet, les modérés, « sonnés » par la défaite de Hillary Clinton et incapables de concevoir une réponse à la crise, se taisent. La gauche, au contraire, conduite par de jeunes représentants élus en 2018, comme Alexandria Ocasio-Cortez, élue à 29 ans dans le Bronx à New York, définit aujourd'hui les thèmes du débat politique en y introduisant des idées qui, hier encore, auraient paru radicales, comme la couverture médicale universelle ou l'alourdissement des impôts sur les riches, et qui ne font plus aujourd'hui l'objet du même rejet. Elle a déjà montré son enthousiasme et sa bonne organisation derrière Sanders en 2016. Elle pourrait donc emporter les primaires en 2020, dans un contexte où, chez les démocrates, aucun candidat légitime n'émerge. Nul ne peut dire quel serait alors le résultat d'un affrontement entre le président sortant et un représentant de la gauche démocrate. En 1972, les démocrates, portés par leur hostilité envers Nixon, avaient choisi McGovern et avaient ainsi assuré la réélection de leur ennemi. Fox News se fait d'ailleurs un plaisir de relayer les propositions de la gauche démocrate en criant au «socialisme». La campagne électorale pour l'élection de novembre 2020, qui commence déjà du côté démocrate, sera passionnante. Il ne s'agira rien de moins que de redéfinir la gauche américaine alors que la droite a déjà fait son aggiornamento.

XVI

Ambassadeur sous Trump

Le 9 novembre, le lendemain de l'élection, la question qui se posait à nous comme à toutes les ambassades était de connaître les nouveaux maîtres de Washington. Le système américain veut, en effet, que le 21 janvier suivant, jour de la prise de fonction du nouveau président, près de 4 000 hauts fonctionnaires quittent leur poste dans l'attente des nominations que celui-ci décidera. Sept cents d'entre eux doivent être confirmés par le Sénat, ce qui ajoute à la complexité de l'opération dans la mesure où chacun doit remplir un dossier de plusieurs centaines de pages pour s'assurer de sa parfaite intégrité. La procédure est longue et complexe, mais, même s'il en triomphe, l'impétrant peut voir sa nomination prise en otage par un sénateur qui, en échange, veut obtenir de l'administration une concession. Si celle-ci s'y refuse, le malheureux reste dans des limbes pour des mois voire des années. En 2018, un sénateur a ainsi bloqué la nomination de David Schenker au poste de secrétaire d'État adjoint au Moyen-Orient dans l'attente d'une réponse à une de ces questions au département d'État, notamment la base juridique de l'intervention américaine en Syrie.

Dans ce contexte, toute transition entre deux administrations est interminable. Il faut une bonne année pour que se mette en place un nombre suffisant d'interlocuteurs de bon niveau qui puissent rendre sa fluidité – toute relative – au fonctionnement de la bureaucratie. Non seulement les hauts fonctionnaires doivent être confirmés mais ils doivent prendre connaissance des dossiers et éventuellement définir une nouvelle ligne politique. Processus de nomination interminable, incompétence de certains nouveaux arrivants, longue révision des politiques précédemment suivies, ignorance des engagements pris, heurts des ambitions, établissement de nouveaux rapports de force au sein de la bureaucratie, autant de plaies que les ambassades retrouvent à chaque changement de président. Les États-Unis sont aux abonnés absents pendant des mois.

Cela étant, le fonctionnement de Washington permet aux ambassades de pallier ces inconvénients par leur connaissance de la ville. En effet, républicains et démocrates s'y partagent harmonieusement les rôles : les uns sont au pouvoir et les autres attendent d'y être à leur tour dans les cabinets d'avocats, les firmes de lobbyistes et les instituts de recherche (les think-tanks). Que vienne une élection et ils échangent leur bureau. D'une administration républicaine ou démocrate à l'autre, au sein de la bureaucratie, ce sont donc plus ou moins les mêmes noms qui reviennent, la promotion accompagnant le vieillissement. Il reste à repérer les jeunes, qui, souvent, font leurs dents comme assistants d'un membre du Congrès. J'avais donc soigneusement entretenu mon réseau de relations avec l'opposition républicaine à coups de déjeuners à la résidence. Pour les démocrates, c'était plus facile puisqu'ils étaient presque tous issus de l'administration Obama et avaient donc été, à un moment ou à un autre, en contact avec l'ambassade. Je pensais être «couvert», prêt à saluer les vainqueurs quels qu'ils soient, et patatras, tout tombait à l'eau. En effet, la plupart des républicains qui avaient bénéficié de mon hospitalité avaient déclaré leur hostilité à Donald Trump jusqu'à signer une lettre contre lui; certains n'avaient pas caché qu'ils voteraient pour son adversaire : c'était des «*never trumpers*», qui n'avaient rien à attendre d'un vainqueur dont on sentait aisément que la magnanimité ne figurait pas parmi ses qualités. Tous mes collègues européens partageaient ma perplexité, notamment le Britannique, qui se faisait fort de «connaître tout le monde» à Washington, tout le monde sans doute, mais pas ces animaux inconnus qu'étaient les trumpistes. Je me rappelle les «tuyaux» que nous échangions aux réunions mensuelles des ambassadeurs de l'UE, les quelques noms auxquels nous nous raccrochions.

Ce désarroi se calma un instant lorsque «l'équipe de transition» fut nommée : la tradition est, en effet, que le président élu nomme une personnalité qui, avec des assistants, prépare le passage de témoin entre les deux administrations. Dans chaque ministère, on lui assigne des bureaux et on lui transmet des dossiers qui décrivent les affaires les plus urgentes. Le gouverneur Christie, du New Jersey, fut donc choisi et commença l'opération avec professionnalisme. Toutes les équipes n'étaient pas prêtes, mais, dans les principaux ministères, les premiers contacts se déroulaient correctement. De mon côté, j'avais déjà rencontré Christie, et le personnage obèse, chaleureux et malin m'avait impressionné par sa faconde et son humour, mais aussi par sa connaissance des dossiers les plus techniques pour répondre à mes efforts en faveur des entreprises françaises dans son État. À la fin de notre entretien, il m'avait expliqué que « Trump était un "boss" du Queens », le Queens étant le quartier de New York où la Mafia avait longtemps tenu le haut du pavé. Quant à ses ambitions personnelles, il m'avait répondu qu'il n'irait à Washington qu'après quelques mois de présidence Trump, « pour voir s'il y avait encore des survivants ». Il aurait dû s'y tenir puisque, après une dizaine de jours, le président élu lui demanda de rejoindre son État avec ses équipes. Nous avions déjà commencé à prendre des contacts au sein de celles-ci. Tout était à recommencer. Ce schéma se reproduisit plusieurs fois : les nouveaux venus ne faisaient que passer, se succédaient sans qu'il soit possible de deviner leur responsabilité. Ils acceptaient mes invitations à déjeuner avant de disparaître. De Paris affluaient les délégations qui voulaient prendre contact avec le nouveau pouvoir. Je ne pouvais que leur présenter des inconnus de la veille qui, pour la plupart, le redeviendraient le lendemain. Je plaisantais en disant que j'allais finir par louer des figurants pour satisfaire mes visiteurs.

Je me mis donc à fréquenter tout ce que Washington offrait d'extrême droite puisque les conservateurs classiques paraissaient hors jeu. C'en devenait comique ; je rencontrais des personnages étonnants dans leurs certitudes et leur ignorance qui, tous, m'affirmaient devoir appartenir à la future administration. À la Heritage Foundation, think-tank conservateur qui était passé de la recherche à la propagande quelques années plus tôt, on me présenta le « futur responsable des affaires européennes au département d'État », qui me demanda gravement pourquoi la France quittait l'UE, ce qui me laissa pantois lorsque je compris qu'il ne me prenait pas pour mon collègue britannique. Le conseiller diplomatique du président de la République faisait des frais pour nouer des relations avec le futur conseiller national de la sécurité, le général Flynn, qui ne resta que quelques semaines à son poste. Mes collègues britannique et allemand suivaient leurs propres pistes pour découvrir qu'elles ne menaient, comme les miennes, à rien ou à un contact passager sans lendemain.

« L'inauguration » du président

Arriva enfin le 21 janvier 2017, jour de « l'inauguration » du nouveau président. Face à la foule réunie sur le *Mall* à Washington, sur une gigantesque estrade adossée au Congrès, l'élu prête serment de respecter la Constitution puis prononce un premier discours. Cette cérémonie reflète le génie de ce pays par son mélange de formalisme et de décontraction, qui déconcerte les Européens – pas les Britanniques, qui savent également jouer simultanément sur les deux registres. Trompettes, uniformes rutilants, drapeaux au vent et protocole soigneusement minuté se mêlent harmonieusement avec un esprit bon enfant qui humanise et «démocratise» l'occasion.

Le corps diplomatique était la seule présence étrangère officielle dans une fête qui se voulait une célébration entre Américains de leur démocratie. J'y retrouvai mon collègue russe, Sergueï Kisliak, avec lequel j'avais partagé les fonctions de directeur politique dans nos ministères respectifs. J'aimais Sergueï, son humour et son professionnalisme impeccable ; j'appréciais le talent avec lequel il défendait l'indéfendable dans la politique de son pays. Nous déjeunions de temps en temps en tête à tête. L'élection de Trump le projetait inopinément en première page des journaux dans la mesure où la presse avait découvert qu'il avait eu des contacts répétés avec l'équipe de campagne du vainqueur, notamment avec le général Flynn, le nouveau conseiller national de sécurité. On faisait donc de Kisliak un agent d'influence, voire l'animateur d'un réseau d'espionnage, même si voir en ce personnage bonhomme au tour de taille substantiel et au double menton un nouveau James Bond prêtait à sourire. On le fuyait. Je plaisantais en lui disant qu'il était désormais l'ambassadeur le mieux introduit de

Washington ; il me montra notre homologue israélien pour démentir.

J'étais allé me présenter à l'ambassadeur Dermer dès mon arrivée dans le train de « visites de courtoisie » que tout nouvel ambassadeur est supposé faire. De courtoisie, il n'y en eut pas : Dermer, fils et frère d'un maire de Miami, était un de ces Juifs américains qui décident de servir Israël. Il avait été un proche conseiller de Benyamin Netanyahou puis était revenu aux États-Unis en tant qu'ambassadeur de son nouveau pays. Il ne m'épargna rien sur le thème : « Israël veut la paix ; les Palestiniens sont des terroristes ; les Européens des lâches », m'interrompant et ne daignant pas répondre à mes remarques. Une grande gueule. Le collaborateur qui m'accompagnait me dit ensuite qu'il se demandait si j'allais sortir de mes gonds et me confia plus tard que le diplomate israélien qui avait assisté à l'entretien l'avait appelé pour s'excuser. Nos relations en restèrent là. Je le retrouvai pour une cérémonie de commémoration de la Shoah au musée de l'Holocauste où, sans souci de décence, il fit un discours anti-iranien. Au cours de la campagne électorale, il réalisa l'exploit de faire inviter le Premier ministre israélien à prononcer un discours devant le Congrès sans consulter ni même informer l'administration. Même à l'aune d'une diplomatie israélienne qui souvent ne fait pas dans la dentelle, Dermer n'était pas un ambassadeur comme un autre. Sans doute a-t-il raison dans la mesure où son rôle essentiel est plus politique que diplomatique : mobiliser les soutiens nombreux d'Israël dans ce pays. Il l'a fait avec efficacité, mais le prix en a été de politiser la relation entre les deux pays, d'en éloigner les démocrates par son choix d'un alignement avec les républicains, en particulier sur l'accord nucléaire avec l'Iran.

Plus encore que le Russe, Dermer était donc un des vainqueurs des élections. Nul doute qu'un président démocrate aurait demandé son rappel. Bien loin de quitter Washington, il y triomphait désormais, fort de son amitié avec Jared Kushner et de la certitude que la nouvelle administration serait inconditionnellement proche d'Israël.

Un troisième de mes collègues pouvait sourire ce jour-là, Yousef Al-Otaiba, l'ambassadeur des Émirats arabes unis. Issu d'une grande famille d'Abou Dabi, diplômé de l'université de Georgetown, proche du prince héritier Mohammed ben Zayed (MBZ), à 45 ans, il représentait son pays aux États-Unis depuis une décennie. Il connaissait le Tout-Washington, qu'il recevait superbement dans sa grande résidence qui dominait le Potomac et dont j'enviais la cave. Vif, amusant et séducteur, populaire auprès de tous, attentionné et amical, il avait su entrer en contact avec l'équipe Trump au cours de la campagne électorale. La démarche des Émirats arabes unis était politiquement logique dans la mesure où ce pays, comme l'Arabie Saoudite, considérait que l'administration Obama les avait abandonnés face à une menace iranienne existentielle. On ne pouvait d'autant moins faire confiance à Hillary Clinton que Jake Sullivan, qui était le nom le plus cité pour être son conseiller à la Sécurité nationale, avait été un des négociateurs majeurs d'un accord nucléaire iranien qu'on abhorrait à Abou Dabi comme à Riyad. Trump ne cessait d'annoncer qu'il dénoncerait cet accord. Rien de surprenant donc à ce que les ambassadeurs d'Israël et des Émirats se retrouvent côte à côte pour apporter leur soutien au même candidat. La brutalité de l'un et le charme de l'autre avaient donc leurs entrées dès la campagne électorale.

Quelle que soit notre influence, quelles que soient nos arrière-pensées, ambassadeurs de tous les pays représentés à Washington, nous partagions donc les mêmes bancs dans l'attente du nouveau président. L'amphithéâtre se remplissait devant nous : sénateurs, anciens présidents, membres de la Cour suprême, représentants se saluaient et plaisantaient sous un ciel gris et menaçant.

Le discours que prononça le nouveau président fut l'occasion pour moi d'apprendre que le mot « carnage » figurait dans le vocabulaire anglais. En effet, j'y entendis que les États-Unis avaient souffert d'un véritable « carnage » dans son appareil industriel. C'était le ton de l'ensemble, un discours sombre sur l'État du pays, parfois apocalyptique ; un pays envahi par l'immigration, ravagé par la désindustrialisation et ruiné par ses alliances avec, en arrière-plan, l'incompétence de toutes les administrations précédentes et la responsabilité de pays étrangers, perçus comme autant de menaces ou de profiteurs. Trump tonnait contre ceux qui avaient conduit les États-Unis à ce désastre et jurait d'arrêter la marche à la ruine et de redresser la barre. Pas un mot sur le rôle des États-Unis dans le monde. Pas un mot sur la coopération internationale. La fête était finie, nous disait-on sans nous laisser demander : « Quelle fête ? » L'humeur était sombre parmi les ambassadeurs lorsque nous quittâmes notre siège et reprîmes notre bus. C'était particulièrement le cas chez les Européens, attachés plus que d'autres au multilatéralisme et à l'alliance avec les États-Unis. Mon collègue allemand fulminait et jurait qu'il ne pourrait rester à son poste dans ces conditions. Les Scandinaves se taisaient. Nous venions de comprendre que cette élection aurait des conséquences directes sur nos pays. Rien ne nous permettait d'espérer qu'elles soient positives.

Le soir se tiennent traditionnellement à Washington des bals pour célébrer la cérémonie, offerts par certains États, le parti vainqueur et des groupes divers. Nos amis américains, qu'on croit informels, adorent se mettre en smoking et en robe longue ; ils n'allaient pas rater cette occasion. Les ambassadeurs européens avaient décidé de se rendre au bal le plus important, qui se tenait au Centre de conférences de Washington. Dans un vacarme assourdissant, dans une salle au charme de hall de gare, nous nous sommes retrouvés perdus dans une foule d'inconnus, des républicains venus de tout le pays, enchantés de leur victoire. À l'instigation de mon collègue danois, nous décidâmes que seul le gin-tonic pouvait rendre le moment – c'est-à-dire pas seulement la soirée – supportable.

Dans un premier temps, je crus que la transition serait peut-être plus imprévisible que d'habitude mais qu'elle s'inscrirait dans le schéma habituel, un chaos temporaire conduisant, tôt ou tard, à la stabilisation d'une nouvelle administration fonctionnant selon des procédures et des conventions que nous connaissions tous.

Le processus de décision à Washington obéit traditionnellement à des règles bien établies, notamment en politique étrangère, où une succession de comités tenus à la Maison Blanche jusqu'au niveau du président prennent les principales décisions. Ces réunions permettent d'arbitrer entre les différents acteurs : département d'État, département de la Défense, CIA, Trésor, état-major, etc. Cette montée, de comité en comité, est non seulement lente mais elle conduit à un arbitrage final qu'ensuite personne ne veut remettre en cause de peur de tout avoir à recommencer. Rien de moins agile donc que la diplomatie américaine qui, confrontée à une question, doit respecter cette procédure quitte ensuite à disposer tardivement d'une décision qui ne correspond plus aux réalités du terrain.

J'attendais donc le moment où cette machine – le « *inter-agency process* » – reprendrait sa marche lente mais sûre. Je l'attends toujours.

Une administration structurellement dysfonctionnelle

Il faut en trouver l'explication dans la personnalité d'un président qui n'a aucune expérience de la bureaucratie et du gouvernement. Patron d'une petite entreprise familiale sans conseil d'administration, il l'a dirigée en solitaire selon ses calculs et ses humeurs et n'a jamais dû se soumettre au contrôle de quiconque. Dans son livre *The Art of the Deal*, il a d'ailleurs « théorisé », si j'ose dire, une conduite des affaires fondée sur la surprise, le refus des conventions et le chaos pour prendre à contre-pied ses adversaires. Il avoue lui-même que signer un contrat n'est qu'une étape parmi d'autres, qui n'empêche en rien de le remettre en cause le lendemain. Enfin, il attache la plus grande importance à l'image qu'il entend projeter, celle d'un vainqueur. Comme me disait une conseillère qui remplit quelques semaines le poste de conseiller national adjoint pour la Sécurité, avant de prendre la porte comme son prédécesseur et son successeur, « ce n'est pas à 71 ans qu'on change ». Les États-Unis ont donc porté au pouvoir Barack Obama, qui était le technocrate ultime, qui lisait tout et tenait réunion après réunion sur le moindre sujet, et, pour lui succéder, son antinomie, un président qui ne lit rien, qui ne tient pas de réunion et prend des décisions au débotté sans qu'on en connaisse l'origine, la raison et les implications. Entre un président qui décide souverainement et l'administration qui est supposée préparer les décisions et ensuite les mettre en œuvre, le fil est donc coupé. Trump ne se préoccupe ni de l'avis de celle-ci ni de ce qu'elle fera pour mettre en œuvre sa décision. Elle est donc réduite à agir à l'aveugle dans la mesure où elle ne sait pas ce que décidera le président et ensuite ce que veut dire la décision, qui se réduit souvent à une phrase, voire à un tweet.

Trump a, durant la campagne électorale et après, répété qu'il ne voyait pas l'utilité des alliances dont faisaient partie les États-Unis, que ce soit en Asie et en Europe. Dans le cas de l'Otan, il soulignait que la plupart des États-membres non seulement n'avaient pas encore rempli leur engagement de porter leurs dépenses de défense à 2 % du leur PNB, mais ne manifestaient aucune intention de le faire. Dans ce contexte, il critiquait particulièrement sa bête noire, l'Allemagne, qui, selon lui, bénéficiait d'un excédent commercial de près de 65 milliards de dollars avec les États-Unis et ne consacrait que 0,9 % (en réalité 1,3 %) de son PNB à la défense. Son discours était toujours le même, mais se rapprochait parfois dangereusement d'un vocabulaire qui pouvait laisser entendre que, dans ces conditions, les États-Unis ne se sentiraient plus liés par la garantie de sécurité qu'ils donnaient à leurs alliés. La crédibilité de l'Otan était donc en jeu. Nulle surprise que les alliés aient été inquiets à l'approche du sommet de l'alliance prévu à Bruxelles, en juillet 2018. Que dirait Trump ? Qu'annoncerait Trump ? Toutes les chancelleries européennes étaient en émoi ; leurs ambassades à Washington sur les dents pour savoir ce que le président nous réservait. Comme il est habituel dans ces conditions, c'est l'ambassadeur qui mène des démarches pour atteindre un niveau élevé de l'administration, que ce soit au département d'État ou au Conseil national de sécurité. De son côté, le conseiller diplomatique du président de la

République appelait son homologue John Bolton. Je vérifiais, par ailleurs, auprès de mes collègues britannique et allemand, s'ils avaient des informations comparables ou différentes des miennes. La réponse fut partout la même : nul ne savait, y compris le secrétaire d'État et le conseiller national de Sécurité, ce que le président dirait ou ferait ; on nous chuchotait qu'ils essaieraient d'éviter le pire dans l'avion. Le résultat est connu : des discours virulents et incohérents du président américain à deux reprises, mais aucune décision. Le pire était évité.

Autre exemple, l'annonce, le 19 décembre 2018, de la décision de retirer les troupes américaines de Syrie. Il était connu que Trump était sceptique sur l'intérêt pour son pays d'être engagé dans ce conflit, ce qui était d'ailleurs comparable aux analyses de son prédécesseur. Il l'était également qu'il avait hésité, à plusieurs reprises, à mettre un terme à la présence américaine aux côtés des Kurdes dans le nord-est de la Syrie. J'avais d'ailleurs dû alerter Paris, à deux reprises, afin que le président de la République appelle son homologue pour le convaincre de s'en abstenir, ce qu'Emmanuel Macron avait fait avec succès. L'argument qui avait apparemment porté était la nécessité de conserver un levier dans une éventuelle négociation sur l'avenir de la Syrie, pour empêcher un triomphe iranien qui déstabiliserait l'ensemble de la région. La ligne officielle paraissait claire : les Américains resteraient en Syrie aussi longtemps qu'il serait nécessaire pour lancer un processus de transition politique, dont un volet serait le retrait iranien. C'est ce que déclarait encore John Bolton à la télévision, le 15 décembre. Patatras... À la stupéfaction de tous nos interlocuteurs à Washington, y compris le chef d'état-major et la directrice de la CIA, qui n'avaient pas été consultés, Trump annonçait à Erdoğan, dans un appel téléphonique le 16 décembre, le retrait des forces américaines du théâtre syrien avec, comme argument, la défaite de Daesh. La veille, le Pentagone disait l'inverse. Aucune réunion de préparation n'avait précédé, à la Maison Blanche, cette volte-face ; naturellement, aucun allié n'avait été consulté ; nul ne pouvait en expliquer les modalités pratiques. Il restait ensuite au secrétaire à la Défense et au chef d'état-major à informer les autorités françaises sur un ton qui laissait clairement entendre qu'ils partageaient nos préoccupations mais n'en pouvaient mais. Le premier en tira d'ailleurs les conséquences en démissionnant, suivi par McGurk, qui était chargé des relations avec les forces politiques et militaires sur le terrain, notamment les Kurdes, que Trump abandonnait en rase campagne. Il a jugé que son honneur ne lui permettait pas de paraître endosser une telle trahison des alliés des États-Unis. Depuis lors, selon un schéma désormais habituel, l'administration, prise par surprise par une décision qu'elle n'a pas préparée et qu'elle n'approuve pas, essaie d'en pallier les conséquences les plus négatives en la rendant la plus lente possible et en promettant de la coordonner avec les alliés sur le terrain, y compris les Kurdes. Cela étant, nul ne sait jusqu'où Trump acceptera de suivre, dans cette voie, ses collaborateurs.

Le troisième est plus anecdotique. Le président

de la République française avait invité une soixantaine de chefs d'État et de gouvernement à Paris, le 11 novembre, pour commémorer le centenaire de la fin de la Première Guerre mondiale. Washington nous avait répondu que le vice-président représenterait les États-Unis. L'ambassade avait donc pris contact avec le bureau de celui-ci pour l'informer des cérémonies et lui demander ses intentions. Soudain, en août, un tweet de Trump nous annonça sa volonté de participer aux cérémonies de Paris. Émoi à l'ambassade, où la chargée d'affaires se précipite au Conseil national de sécurité pour en savoir plus sur les raisons de cette volte-face, mais aussi sur le programme du président. Là encore, selon un schéma qui se répète régulièrement et ne facilite pas le travail des diplomates, nos interlocuteurs durent nous avouer qu'ils avaient été aussi surpris que nous par le tweet et qu'ils n'en savaient pas plus. Le président n'avait pas daigné les informer de ses intentions.

L'administration laissée à elle-même est donc souvent réduite, tel un canard qui court après avoir été décapité, à réitérer les positions traditionnelles de son pays, à défaut d'avoir reçu de quelconques instructions. On vit ainsi, à la veille du sommet de l'Otan de juillet 2018, les ambassades américaines en Europe faire gravement des démarches pour demander que le communiqué final de la réunion soit particulièrement ferme à l'égard de la Russie alors que, quelques jours plus tôt, à l'occasion du sommet du G7, Trump avait jugé qu'il fallait revenir sur l'exclusion de la Russie de cette enceinte, après l'annexion de la Crimée.

Ce chaos n'épargne aucun dossier. Lorsque l'administration eut la détestable idée de séparer les enfants de leurs parents immigrés illégaux, confrontée à une indignation compréhensible, elle réussit à en donner trois explications et justifications différentes selon qu'elles étaient présentées par la Maison Blanche, le département de la Justice ou celui de la Sécurité intérieure. Le président s'en désintéressant, les procédures d'arbitrage habituelles de la Maison Blanche ne fonctionnent plus ou imparfaitement : c'est le chacun pour soi, la seule référence étant le bon plaisir et l'assentiment du président sur la base des réactions du moment de Fox News.

Fox News a été créée par Rupert Murdoch en 1996 pour devenir la première chaîne généraliste avec une orientation politique assumée. Son modèle est fondé sur des informations relativement objectives sur le fond (même si le choix des informations à traiter ne l'est pas) et des commentateurs orientés, eux, à droite voire à l'extrême droite et des panels politiquement monocolores. Fox News, c'est la chaîne où triomphent les théories du complot, où on exploite peurs et préjugés et où le racisme n'est jamais loin. Négation du changement climatique, défense des armes à feu, mise en doute de la théorie de l'évolution voire de la vaccination, parole donnée aux évangélistes les plus rétrogrades, rien ne manque au tableau. Fox News domine aujourd'hui le marché de l'information sur le câble. Elle est devenue le porte-parole attitré de Trump, qui fait sa publicité sur Twitter, lui accorde volontiers des interviews et suit attentivement ses émissions. Le *New*

York Times s'est même amusé à relier les tweets mati-
naux du président aux débats de l'émission du matin
de la chaîne, « Fox and Friends ». Les statistiques tron-
quées, les affirmations fantaisistes et les accusations
hystériques de Fox News deviennent donc des réfé-
rences de Trump, qui les utilise publiquement dans
ses entretiens avec ses homologues étrangers, sans se
préoccuper le moins du monde de leur véracité.

La Maison Blanche comme cour

La meilleure manière de comprendre le fonctionnement de l'administration Trump serait de se référer
à une cour monarchique plutôt qu'à une présidence
d'une démocratie moderne. En effet, en l'absence de
procédures pour la prise de décision, c'est l'accès à la
personne du souverain qui seule importe, d'autant
que celui-ci est capable de trancher sur-le-champ
sans connaître le fond du dossier et sans demander
à le connaître. Le secrétaire général de la Maison
Blanche, le général Kelly, en était à ce point conscient
qu'à sa prise de fonctions, il avait essayé de contrôler
l'entrée du bureau ovale en faisant distribuer, chaque
semaine, aux collaborateurs du président des insignes
qui donnaient ou non le droit d'entrer dans celui-ci,
sur la base des rendez-vous prévus au programme de
Trump. C'était une manière d'éviter que des visiteurs
inopinés puissent arracher par surprise une décision
du président. Il dut rapidement y renoncer devant
les protestations du président lui-même, qui refuse

d'être ainsi encadré et veut garder porte ouverte. Il est le chef ; il entend rester libre de rencontrer qui il veut, quand il veut et de décider ce qu'il veut. Dans ces conditions, la Maison Blanche prend l'aspect d'un panier de crabes où chacun surveille l'autre dans la crainte qu'il ne prenne de l'ascendant sur le souverain vieillissant, instable et capricieux. Le favori d'un jour ne l'est pas le lendemain. La presse résonne des rivalités qu'entretient à dessein Donald Trump pour rester l'arbitre ultime. L'épouse est silencieuse, mais a surpris tout le monde, en novembre 2018, en annonçant publiquement qu'elle exigeait le départ de la conseillère nationale adjointe, Mme Ricardel, qui lui avait manqué lors d'un voyage en Afrique et… elle l'obtint.

Autre particularité de cette administration, le rôle de la famille du président, essentiellement la fille et le beau-fils du président, Ivanka et Jared Kushner, qui se sont installés à Washington à quelques pas de la résidence de France. Elle, grande, mince, élégante, un sourire inexpressif aux lèvres ; lui, impassible, très lisse. On leur donnerait le bon Dieu sans confession et on aurait tort. Jared Kushner, héritier d'une famille de l'immobilier new-yorkais, a dû gérer les affaires de sa famille tout en rendant visite à son père en prison pour une sordide affaire de chantage. Ivanka est, depuis quelques années, la seule personne qu'on puisse qualifier d'associée de son père. Autant dire que ni l'un ni l'autre ne sont naïfs ; ils en ont trop vu, dans un secteur d'activité, l'immobilier new-yorkais, où presque tout est permis.

Ce petit monde grenouille et se déteste presque en

public : Ricardel, avant de prendre la porte, menait une guerre privée contre le secrétaire à la Défense, Mattis. Son chef, Bolton, en fait de même avec la secrétaire à la Sécurité intérieure, Nielsen, tout en multipliant les escarmouches avec le secrétaire général Kelly, qui a d'ailleurs dû démissionner. Au-dessus de ce marigot, Trump ajoute au désordre ambiant en faisant monter ou baisser les cotes des uns et des autres à coups de remarques plus ou moins publiques sur leurs erreurs. Il en vient même à demander à des chefs d'État étrangers ce qu'ils pensent de « son » secrétaire d'État ou de son secrétaire à la Défense, ce qui fuite rapidement et entretient les inquiétudes et les ambitions des uns et des autres. Mattis était, dès avant sa démission, la victime récurrente de cette douche écossaise. Trump brûlait à l'évidence de s'en débarrasser mais reculait devant une décision qui susciterait, il le savait, une désapprobation générale, y compris dans son propre camp, tant l'homme est respecté et respectable. Il est vrai que, depuis le début, l'ancien général avait refusé ostensiblement de se plier aux caprices du potentat, qui exigeait d'être flatté et loué haut et fort par son entourage. Ainsi, lors de la première réunion du cabinet, devant les caméras, alors qu'un embarrassant tour de table avait conduit tous les nouveaux ministres à remercier le président dans les termes les plus serviles, seul Mattis s'était contenté d'exprimer sa fierté de servir… les hommes et les femmes des forces armées américaines. Le même scénario s'était reproduit au moment de la visite d'État du président Macron à la Maison Blanche, où nous avions eu droit à un exercice de flagornerie, digne de la Roumanie de Ceaușescu, de la part de tous les ministres qui entouraient Trump, à l'exception, là aussi, de Mattis. Sa conduite était trop ostentatoire pour ne pas exaspérer un président qui n'attend que soumission de ses collaborateurs. En démissionnant, il a sans doute anticipé une décision qu'aurait tôt ou tard prise le président. Fin novembre 2018, c'est le vice-président Pence qui devint l'objet de la méfiance présidentielle : « Est-il loyal ? » demande Trump à ses interlocuteurs. Cette question ne me serait jamais venue à l'esprit tant M. Pence atteint des sommets de servilité. En 2017, j'assistais à une cérémonie qu'il présidait pour commémorer la mort de 241 *marines* et de 58 parachutistes français, le même jour d'octobre 1983, à Beyrouth. À ma surprise, étant donné les circonstances, dans son discours, le vice-président réussit à multiplier les compliments au président. Nul ne peut lui reprocher le moindre écart dans la soumission à Donald Trump, ce qui apparemment ne suffit pas à satisfaire celui-ci. La politique veut que les profils du président et du vice-président soient complémentaires pour accroître l'audience électorale de la candidature. Le duo Trump/Pence répond à cette logique de manière spectaculaire, qui associe un flamboyant milliardaire new-yorkais adultère à un évangéliste austère. Pour décrire M. Pence, il faut relever qu'il a affirmé n'avoir jamais pris un repas seul avec une femme qui n'était pas la sienne… Que dirait-on s'il était musulman !

Dans ce contexte, dont on a le droit de dire qu'il est « particulier », comme mes lointains prédécesseurs des cours européennes, je dois donc deviner le favori du moment, par exemple Stephen Miller, qui n'a que 33 ans et n'est sur le papier qu'un conseiller parmi d'autres, et rechercher l'amitié du beau-fils et de la fille du président ou de tous ceux – et ils sont foule – qui se targuent d'avoir régulièrement au téléphone le président, qui partage son temps entre le golf, la télévision et le téléphone. On est passé de Max Weber à Saint-Simon…

À la Maison Blanche, Stephen Miller a réussi à survivre à toutes les Saint-Barthélemy qui ont régulièrement frappé les équipes autour du président. Il a même survécu au licenciement de son patron Steve Bannon, rejeté dans les ténèbres extérieures pour avoir prétendu être le « cerveau » de Trump, et à la disgrâce de son parrain, le secrétaire à la Justice Sessions, pour ne pas avoir arrêté l'enquête de Mueller sur les liens entre la campagne du vainqueur et la Russie. Stephen Miller, 33 ans, c'est l'élève présent dans chaque classe, impopulaire parce qu'il n'aime pas le sport et emprunté dans les rapports humains. Dans ce cas, pour s'en sortir, l'enfant a deux stratégies possibles : devenir populaire en faisant rire et en laissant ses camarades copier ses devoirs ou, au contraire, assumer sa différence et sa solitude en lui donnant une justification extérieure. C'est la seconde voie qu'a choisie Miller pour surmonter sa raideur et son absence de charme. Issu d'une famille juive libérale, il est devenu l'extrémiste de droite de son collège et a fait carrière sur une obsession, la haine de l'immigration. Il a rejoint tôt la campagne électorale de Trump par l'intermédiaire de Sessions, sénateur de l'Alabama, qu'il assistait au Sénat et qui fut le premier à rallier cette candidature. Lorsque je l'avais rencontré, en marge d'une inauguration d'une usine d'Airbus à Mobile, dans son État, Jefferson Beauregard Sessions (Beauregard est un général confédéré…) m'avait longuement expliqué, avec l'accent traînant et la courtoisie d'un sudiste, que le danger qui menaçait la civilisation occidentale était l'immigration ; il m'avait d'ailleurs demandé si je connaissais ce « chef-d'œuvre » de la littérature française, *Le Camp des saints* de Jean Raspail. Sessions et Miller étaient faits pour se rencontrer.

Stephen Miller a ensuite volé de ses propres ailes jusqu'à recevoir la responsabilité de la politique de l'immigration de la nouvelle administration. Il avait immédiatement rédigé un décret imposant l'interdiction d'entrée sur le territoire américain des ressortissants de plusieurs pays musulmans. Le texte était mal ficelé ; aucune circulaire interprétative n'était prévue pour la police des frontières ; on avait oublié les mesures transitoires pour les malheureux qui étaient déjà en chemin. Ce fut donc le chaos aux arrivées des avions et les juges suspendirent l'application du texte, qui dut être corrigé hâtivement. À cette occasion, Stephen Miller apparut à la télévision, le 13 février 2017 : d'une voix forte et mécanique, le visage impassible, il proclama le droit souverain du président à agir pour défendre le pays, offrant la caricature qu'attendaient les journalistes. Cette émission sur la chaîne MSNBC reste, il est vrai, un grand moment de télévision. Sa survie dans le marigot de la présidence est due à son talent pour comprendre les instincts profonds du président et les exprimer. Qu'il le fasse de manière extrême ne gêne pas Trump, qui déteste qu'on paraisse le modérer, mais qui accepte de jouer ce rôle auprès de son conseiller. En dehors de l'immigration, Stephen Miller a la haute main sur la rédaction des discours, ce qui lui permet, dans les avions, de faire passer ses idées lorsqu'il présente et discute le texte avec le président en tête à tête à un moment où les autres conseillers ne peuvent plus grand-chose.

J'ai dîné, à plusieurs reprises, avec lui, en petit comité, à la résidence. Chaque fois, il faut attendre que le vin le délie un peu. Un léger sourire sur des lèvres minces, il se détend. Il peut alors expliquer sa vision du monde. Stephen Miller est un idéologue dans un pays qui n'aime pas ce genre, un maurrassien sans le savoir. Pour lui, le bonheur de l'homme ne provient pas du PIB mais de son enracinement dans une famille, une religion, un environnement, un pays. L'immigration, c'est la négation de ce type de société, l'introduction d'éléments qui jouent donc un rôle délétère. Comme tout bon réactionnaire, Miller est un pessimiste qui se bat en sachant qu'il a déjà perdu. Il a donc conclu son propos en jugeant que c'était sans doute trop tard aux États-Unis, mais peut-être qu'en Europe…

Quant au chaos, Stephen Miller répond qu'il est inévitable et même souhaitable. Inévitable du fait de la déloyauté d'une fonction publique qui s'oppose par tous les moyens à l'action de l'administration

Trump ; souhaitable parce que c'est seulement par une stratégie de rupture que celle-ci peut vaincre ces résistances. Les procédures et les conventions ne seraient que des obstacles invoqués par les élites hostiles à Trump pour l'empêcher d'agir alors qu'il n'est pas un président comme un autre. C'est précisément parce qu'il est révolutionnaire à sa manière qu'il doit surmonter l'hostilité de l'establishment, en refusant de se plier aux règles de celui-ci. L'explication de Stephen Miller mérite qu'on s'y arrête un instant. Il est un fait que les dirigeants qui prennent le pouvoir pour remettre en cause l'ordre établi, qu'ils viennent de l'extrême gauche ou de l'extrême droite, sont menacés d'être « normalisés » s'ils suivent les conseils de l'appareil d'État dont ils héritent et qui s'inscrit dans une logique de statu quo ou, au mieux, de réforme. En dehors de l'administration, les tribunaux sont liés à la défense d'un ordre social auquel sont attachées les élites. Trump, s'il est effectivement un dirigeant populiste, si le populisme n'a pas été pour lui un moyen d'être élu mais une conviction ou une façon d'être, ce qui semble le cas, est condamné à rompre avec les habitudes, à refuser les précédents, à violer les tabous et à prendre à contre-pied ceux – ils sont nombreux autour de lui – qui voudraient en faire un président conservateur classique, à l'image du vice-président Pence. Le populiste, pour rester fidèle à lui-même, doit « casser la baraque » et, face à un système qui lui est hostile (la haute administration, la presse), il est condamné à se battre perpétuellement dans un combat quotidien pour conserver son originalité.

Trump, qui n'est qu'instinct, n'a sans doute pas rationalisé ses foucades, mais elles constituent des coups de boutoir toujours dirigés contre le même adversaire, les habitudes d'un pouvoir washingtonien qui oscille, depuis la guerre, entre centre gauche et centre droit, sans que cette alternance ébranle le pouvoir des élites traditionnelles.

Dans ce chaos plus ou moins délibéré, en politique étrangère, force est de se retourner vers le secrétaire d'État et le conseiller national de Sécurité, qui, tous deux, ont pris leurs fonctions au début 2018, d'une manière qui définit la conception qu'a le président de leur rôle. En se débarrassant de leurs prédécesseurs, Tillerson et McMaster, Trump a voulu marquer qu'il prenait le pouvoir, tout le pouvoir, en écartant des collaborateurs qui prétendaient le contrôler ou, au moins, le ramener à des positions plus conformes à la doxa républicaine. Pompeo, le nouveau secrétaire d'État, et Bolton, le conseiller national de sécurité, l'ont compris : ils sont là pour mettre en œuvre une politique, pas pour en concevoir une. C'est particulièrement vrai du second, qui essayait d'obtenir le poste depuis des mois mais se heurtait au refus d'un président qui voyait en lui un dangereux va-t-en-guerre. Il est vrai que Bolton a la gâchette facile et prône le recours à la force en politique étrangère avec beaucoup de conviction, quel que soit le problème. Or, parmi les certitudes de Donald Trump figurent non seulement le refus de tout nouvel engagement militaire américain, mais la volonté de mettre un terme à ceux en cours. Les deux hommes se seraient rencontrés maintes fois avant que Bolton ne convainque le président de lui confier le poste. Mais le marché est clair : « John ne va pas faire de guerre », clame-t-il… Toujours est-il qu'il y a un gouffre entre le nationalisme agressif de l'un et l'isolationnisme transactionnel de l'autre. On le sent lorsque Trump a fait une déclaration qui va à l'encontre des convictions de son conseiller national de sécurité : interrogé par la presse, Bolton ne commente pas et se contente de rappeler que c'est le président qui décide.

À ce chaos s'ajoutent les interventions du Congrès, qui ont peu à faire avec la politique étrangère et beaucoup avec la politique intérieure, mais viennent perturber le cours de la première. Lorsque le Congrès a voté, en 2017, de nouvelles sanctions contre la Russie sans consulter les alliés européens, contrairement aux décisions précédentes, prises après l'annexion de la Crimée, je suis allé m'en plaindre auprès du sénateur Corker, président républicain de la puissante commission des affaires étrangères du Sénat, dont la seule réponse fut que la cible des parlementaires n'était pas les Européens mais Trump. Les bras m'en sont tombés. Le risque est que le nouveau Congrès aille encore plus loin dans ce sens sans se préoccuper le moins du monde des intérêts des Européens, dont le commerce avec la Russie est neuf fois plus important que celui des États-Unis. Pour les démocrates, taper sur la Russie, c'est taper sur Trump, qui, dès son élection, avait fait connaître sa volonté d'améliorer les relations bilatérales avec Poutine. Pour les républicains, taper sur la Russie, c'est prouver qu'il n'y a pas eu de collusion de leur parti avec ce pays lors de la campagne électorale. L'Arabie Saoudite risque de subir le même sort après l'assassinat de Khashoggi, puisque le premier voyage officiel de Trump avait été de s'y rendre et qu'est bien connue la proximité entre Mohammed ben Salman (MBS), le prince héritier, et Jared Kushner. Les démocrates feront ainsi d'une pierre deux coups, punir le royaume pour le meurtre et vider de sa substance la relation spéciale que l'administration a nouée avec celui-ci.

L'administration américaine est donc aujourd'hui dysfonctionnelle. Il n'y a que peu d'interlocuteurs utiles. Soit les bureaux sont encore vides, soit leurs titulaires ne peuvent pas grand-chose, soit ils vont changer. La liste est déjà longue des responsables de l'administration Trump qui ont dû quitter leurs fonctions : la presse en a recensé une quarantaine ; la liste est toujours longue des postes qui n'ont pas été pourvus. En janvier 2019, les États-Unis n'avaient ni secrétaire à la Justice, ni secrétaire à la Défense, ni secrétaire à l'Intérieur, ni secrétaire général de la présidence… L'ambassadeur doit donc essayer d'avoir accès à une cour réduite à quelques personnes, dont il est difficile de connaître l'influence réelle. De son côté, le Congrès, déjà traditionnellement provincial dans sa vision du monde, tout à son obsession anti-Trump, est moins que jamais apte à écouter les Européens. Washington est devenu un théâtre d'ombres où les interlocuteurs officiels ne comptent pas vraiment et où les intermédiaires officieux pullulent.

La lutte contre le changement climatique en présence d'une administration qui, au mieux, en nie l'origine humaine et, au pire, l'existence, exige que l'ambassadeur définisse de nouveaux moyens d'action pour la promouvoir à l'échelle des États-Unis.

Durant toute l'année 2015, dans la perspective de la tenue à Paris de la COP21, conférence des Nations unies qui devait parvenir à un accord global sur la lutte contre le changement climatique, la diplomatie française fut à la manœuvre sous la direction de Laurent Fabius. Elle le fit en tenant compte de l'attachement de nombreux pays à leur souveraineté, qui interdisait d'essayer de faire admettre des normes contraignantes. L'exercice devait donc être fondé sur les engagements pris par les participants sur une base volontaire. Elle élargit également ses efforts au-delà des États, la lutte contre le changement climatique impliquant un changement de mode de vie, ce qui exige de mobiliser l'ensemble de la société, entreprises, territoires, villes et ONG.

Je devais y contribuer dans mon nouveau rôle d'ambassadeur aux États-Unis. Dès mon arrivée à Washington, en septembre 2014, la conseillère scientifique de l'ambassade me demanda de prendre la parole, devant un congrès scientifique, pour présenter l'objectif et la méthode de la présidence française de la COP21. Ce devait être le premier de nombreux discours que je prononçai sur le même sujet à travers les États-Unis tout au long de l'année suivante.

On n'argumente pas de la même manière devant des étudiants, sensibles à ce combat, ou des hommes d'affaires, devant des Français ou des Américains. Les ressorts à utiliser sont différents, le ton et même l'humour le sont aussi. Progressivement, selon les réactions de mon auditoire, j'adaptai mon message. Je devins ainsi un apôtre de la COP21 même au «cœur de la bête» puisque je participais à un débat, à Houston, sur une substitution des énergies renouvelables aux fossiles dans la capitale mondiale des hydrocarbures. Malgré l'expérience que j'avais ainsi acquise à battre la campagne, je pouvais encore être surpris : ainsi, face à une centaine d'hommes d'affaires, alors que je déployais mon argumentaire sur les bénéfices économiques de la transition énergétique, un participant m'apostropha pour me reprocher de ne pas placer le débat sur le terrain moral qui devait également être le sien ; d'autres voix lui firent écho. J'offrais ainsi le rare spectacle d'un Français accusé par des Américains d'être pragmatique.

J'ai beaucoup aimé cette année d'errances à travers un pays que je découvrais ainsi dans ses profondeurs. À Salt Lake City, à la Brigham Young University, l'université de l'Église mormone, je pris la parole après la prière conduite par une étudiante ; à Berkeley, je dus répondre à une question sur le lien entre changement climatique et théorie du genre, mais partout je retrouvai la même mobilisation et la même créativité pour faire face au nouveau défi. C'était rassurant parce qu'à Washington, les républicains du Congrès offraient l'image caricaturale d'un négationnisme antiscientifique. Le président de la commission de l'environnement du Sénat était, un jour, entré en séance avec une boule de neige pour prouver que le climat ne se réchauffait pas. C'était un extrémiste, me direz-vous, mais les modérés du même parti, s'ils admettaient le phénomène, refusaient de l'attribuer à l'activité humaine et en déduisaient qu'il n'y avait rien à faire sinon s'y préparer. Les pages éditoriales du *Wall Street Journal* en étaient la bible. En fait, cette position obscurantiste était devenue un marqueur idéologique de la droite républicaine, qui échappait ainsi à tout raisonnement et à tout compromis. Le rôle de l'industrie lourde (en particulier les frères Koch, propriétaires d'un des premiers groupes industriels privés du pays) et du secteur minier dans le financement massif du parti n'y est sans doute pas pour rien. Dans les faits, les candidats républicains préfèrent éviter soigneusement le sujet dans leur campagne pour ne pas s'aliéner ceux de leurs électeurs qui, comme la majorité des Américains, croient à la responsabilité humaine dans le réchauffement climatique. Il est vrai que le continent a toujours été le lieu de phénomènes climatiques extrêmes (cyclones sur les côtes, tornades dans le Midwest mais aussi sécheresses dans l'Ouest) et qu'une succession de catastrophes naturelles exceptionnelles a récemment frappé le pays, ce qui donne des arguments sur le dérèglement climatique. Cela étant, les démocrates, qui font de la lutte contre le changement climatique un impératif, ne le mettent pas en tête de leurs campagnes, parce qu'il reste loin dans la liste des préoccupations de leurs électeurs. La lutte contre le changement climatique est donc plus l'objet de controverses idéologiques à Washington qu'une priorité de la législature, même quand les démocrates détiennent la majorité.

Or dès que je quittais la capitale fédérale, je découvrais un tout autre pays. Il est vrai que toutes les villes de plus de 100 000 habitants sont démocrates. Cependant, elles présentent plus de 40 % des émissions de CO_2 du pays. Leur maire m'accueillait à bras ouverts et me décrivait avec fierté le plan pour réduire l'empreinte carbone de la ville. Je me retrouvai ainsi, un jour, sur le toit végétalisé de la mairie de Chicago, où l'on m'offrit fièrement un pot de miel d'une des ruches qu'on y avait installées ; quelques heures plus tard, j'étais sur le toit de l'aquarium de la même ville pour y inspecter les panneaux solaires que gérait une entreprise française. Les P-DG des plus grandes entreprises m'annonçaient leur mobilisation, parce que réduire leur consommation d'énergie était une source de bénéfice, mais aussi parce qu'afficher leur engagement est une bonne publicité en direction de leurs jeunes clients. À Atlanta, celui de Delta, la plus grande compagnie du pays, diminuerait de 1 % par an ses émissions et Coca-Cola retraiterait toute l'eau utilisée dans le processus de production de la boisson. Walmart, qui a autant d'employés que l'armée chinoise, était passé aux ampoules LED. Je pourrais multiplier les exemples à l'infini.

Il m'était facile de souligner que les États-Unis étaient une « mine » naturelle d'énergies renouvelables. Le Midwest est un tel couloir de vents que l'Iowa tire déjà 30 % de son électricité de l'éolien et l'Oklahoma 25 %, États solidement conservateurs dont le second a fourni Pruitt à l'administration Trump, le délégué général à l'Environnement qui non seulement niait le changement climatique, mais a utilisé son poste pour démanteler la réglementation de protection de l'environnement avant de démissionner pour des raisons éthiques. À l'ouest, l'ensoleillement et les immensités se prêtent parfaitement à l'énergie solaire.

Je visitais également les laboratoires où partout je recevais le même message : la technologie, fiable et rentable, était là ou serait là dans quelques années. Les projets se multipliaient, qu'ils portent sur le rendement des cellules solaires, le stockage de l'énergie ou le logement autosuffisant. L'excitation des chercheurs était palpable et l'environnement financier américain assurait que toute découverte serait immédiatement développée et passerait au stade industriel. Je rentrais donc de chacune de mes tournées rasséréné sur la mobilisation des Américains contre le changement climatique. De surcroît, l'administration Obama était déterminée à nous aider et le fit en mettant la pression sur la Chine, clé du succès de notre entreprise dans la mesure où son ralliement entraînerait celui de l'Inde, qui ne pouvait accepter la perspective de rester seule à l'écart de la communauté internationale. Ce fut à l'occasion d'un voyage à Pékin, en janvier 2015, que les présidents Obama et Xi annoncèrent le soutien commun des deux pays à la COP21.

Tout au long de cette année fébrile, je martelais

le même message. La présidence française n'imposait aucune solution. Elle n'était que le facilitateur qui essayait d'entraîner tous les acteurs. J'expliquais également que l'objectif central de la France était de mobiliser, pour la première fois, tous ces acteurs. Les chiffres étaient, au fond, moins importants qu'il ne paraissait parce que les progrès de la technologie les rendraient rapidement obsolètes. Pour une fois, disais-je, les Français étaient optimistes...

La COP21 fut un succès indéniable de la diplomatie française. Nous n'avions négligé personne ; nous n'avions rien imposé ; nous avions écouté chacun. Laurent Fabius présida avec talent la grande foire qui attira à Paris, un mois après les attentats de novembre 2015, plusieurs dizaines de milliers de participants. Il le fit avec autorité, habileté et patience. Lorsqu'au dernier moment la délégation américaine, qui ne voulait pas d'un traité qui obligerait à un passage devant le Congrès, vint annoncer qu'elle ne pouvait accepter le texte parce qu'un « *shall* » à force contraignante figurait dans la version anglaise, il annonça simplement qu'on opérerait un changement qu'il qualifia en séance plénière de « cosmétique » – ce qu'il n'était certainement pas – en substituant un « *will* » au « *shall* ». Personne n'osa protester contre cette modification substantielle.

Tout au long de la campagne électorale, Trump n'avait cessé de critiquer l'accord de Paris. Il laissait entendre qu'il niait le phénomène même du changement climatique ou, parfois, qu'il refusait de l'attribuer à l'action de l'homme. « C'était une supercherie inventée par les Chinois » fut une de ses plus mémorables déclarations sur le sujet. Il ne cessait d'annoncer sa volonté de relancer l'industrie charbonnière et plus généralement de rétablir la prééminence américaine dans le domaine des énergies fossiles, les renouvelables ne suscitant aucun commentaire de sa part. Le plus souvent, il mettait en cause le coût supposé pour l'économie américaine de la mise en œuvre de l'accord, ce qui était, par ailleurs, cohérent avec sa volonté de démanteler la réglementation imposée par l'administration Obama pour la défense de l'environnement. La victoire du candidat républicain ne laissait donc présager rien de bon dans ce domaine. Mais, là comme ailleurs, nous nourrissions l'espoir que de la campagne au gouvernement il y avait plus qu'un pas. J'entrai donc immédiatement en contact avec le nouveau « sherpa » à la Maison Blanche, ce haut fonctionnaire qui préparait, au nom de son pays, les grandes négociations internationales portant sur l'économie et l'environnement, notamment le G7, dont le sommet, en mai 2017, devait se tenir à Taormine sous présidence italienne.

Kenneth Juster, qui ne devait jouer ce rôle que six mois, était un interlocuteur raisonnable qui se prêta volontiers à nos efforts pour éviter que le sommet ne dégénère en une confrontation entre les États-Unis et les six autres membres sur la question du changement climatique. Ce fut la première fois – mais non la dernière – où un interlocuteur me transmit ses conseils pour « gérer » au mieux la personnalité du président. Il ne fallait pas lui faire la leçon, ne pas le prendre de haut, ne pas l'abreuver de tirades trop longues et lui tenir des raisonnements simples. L'économie américaine était sa seule préoccupation et c'était par rapport à elle qu'il fallait argumenter. Je le fis savoir à Paris mais les autres chefs d'État et de gouvernement ne purent s'empêcher de tomber à bras raccourcis sur leur nouveau collègue. En tout cas, me dit-on plus tard, c'est ce que ressentit Donald Trump, encore peu sûr de lui et d'autant plus susceptible à tout ce qui lui semblait un manque de respect à son égard. Il dut subir leurs explications ; on lui fit sentir son isolement. Cela étant, quelle que soit la manière dont s'était passée cette rencontre internationale, la décision était prise, à la Maison Blanche, de se retirer de l'accord de Paris. C'était une manière, finalement assez peu coûteuse en termes politiques, de se démarquer de son prédécesseur et de prouver sa détermination de mettre en œuvre son programme, tout en faisant un geste en direction des républicains du Congrès, qui éprouvaient un vif ressentiment que l'accord ne leur ait pas été présenté. J'en étais conscient et j'essayais de convaincre mes interlocuteurs qu'il existait pour l'administration une autre voie que la dénonciation de l'accord pour prouver qu'elle défendait les intérêts de l'économie américaine. En effet, l'accord en lui-même ne fixait qu'un objectif général et laissait à chaque État le soin de définir sa manière d'y contribuer via des déclarations nationales qui fixaient les engagements que chacun prenait. C'était dans le jargon des Nations unies les INDC (« *Intended Nationally Determined Contributions* »), des objectifs de contributions (pour la lutte contre le climat) déterminés nationalement. Au fond, il suffisait que les États-Unis révisent unilatéralement les engagements ambitieux transmis par la précédente administration en les réduisant. Je n'avais pas l'instruction de négocier en ce sens mais je considérais que c'était la seule manière de «sauver les meubles». Je n'avais pas encore compris que ce n'était pas la substance qui comptait mais l'apparence. Il fallait impérativement que le nouveau président puisse publiquement annoncer sa dénonciation de l'accord, sans se perdre dans des subtilités. De surcroît, son hostilité au multilatéralisme s'en trouvait, par le même coup, satisfaite.

Le 1er juin 2017, sous le soleil, devant la Maison Blanche, en présence de tout le leadership du Sénat, Trump se livra à une attaque virulente de l'accord de Paris qui, selon lui, imposait un coût faramineux à l'économie américaine tandis que ses concurrentes y échappaient. Il fallait donc sortir de ce piège. Peu relevèrent que ce réquisitoire était un tissu de contrevérités puisque l'accord de Paris laissait aux États-Unis le choix de ses engagements. C'était à son prédécesseur qu'il aurait dû s'en prendre, non à l'accord. Quelques heures plus tard, Emmanuel Macron réagissait dans un discours qu'il concluait, de manière que je trouvais provocatrice en tant qu'ambassadeur, mais qui devait se révéler une excellente idée aux échos positifs à travers le monde, par : «*Make our planet great again*», répondant au «*Make America great again*» de la campagne de Trump. Un effort financier fut consenti par la France pour permettre à des scientifiques du monde entier de venir poursuivre leurs recherches dans le domaine de l'environnement en France. Notre pays rappelait ainsi le leadership que nous voulions continuer à assumer dans ce domaine après la COP 21. C'était le moment où on levait un verre à la France dans les dîners washingtoniens et où les écoles et les collèges m'envoyaient d'émouvantes lettres de remerciements et de soutien ; le site de l'ambassade était submergé de témoignages d'amitié.

Cela étant, le 14 juillet 2017, Trump était à Paris et fut séduit par l'accueil qui lui était fait. Dans un moment d'abandon, il confia alors au président de la République qu'il était prêt à revoir sa décision. Le 15, Paris me demandait, dans la fièvre, ce qu'il en était, quand la décision serait prise et annoncée. Rien évidemment n'arriva et ce fut une des premières occasions où je constatai que les mots n'avaient pas, dans la bouche de Trump, la valeur qu'ils auraient sur d'autres lèvres. Il devait d'ailleurs répéter, en d'autres circonstances, qu'il pourrait réintégrer l'accord de Paris. Je n'en crois pas un mot. Il n'en tirerait aucun bénéfice politique et s'aliénerait sa base républicaine, qui voit, dans toute cette affaire, une conspiration de la Chine ou des « libéraux », ou même des deux.

Mon inquiétude était que la lutte contre le changement climatique devienne un sujet permanent de désaccord entre deux pays. Je conseillais à Paris de ne pas en faire un abcès de fixation dans notre dialogue avec les autorités fédérales, non seulement parce que nos relations couvraient beaucoup d'autres domaines où le maintien de notre coopération était essentiel mais parce que les décisions que venait d'annoncer Trump n'avaient pas grande importance au-delà de leur aspect symbolique, qui n'était certes pas négligeable.

En effet, le combat contre le changement climatique n'était que secondairement du ressort du gouvernement fédéral. Les villes maintenaient évidemment leur engagement. Les grandes entreprises, Exxon y compris, faisaient de même. Enfin, le recours au gaz de schiste, qui était le vrai responsable de la crise charbonnière et non les réglementations d'Obama, entraînait mécaniquement une réduction sensible des émissions de CO_2. Le pays, dans ses profondeurs, restait sur une trajectoire cohérente avec les engagements pris par l'administration précédente. Politiquement, loin de faire boule de neige, l'initiative de Trump avait conduit la Chine à jouer à la bonne élève du multilatéralisme. Aucun pays ne s'était risqué à l'imiter. Restait, en revanche, la perte que représentait la non-participation américaine au « fonds vert », auquel Washington devait verser 3 milliards de dollars.

C'est la politique qu'a suivie la France depuis 2017, en développant, aux États-Unis, son partenariat avec les grandes entreprises, les fonds d'investissement et les villes, par l'intermédiaire de Michael Bloomberg, l'ancien maire de New York, représentant du secrétaire général des Nations unies pour le rôle des villes dans la lutte contre le changement climatique. Il s'agit, en quelque sorte, de contourner une administration américaine rétive sans l'affronter directement, ce qui serait inutile et coûteux pour nos intérêts. Le One Planet Summit, tenu à Paris, le 12 décembre 2017, renouvelé à New York en septembre 2018, en fournit un exemple : il a réuni les acteurs financiers et économiques, publics et privés, y compris américains, pour obtenir des engagements financiers concrets afin d'atteindre l'objectif de 100 milliards de dollars par an, à partir de 2020, de financement de la lutte contre le changement climatique.

Il nous reste à attendre que les États-Unis sortent de ce négationnisme, qui s'inscrit dans le cadre plus large de la crise populiste qui remet en cause le pouvoir des experts au point de nier les résultats scientifiques les plus établis. La contestation de la théorie de l'évolution et de la vaccination dans le monde occidental en dit long sur la victoire des passions les plus folles et les plus stupides face à la raison, que l'on assimile aux élites. Alors pourquoi pas le changement climatique ? En tout cas, si changement de position américaine il y a, il ne sera pas sous cette administration.

XVII

Macron et Trump

Face à la marée populiste qui semblait menacer la France après avoir triomphé au Royaume-Uni et aux États-Unis, la candidature d'Emmanuel Macron m'était apparue comme le seul recours non seulement pour arrêter celle-ci, mais aussi pour engager le pays dans la voie de la modernisation dont il avait tant besoin. D'une certaine manière, c'était répondre à l'appel au changement de l'opinion publique par une autre forme de populisme, centriste, libéral et pro-européen. Lorsqu'un de mes collègues, ambassadeur à Tokyo, avait annoncé qu'il ne servirait pas Marine Le Pen si elle était élue, je lui avais apporté mon soutien. Non que je juge efficace ce type de prise de position à une époque de rébellion contre les élites, mais je ne voulais pas le laisser seul face à l'inévitable levée de boucliers. Après trente-cinq années de carrière, je savais ce qu'était l'obligation de réserve, mais je considérais que cette élection était différente et que le FN n'est pas un parti comme les autres. Ce qui était en jeu était bien plus qu'une alternance : le sort de la démocratie libérale elle-même, fondée sur la loi de la majorité mais aussi sur les droits des minorités. C'était un changement de société qui résulterait de la victoire d'un parti que j'identifiais à Vichy, à l'OAS, au nationalisme et à l'autoritarisme. La démocratie libérale est fragile et mérite qu'on la défende. Évidemment que je démissionnerais si elle était élue !

J'avais donc pris contact avec Emmanuel Macron. Je l'avais rencontré et lui avais apporté mon soutien mais modestement, à coups de notes envoyées de Washington. La politique étrangère était, moins encore que d'habitude, au centre de la campagne électorale. La presse exagéra mon rôle – sans daigner m'interroger, naturellement – jusqu'à ce qu'Edwy Plenel prît à partie Emmanuel Macron, dans un entretien télévisé, en lui demandant comment il pouvait songer à recourir aux services du néo-conservateur que j'étais : qualificatif destiné à disqualifier, asséné sans la moindre enquête, sur la base des on-dit. Comme je l'ai alors écrit par SMS à Plenel, un journaliste américain ne se serait pas comporté ainsi à mon égard.

Cela étant, Macron était élu. L'image de la France aux États-Unis changea du tout au tout. Je n'avais plus à convaincre les investisseurs de choisir notre pays comme j'avais dû le faire jusqu'ici. Ils venaient me voir d'eux-mêmes. On portait un toast à la France dans les dîners washingtoniens.

Se posait la question des relations entre les deux présidents fraîchement élus. Un jour, un journaliste américain m'a demandé pourquoi Emmanuel Macron entendait rester proche de Trump et a paru surpris que je lui réponde que c'était parce que celui-ci était sans doute l'homme le plus puissant au monde et que c'était donc dans l'intérêt de tout président français de nouer une relation confiante avec le président américain. Emmanuel Macron n'avait, en effet, pas le choix ; c'était inhérent à la fonction. Force est de reconnaître qu'il l'a fait avec brio. Le coup de génie fut d'obtenir que Trump se rende à Paris pour assister au défilé du 14 Juillet pour commémorer le centenaire de l'entrée en guerre des États-Unis dans la Première Guerre mondiale. Le président des États-Unis, quel qu'il soit, était invité de longue date. La première réponse de Trump avait été négative dans la mesure où, une semaine plus tôt, il était en Europe pour le sommet du G20. Dans un appel téléphonique, fin juin, Macron réussit à le faire revenir sur ce premier refus. La visite fut le succès que l'on connaît. Les deux hommes, si différents qu'ils fussent, établirent une relation fondée, d'une part, sur la plus grande franchise dans leurs échanges et, d'autre part, sur le respect mutuel. Ils ont poussé jusqu'à la perfection l'art du «*gentleman's disagreement*». Par ailleurs, si différents soient-ils, ils sont, l'un et l'autre, des élus «par surprise». Ils entendent faire de la politique de manière nouvelle, notamment en mettant scrupuleusement en œuvre leur programme. Ajoutons que, comme il le répète, Trump aime les «*winners*» ; Emmanuel Macron en est un à ses yeux.

Accord de Paris contre le changement climatique,

accord sur le programme nucléaire iranien et coopération entre l'UE et les États-Unis sont autant de
points de divergence sur lesquels les deux hommes
ne transigent pas. Leur conversation prend parfois
l'aspect d'un registre de désaccords ponctués d'affirmations brutales de Trump, fausses par ailleurs.
«L'espérance de vie des Américains est meilleure que
celle des Français», dira-t-il pour justifier le recours
aux OGM, alors qu'elle lui est inférieure de près de
cinq ans ; «l'Iran aura la bombe dans cinq ans», ce
qu'aucune étude, même menée par les experts les
plus anti-iraniens, ne vient justifier. La conversation
n'en est pas facilitée, et j'ai toujours admiré la manière
dont le président de la République naviguait entre ces
écueils pour poursuivre son raisonnement et tenter de
convaincre son interlocuteur.

Certes, ils ne sont d'accord sur quasiment rien,
mais il est d'autant plus précieux pour nos intérêts que
le président de la République puisse, à tout moment,
joindre son homologue américain, celui-ci concen-
trant tous les pouvoirs et toute affaire importante
passant par lui. Souvent, lorsque Paris me demande
une intervention ou une information, je suis contraint
de conseiller un appel téléphonique du président
comme la meilleure manière d'y procéder. J'ai assisté
à plusieurs entretiens entre les deux hommes ; j'y ai
constaté qu'aucun des deux ne pratiquait la langue de
bois ou ne faisait mine de nier leurs nombreux désaccords, mais qu'ils parvenaient néanmoins à maintenir
une relation cordiale.

L'illustration en a été l'invitation adressée à

Emmanuel Macron pour la première visite d'État de la présidence Trump. C'était un geste qui exprimait l'estime que portait le couple présidentiel américain au français. Les Américains mirent les petits plats dans les grands avec leur sens de la pompe républicaine au dîner officiel, à la Maison Blanche, le soir. L'entretien entre les présidents, en tête à tête puis en délégations, dura plus de deux heures. Macron fit de son mieux pour sauver la substance de l'accord nucléaire avec l'Iran à défaut de sauver l'accord lui-même, dont Trump voulait se retirer ; il se fit également l'avocat d'une coopération entre l'UE et les États-Unis pour réformer l'OMC afin de donner à cette organisation les moyens d'imposer des règles qui fassent du libre-échange un échange équitable. Le soir, smoking et robe longue dans les fastes de la Maison Blanche où, Trump oblige, n'avaient été invités que des républicains.

Emmanuel Macron entendait que sa visite soit aussi l'occasion de s'adresser à la société américaine. Il fallut donc que j'obtienne du président républicain de la Chambre (le « *speaker* ») que le président soit invité à s'exprimer devant les deux chambres, exercice solennel réservé aux alliés les plus proches. À ma surprise, Paul Ryan refusa d'abord ; je devinais qu'il craignait que le président français ne se fasse le porte-parole d'une vision du monde globalement hostile à celle de Trump. Je dus recourir à tous les circuits pour tenter de le faire fléchir, que ce soit le groupe d'amitié au Congrès, Jared Kushner et Ivanka Trump, le département d'État et l'establishment républicain de Washington. Je ne sais quel fut l'appel qui débloqua la situation, mais, finalement, Paul Ryan donna son accord. Ces réticences nous firent comprendre toute la difficulté de l'exercice qui consistait à ne pas mettre son drapeau dans sa poche tout en ne provoquant pas les républicains. Le discours accomplit l'impossible et fut chaudement applaudi par tous les parlementaires ; il est vrai que Macron n'avait pas quitté des yeux les rangs républicains pour ajouter une phrase ou un mot lorsqu'il les sentait se raidir. De leur côté, les démocrates ne cessaient de se lever pour l'acclamer. Toujours est-il que Donald Trump l'appela après le discours pour le féliciter. L'opération était réussie ; je respirais.

Le second exercice fut une rencontre avec les étudiants de la George Washington University, une université du centre-ville. Dans une salle de sport, sur une grande scène entourée de gradins, en présence de près de 2 000 étudiants, Macron répondit aux questions de ceux-ci sans qu'elles aient été préparées à l'avance. Ce fut un autre succès : ce jeune président, en manches de chemise, parlant parfaitement l'anglais et sans langue de bois, ne pouvait que séduire la jeunesse américaine en quête d'une image positive d'homme politique.

Je retrouvais le président tel que je le connaissais, ouvert, chaleureux et attentif, mais également allergique aux horaires… Les retards s'accumulèrent. Je renonçai à intervenir sur le conseil du chef de protocole, résigné à ce fonctionnement, et tout se passa très bien.

Cela étant, entretenir une relation suivie avec Trump n'est pas aisé. Il peut, à tout moment, sur la base d'une information tirée d'une émission de Fox News, envoyer un tweet critiquant un chef d'État étranger. La Première ministre britannique et la chancelière allemande en firent les frais. Il n'y avait pas de raison que le président français y échappât, d'autant qu'une dépêche de Reuters, le 7 novembre 2018, affirmait qu'il avait appelé à la création d'une armée européenne «contre les États-Unis», ce qui était faux.

Or Donald Trump avait décidé de participer aux cérémonies du centenaire de la fin de la Première Guerre mondiale à Paris, mais son entourage nous expliqua, après coup, qu'il était d'une humeur exécrable. En effet, les résultats des élections qui venaient d'avoir lieu, le 6 novembre, ne cessaient d'empirer aux dépens des républicains au fil des comptages et recomptages. Il ne décolérait pas. La dépêche de Reuters n'améliorait pas l'atmosphère. Pour aggraver la situation, une fois à Paris, il commit l'erreur de ne pas se rendre sur un champ de bataille pour honorer les soldats américains qui y étaient tombés au combat en 1918, avec une excuse qui laissait entendre que c'était pour éviter la pluie alors que tous ses homologues bravaient les éléments. La réaction de la presse américaine, toujours aux aguets, fut évidemment violente, en se faisant un plaisir de montrer Trudeau et Macron déposer des gerbes devant les monuments aux morts sous une pluie battante. Par ailleurs, pris dans un tunnel de discours où il n'avait pas de rôle, il s'ennuya ferme. Aussi dans l'avion de retour, lorsqu'il découvrit que la presse américaine décrivait le discours du président de la République sur la différence entre nationalisme et patriotisme comme un manifeste « anti-Trump », son sang ne fit qu'un tour. Jamais il n'accepte de donner l'impression de perdre une bataille médiatique ; il doit impérativement avoir le dernier mot, quitte à oublier toute retenue et toute courtoisie. Emmanuel Macron en fit donc les frais. On me réveilla pour me demander ce que nous devions faire après une bordée de tweets particulièrement déplaisants. Je conseillai le silence dans la mesure où, tel un adolescent, il ne s'arrête jamais dans l'escalade ; il ferait toujours pire si nous répliquions. Quelques jours plus tard, je dînais avec des conseillers de la Maison Blanche qui tous me consolèrent, en m'affirmant que tout interlocuteur de Donald Trump en passait, tôt ou tard, par là, mais que l'orage se dissipait rapidement et n'avait pas de conséquence durable.

Cela étant, alors qu'une fois de plus Trump vient de manifester son indifférence à l'égard de ses alliés en décidant, le 16 décembre 2018, le retrait des forces américaines de Syrie sans les consulter ni même les informer alors que leurs intérêts sont en jeu, que ce soit leur propre contingent ou la sécurité de leur pays, la question se pose de la relation qu'on peut et doit entretenir avec ce président. De toute façon, il n'a aucun égard pour l'allié ; il n'éprouve aucun prédilection culturelle ou affective pour un pays étranger, quel qu'il soit ; il traite les supposés alliés comme il traite la Chine ; il nourrit même une attirance non dissimulée pour les dirigeants autoritaires.

«Un allié doit être fiable», a remarqué Emmanuel Macron à l'annonce du retrait de Syrie. Or, il est un fait qu'aujourd'hui, Trump est tout sauf fiable. Je ne sais pas et nul ne sait ce qu'il ferait si, demain, la Russie attaquait l'Estonie. Le risque pour Macron serait de continuer à faire comme si de rien n'était avec un interlocuteur qui vous prouve, en toute occasion, qu'il se soucie de la France comme d'une guigne. L'opinion publique pourrait juger qu'il y a là aveuglement, naïveté ou manque de dignité. Je suis convaincu que, dans les mois qui viennent, la relation entre les deux hommes devrait se refroidir à l'aune du comportement du président américain. Dans le même temps, le chemin sera étroit dans la mesure où tout différend, s'il devient public, peut conduire à des déclarations de Trump qui ne feront qu'aggraver la crise. Par ailleurs, la relation avec les États-Unis reste essentielle pour nos intérêts, en particulier de sécurité, au Levant comme dans le Sahel. Le président de la République doit donc rester «l'adulte» de la relation bilatérale, comme il y a fort bien réussi jusqu'ici.

XVIII

En politique étrangère,
Trump n'est ni une rupture ni une aberration

Donald Trump est protectionniste, avec une vision du commerce international qui s'apparente à un jeu à somme nulle où seule l'industrie compte. Il est isolationniste, fort d'un instrument militaire destiné à dissuader plus qu'à agir, hostile aux alliances et indifférent aux droits de l'homme. Il ne croit qu'aux rapports de force dans leur forme la plus crue. Il déteste les organisations internationales, auxquelles il oppose la seule réalité qui compte pour lui, l'État-nation, et il apprécie les dirigeants autoritaires avec lesquels il pense parvenir plus facilement à des accords. «*America first*», clame-t-il, mais c'est «*America alone*» qu'il pratique.

Cela étant, Trump s'inscrit dans les pas d'Obama qui, lui aussi, avait compris la lassitude du peuple américain à l'égard des engagements extérieurs et en avait tiré des conséquences, par exemple en Syrie ou en Ukraine. La manière a de l'importance, et, chez son successeur, elle est brutale, unilatérale et non-coopérative, mais le fond commun d'un retrait relatif des États-Unis de la scène internationale est probablement irréversible.

La première question est de se demander si Trump représente une rupture, une aberration dans sa vision de la politique étrangère des États-Unis ; ce qui nous conduit à nous interroger sur les lignes de force de celle-ci depuis la fondation du pays. Le lecteur excusera le détour.

La singularité américaine

Les États-Unis sont uniques en ce qu'ils sont un pays d'élection. À part les malheureux autochtones et les Afro-Américains, tout Américain se rattache à des ancêtres, souvent à seulement deux ou trois générations voire moins, qui ont tout quitté pour immigrer aux États-Unis. S'arracher de tout ce qu'on était pour fuir la misère ou la persécution ou pour réaliser une ambition fut donc l'acte fondateur de toute famille américaine ou presque. C'est une démarche radicale, d'un passé qu'on répudie vers un avenir qu'on espère meilleur ; l'aspiration à une nouvelle naissance. De ce choix, la plupart du temps sans retour possible, naît l'assimilation inconsciente des États-Unis à une Terre promise, d'autant qu'ils ont effectivement permis aux nouveaux arrivants de construire une vie meilleure. Les souffrances et les échecs n'ont pas manqué, mais cette nation d'immigrants est devenue la première puissance et un des pays les plus riches du monde. Tout Américain porte en lui la conviction que son pays, quels que soient les erreurs et les défauts qu'il lui reconnaît volontiers, est une Jérusalem terrestre exceptionnelle par ses valeurs morales et sa réussite matérielle ; les unes justifiant l'autre.

Deuxième caractéristique, les États-Unis restent, dans leur culture, un pays protestant marqué par ses fondateurs puritains, qui liaient la réussite matérielle à l'élection divine. La religiosité des Américains, dont l'intensité les différencie de tous les pays industrialisés, n'est pas un détail, même si les Européens n'y voient, avec condescendance, qu'une anomalie. Thanksgiving est sans doute la vraie fête nationale américaine. À aucun autre moment de l'année, tous les Américains ne se retrouvent à ce point unanimes pour une célébration qui est, à l'origine, une cérémonie religieuse pour remercier Dieu d'avoir amené les « Pères pèlerins » sur ce continent. D'une certaine manière, en allant aujourd'hui si nombreux à l'église, au temple, à la synagogue ou dans tout autre lieu de culte, les Américains prolongent cette célébration tout au long de l'année, comme en témoigne la présence presque obligatoire du drapeau national. Dans un pays sans unité ethnique, sans cadre géographique défini et sans racines historiques, une religion nationale devient le ciment indispensable de la nation, un ciment fait de foi religieuse et de nationalisme laïc, l'une et l'autre étroitement liés par une vision messianique de pèlerins en marche vers la Terre promise. Pour comprendre un phénomène, il faut parfois en examiner les manifestations extrêmes où éclatent ses caractéristiques. Rien de plus intéressant, à cet égard, que l'Église de Jésus-Christ des saints des derniers jours – les mormons –, qui a, purement et simplement, transféré sur le territoire américain l'aventure divine avec texte sacré, prophète, errance du peuple, persécution et salut. Rien de plus religieux et de plus patriotique que la communauté mormone ; rien de plus américain au sens le plus profond de ce mot.

Cette foi trouve ses racines dans le calvinisme des fondateurs, qui a su régulièrement se renouveler par des vagues de ferveur, que ce soit par le presbytérianisme, le baptisme ou aujourd'hui l'évangélisme. Il s'est diffusé au-delà même du monde protestant pour imbiber la culture de l'ensemble du pays. Les catholiques américains n'y ont pas échappé, par exemple dans leur conception de l'argent, lavé de toute la culpabilité qu'éprouverait à son égard un catholique français.

Dans les temples calvinistes, le pécheur se présentait devant la communauté, avouait sa faute, exprimait l'horreur qu'il ressentait à l'avoir commise et demandait pardon. S'il lui était accordé, il était lavé de sa faute. Les États-Unis reproduisent fidèlement ce schéma : ce peut être, de manière anecdotique, lorsqu'un homme politique, en larmes, avoue son adultère à la télévision, aux côtés de sa femme et de ses enfants. Nous n'y voyons qu'hypocrisie et ridicule, mais nous oublions que c'est un exercice dont on avait l'habitude dans les temples puritains de la Nouvelle-Angleterre. Toutefois, ce schéma traverse toute l'histoire des

États-Unis, qui va de renaissance en renaissance, au fil de crises dont l'objet est de laver le pays d'une faute. Le temps de l'histoire américaine n'est pas continu comme le nôtre, mais fait de ruptures rédemptrices, que ce soit la guerre de Sécession contre l'esclavage, le New Deal contre la misère, le Mouvement des droits civiques contre la ségrégation raciale. Lorsque la réalité dément, de manière trop ostensible, le rêve d'une nouvelle Jérusalem, l'élection divine se manifeste par un sursaut purificateur. Toute l'histoire du protestantisme est traversé de « *reawakenings* » – réveils – périodiques. Les États-Unis ont laïcisé cette pratique. Elle leur donne une capacité à se réinventer tout en restant fidèles à eux-mêmes, puisqu'il ne s'agit pas de bouleverser mais de revenir aux racines mêmes du pays. Elle les libère également de leurs péchés. En effet, de même que le pécheur du temple calviniste retrouvait toute sa place dans la communauté, les États-Unis, une fois surmonté le mal, l'oublient, tout à leur vision d'un avenir radieux. Rien de plus différent des Français qui ressassent les erreurs de leur histoire que les Américains qui refusent d'admettre, malgré Faulkner, que le passé n'est jamais… passé. Ils en acquièrent une légèreté qui est tout autant source de dynamisme que d'incompréhension du monde.

En 2009, la nouvelle équipe d'Obama rencontra, à Berlin, Allemands, Français et Britanniques dans le cadre d'un séminaire qui réunit, chaque année, diplomates et experts des quatre pays. Les Américains demandèrent à leurs alliés les problèmes à régler. La réponse unanime fut l'Irak. Un dialogue de sourds s'engagea alors entre les Américains qui, tout en admettant la faute de l'administration Bush, prétendaient se tourner vers l'avenir et «passer à autre chose», et les Européens qui savaient que reconnaître une faute n'en efface pas les traces. Le ton monta et la très conservatrice ancienne directrice politique britannique, exaspérée, répliqua : «*Understand ! We have lost our moral leadership*» : «Comprenez. Nous avons perdu notre leadership moral.» Phrase qui, je le crains, n'avait pas de sens pour des Américains persuadés que tout se corrige et qu'on n'allait quand même pas reprocher à Obama les péchés de Bush. J'ai vu, au cours de ma carrière, des Américains authentiquement ahuris qu'on puisse invoquer contre eux Árbenz ou Mossadegh, deux dirigeants démocratiques à la chute desquels leur pays avait contribué quelques décennies plus tôt pour les remplacer par des régimes autoritaires. Ils n'y voyaient au mieux qu'un artifice rhétorique dont ils s'amusaient.

Nouvelle Jérusalem, capables de se purifier de leurs péchés, toujours en mouvement et toujours tournés vers l'avenir, les États-Unis échappent au doute métaphysique sur le sens de l'histoire. *Ils sont le sens de l'histoire.* S'ils peuvent traverser des périodes d'inquiétude ou d'incertitude, elles ne portent pas sur la destinée du pays mais sur la manière d'y être fidèle. Leurs remises en question examinent les méthodes mais non les fins, les faits et non leur sens. Aucune traversée du miroir n'est nécessaire parce qu'il n'y a rien derrière le miroir, qui reflète fidèlement la réalité. Le monde est une donnée sur laquelle il ne s'agit pas de s'interroger, mais qu'il faut améliorer ; le monde est bon et il le sera encore plus s'il est plus américain. Comme Baudrillard le remarquait dans son essai *Amérique*, cette pleine adhésion au monde interdit le second degré, qui, lui, introduit une faille entre signifiant et signifié, entre le monde et sa représentation. L'ironie est profondément non américaine. On ne joue pas avec les codes. On les définit et on les suit.

D'une certaine manière, les États-Unis évoluent donc dans un univers qui ignore le poids du temps et la profondeur du doute. Ils en tirent leur force. L'histoire ne pèse pas sur leurs épaules. Le doute ne les retient pas. Ils peuvent aller de l'avant, mais ils restent ainsi étrangers au monde qui les entoure qui, lui, n'oublie rien et doute de tout. Ils le peuvent d'autant plus que la géographie les a bénis en les isolant des grands empires et en leur donnant des voisins faibles qui ne les ont jamais menacés. Alors que tout État a pour première préoccupation la sécurité et que c'est à l'aune de cette exigence qu'il analyse son environnement, les États-Unis peuvent s'offrir le luxe de ne pas voir le monde à travers cette vision glaçante de menaces potentielles puisqu'il n'y en a pas dans leur voisinage. L'ignorant pour eux, ils en déduisent qu'elle n'est pas pertinente pour d'autres ou qu'elle reflète leurs mauvaises intentions.

Enfin, lorsque les États-Unis sont entrés sur la scène internationale, que ce soit en 1917 ou en 1941, ils étaient déjà une grande puissance. Jamais ils n'ont eu à craindre pour leur existence. La victoire sur le Japon et l'Allemagne n'a jamais fait de doute. Jamais ils n'ont eu à composer avec des alliés assez puissants pour leur résister. Le seul rôle que connaissent les États-Unis, lorsqu'ils sortent de leur isolement, c'est le leadership ; la seule place qu'ils assignent à leurs alliés, c'est celle de supplétifs, comme l'ont vérifié, à leurs dépens, les Britanniques en Irak en 2003.

Sur cette base commune, une ligne de fracture divise les Américains entre ceux qui veulent s'en tenir à la défense de la nouvelle Jérusalem et ceux qui veulent en diffuser les bienfaits. Les premiers l'ont largement emporté pendant la plus grande partie de l'histoire américaine. Il fallait ne pas se salir les mains dans un monde pécheur dont les États-Unis étaient intrinsèquement différents ; il fallait parfaire une société nouvelle qui serait le phare du monde et de la civilisation. Les seconds, sous les deux versions, libérale interventionniste à gauche et néo-conservatrice à droite, ont eu le dessus pendant le bref moment de triomphe occidental après la fin de la guerre froide. Les sociétés ne demandaient qu'à accéder à la démocratie ; il suffisait de les aider. En dehors de cette décennie exceptionnelle à tous égards, seule la guerre froide, c'est-à-dire ce que le peuple américain considérait comme un combat du bien contre le mal et une lutte pour la vie, a convaincu les États-Unis de conduire une politique étrangère mondiale. Ce que nous dit Trump, c'est que la guerre froide est terminée, que la croisade pour la démocratie a été un échec et que les légions fatiguées doivent rentrer au bercail. Il s'inscrit ainsi dans ce qui fut la tradition de la politique étrangère américaine jusqu'en 1941.

Le schéma que je viens de présenter est une caricature. Les États-Unis ont su, à l'occasion, faire preuve
de Realpolitik comme les Européens. Leurs mains
sont aussi sales que celles des autres puissances, mais
le cadre idéologique que j'ai esquissé donne à leur
politique étrangère sa singularité.

Des relations transatlantiques récentes

L'histoire des relations transatlantiques confirme
les grandes lignes de cette présentation.

En 1797, dans son discours d'adieu à la Nation,
George Washington, à l'issue de son second et dernier
mandat, avait appelé ses concitoyens à ne pas se mêler
des affaires européennes. Ce message fut entendu tout
au long du XIXᵉ siècle. En août 1914, Woodrow Wilson
proclamait la neutralité de son pays, et ce furent les
provocations allemandes (télégramme Zimmermann
et surtout guerre sous-marine) qui l'obligèrent à en
sortir. Dès 1919-1920, les Américains se retiraient hâtivement d'Europe et, ensuite, ne se préoccupèrent que
de la question des réparations dues par l'Allemagne
(plans Dawes en 1924 et Young en 1931) parce que
leur paiement conditionnait le remboursement de
leurs dettes par la France et la Belgique. Non seulement les États-Unis restèrent inactifs face à la montée
d'Hitler, mais ils votèrent en 1937 des lois de neutralité qui interdisaient la vente d'armes aux belligérants,
ce qui, a priori, ne handicapait que le Royaume-Uni
et la France, l'Allemagne ne pouvant, de toute façon,

avoir accès à l'industrie américaine du fait de la maîtrise des mers par ses ennemis. Le 14 juin, Paul Reynaud, président du Conseil, appelait à l'aide les États-Unis; en vain, naturellement. Quels que soient les sentiments et les manœuvres de Franklin Roosevelt, les Américains restaient, en 1941, hostiles à l'entrée de leur pays dans la guerre. Ce furent le Japon, à Pearl Harbor, le 7 décembre 1941, et l'Allemagne, en déclarant la guerre le 11 décembre, qui y poussèrent les États-Unis, contraints et forcés.

Pendant un siècle et demi, les États-Unis ont donc obstinément refusé de jouer un rôle actif dans les affaires européennes. S'ils changent d'attitude en 1945-1946, c'est, d'une part, parce que le Royaume-Uni et la France, épuisés et ruinés, ne peuvent assurer la stabilité et la défense du continent et, d'autre part, parce que l'URSS est vue comme une menace globale. C'est de la guerre froide que naissent les relations transatlantiques sur la base d'une alliance militaire sous hégémonie américaine, contre un ennemi clairement identifié.

Le retour de la prospérité européenne et l'effondrement du pacte de Varsovie et de l'URSS auraient dû conduire à un réexamen des fondements et des modalités des relations transatlantiques. Il n'en fut rien parce qu'il n'est jamais aisé de remettre en cause ce qui, en quatre décennies, était devenu le cadre unique de réflexion des élites des deux côtés de l'Atlantique, parce que tout le monde trouvait son intérêt à faire comme si rien ne s'était passé: les États-Unis maintenaient ainsi une hégémonie qui, dans les faits, n'était plus nécessaire, et les Européens pouvaient désarmer et éviter de retomber dans les rivalités géopolitiques du passé. Les opérations dans les Balkans, le 11 Septembre et l'Afghanistan ont servi de bruit de fond pour dissimuler la réalité d'une alliance, l'Otan, désormais sans ennemi. La Russie représente un défi géopolitique à traiter selon les règles habituelles de la diplomatie mêlant fermeté et dialogue. Mais ni à Paris ni à Seattle ne s'impose l'idée que la sécurité nationale se joue aux frontières orientales de l'Alliance : il vaut mieux ne pas demander au petit gars du Wisconsin s'il est prêt à mourir pour Tallin. En d'autres termes, même si Poutine a donné un nouveau bail à l'Otan, ce serait exagéré de conclure que cette alliance peut continuer à jouer son rôle unique de pilier de la relation transatlantique. Le prétendre, ce serait courir le risque de laisser celle-ci se défaire progressivement jusqu'à la crise où elle apparaîtrait vidée de sa substance et donc inefficace.

Cette survie des relations transatlantiques aux causes qui leur avaient donné naissance ne pouvait être que fragile parce qu'artificielle. Elle était à la merci du premier qui en tirerait des conséquences. C'est chose faite aujourd'hui, d'abord avec discrétion et élégance par Obama et ensuite avec brutalité par Trump. Mais c'est aussi le cas en Europe, où les partis populistes, en appelant à la dissolution de l'UE, ont conscience de vouloir ainsi mettre un terme à l'hégémonie américaine, puisque les États-Unis ont été les parrains de la construction européenne. C'est enfin le cas aux États-Unis, où les réalités démographiques et l'émergence de l'Asie éloignent progressivement de notre continent les centres les plus actifs du pays. La question de la pérennité de la présence américaine militaire en Europe est donc posée. Comment ne pourrait-elle pas l'être alors que le budget de la défense combiné de la France, du Royaume-Uni et de l'Allemagne est deux fois et demi celui de la Russie ? Comment ne pas se demander en quoi les intérêts stratégiques des États-Unis dépendent de la sécurité de l'Estonie ou du Monténégro ?

Il était inévitable qu'en dehors de Washington, confit en atlantisme, des esprits simples se demandent pourquoi les Européens n'assurent pas eux-mêmes leur défense face à une Russie qui n'a ni la puissance ni les intentions de l'URSS ; pourquoi les États-Unis assument le rôle de gendarme du monde. C'est chose faite : dans un sondage de l'Eurasia Group Foundation de février 2019, 47 % des experts de politique étrangère considéraient que « le leadership américain était nécessaire à la stabilité globale et donc à la prospérité et à la sécurité des États-Unis », tandis que ce pourcentage n'était que de 9,5 % dans l'ensemble de la population ; 9 % des premiers estimaient que les États-Unis devaient se concentrer sur leurs problèmes intérieurs contre 44 % de l'ensemble des Américains. Je suis donc convaincu que le génie est hors de la bouteille et n'y rentrera plus. Le prochain président, qu'il soit élu en 2020 ou 2024, essaiera sans doute de rassurer les Européens après les foucades de Trump, mais la question de la présence militaire américaine en Europe et, au-delà, du rôle des États-Unis dans le monde restera posée. La réponse qui lui sera donnée comportera, en tout état de cause, un repli plus ou moins accentué de la présence américaine dans le monde.

Aux questions sur la politique étrangère de Trump, je réponds parfois en évoquant le conte d'Andersen, *Les Habits neufs de l'empereur*, où un enfant crie « l'empereur est nu » alors que la foule fait semblant d'admirer des vêtements inexistants, que seuls des gens intelligents seraient capables de voir. Trump, c'est l'enfant ! Capable de poser des questions de bon sens que les conventions, le conformisme et la routine interdisaient de poser. Oublions son vocabulaire parfois primitif et écoutons ses questions ; elles sont celles d'une certaine Amérique, que les experts ne connaissent pas. Le monde ne sera plus le même après Trump.

XIX

Que peut faire la France ?

Le Tout-Washington s'accroche au modèle qui fut le nôtre depuis 1949, une relation transatlantique fondée sur une alliance militaire dont les États-Unis sont la puissance hégémonique ; les Européens, par habitude et par confort pour les uns et par crainte de la Russie pour les autres, font de même. L'Allemagne peut ainsi ne dépenser que 1,4 % de son PNB pour la défense et donner des leçons de rigueur budgétaire aux autres ; l'Italie et l'Espagne font encore pire.

Face au déni des pays européens, qui ont trop investi politiquement et affectivement dans les relations transatlantiques pour admettre que leur remise en cause est durable, la France peut gérer un éloignement entre les deux rives de l'Atlantique. Dans la mesure où elle s'est toujours attachée à concilier indépendance nationale et attachement à l'Alliance atlantique, il lui sera plus facile qu'à d'autres de contribuer à éviter que cette dérive ne conduise à un divorce et de persuader nos partenaires de prendre en main leur sécurité. Mais elle doit le faire avec tact et réalisme, en comprenant, par exemple, qu'à Varsovie, la garantie américaine est existentielle et qu'ailleurs, on préfère souvent la tutelle lointaine et égalitaire des États-Unis aux prétentions de la France et de l'Allemagne. Des précautions de langage sont nécessaires. Par exemple, rien ne doit laisser supposer une volonté de hâter le départ des Américains d'Europe. À cet égard, rien n'est plus dangereux que de parler d'«armée européenne», d'abord parce que cette notion suppose un transfert majeur de souveraineté des États-nations vers l'Union, qui susciterait un raidissement nationaliste dans l'opinion publique. Ensuite, parce qu'elle exclut de facto l'Otan et les États-Unis en leur substituant l'Union européenne, ce que ni les Américains ni la plupart de nos alliés ne veulent. Enfin, parce qu'elle va à l'encontre des convictions et des traditions de toutes les forces armées fondées sur l'attachement à la nation. Le chemin est étroit mais les Européens n'ont pas d'autre choix.

Au-delà des relations transatlantiques se pose la question plus large de la place de la France dans un monde dont les États-Unis ne veulent plus être le gendarme. La messe semble dite : le monde connaîtrait le «retour» des politiques de puissance, le recul du droit international, l'affaiblissement des institutions multilatérales avec, à la clé, le risque des confrontations armées. Un «ordre libéral», paré de toutes les vertus, serait d'autant plus menacé que son parrain supposé, les États-Unis, le renierait.

En réalité, les politiques de puissance n'ont jamais

quitté le devant de la scène internationale. Pendant la guerre froide, chaque superpuissance exerçait son hégémonie sur son camp, l'américaine, si elle a été bénigne en Europe, était aussi ferme que la soviétique, comme en a témoigné, à ses dépens, l'Amérique latine. Après la dislocation du bloc de l'Est, les États-Unis furent «l'hyperpuissance» dont le budget de la défense représentait, il y a une dizaine d'années, près de la moitié des dépenses militaires mondiales (aujourd'hui encore plus d'un quart). Partout et toujours, les négociations les plus pacifiques se sont bel et bien conclues au bénéfice du plus fort, à Bruxelles comme ailleurs.

Par ailleurs, parler «d'ordre libéral» a peu de sens lorsqu'on fait la liste interminable des conflits qui l'ont marqué depuis la fin de la guerre mondiale: Corée, Vietnam, entre l'Inde et le Pakistan (1965 et 1971), Moyen-Orient (1948, 1956, 1967, 1973), deux génocides (Cambodge et Rwanda), Afghanistan (de manière ininterrompue depuis 1979), entre l'Irak et l'Iran (1981-1988), Congo (depuis vingt ans), Soudan, entre l'Éthiopie et la Somalie, Yougoslavie, etc. Le monde, en dehors de l'Europe, a été plus instable qu'entre les deux guerres. Avec ces millions de victimes, c'est de désordre sanglant qu'il faudrait parler.

De leur côté, les institutions multilatérales, en particulier les Nations unies, n'ont fonctionné qu'au service des puissances hégémoniques et ont toujours dépendu de leur bon vouloir. Au-delà même des Nations unies, les États-Unis ont toujours été réticents à confier leurs intérêts à des institutions multilatérales (ils refusent d'être « Gulliver entravé »). Ils n'ont ainsi ratifié ni le traité d'interdiction des essais nucléaires, ni celui interdisant les mines antipersonnel, ni la création de la Cour pénale internationale. C'est Madeleine Albright, une secrétaire d'État démocrate, qui a conceptualisé la notion d'une puissance « exceptionnelle » échappant au sort du commun des autres pays.

Au fond, cette notion d'un prétendu ordre libéral s'applique essentiellement à l'Europe occidentale, qui n'en revient pas d'avoir connu la plus longue période de paix de son histoire, après deux guerres mondiales et un génocide en deux générations. En outre, elle flatte l'opinion américaine, qui, idéologiquement, éprouve des difficultés à se voir en « hégémon » et a besoin de la feuille de vigne flatteuse que lui procure la notion d'ordre libéral. Pendant ce temps, le reste du monde, à peu d'exceptions près, subissait le lot habituel de malheurs et de désastres, et les grandes puissances rongeaient leur frein de voir leur souveraineté limitée par l'existence d'une hyperpuissance.

Ce qui a changé, ce n'est donc ni la remise en cause d'un ordre limité à un nombre restreint de pays, ni l'affaiblissement d'institutions structurellement faibles, c'est le rapport des forces aux dépens des pays occidentaux, au premier rang desquels les États-Unis. La Chine, la Russie mais aussi l'Inde, peut-être le Brésil sont désormais capables non seulement de contester l'hégémonie américaine mais de prendre de haut une Europe qui de modèle est devenue problème. Le moment occidental inauguré en 1989 s'achève. Une nouvelle normalité se fait jour, d'autant que les États-Unis, loin de s'accrocher à leur rôle de gendarme du monde, battent en retraite par lassitude des conflits sans fin (Afghanistan, Irak) et aussi parce qu'ils s'interrogent sur l'intérêt qu'ils ont à assumer ce rôle. Trump s'est placé dans le sillage d'Obama, les deux présidents ayant senti que c'était l'humeur de leur pays.

La question qui se pose donc aujourd'hui pour la définition de la politique étrangère de la France est l'adaptation à un monde moins ordonné parce que moins marqué par l'hégémonie américaine. Cela étant, quelle que soit la montée en puissance de la Chine, les États-Unis resteront, pendant des décennies, la première puissance militaire, économique et financière. Même s'ils seront moins tentés par l'aventure, même si leurs alliés pourront moins compter sur eux, ils resteront la clé de voûte du système international. À ce titre, nos relations avec ce pays conserveront leur centralité.

La modernisation du multilatéralisme s'impose pour accroître le poids des puissances émergentes aux organes de direction des institutions internationales afin qu'elles soient mises face à leurs responsabilités. Mais ces réformes y réduiront notre propre influence et risquent d'y promouvoir des visions et des valeurs qui ne sont pas les nôtres. De toute façon, jamais une organisation internationale ne sera autorisée à porter atteinte aux intérêts fondamentaux d'une grande puissance.

Cela étant, malgré les apparences, le monde n'est

pas voué seulement au jeu traditionnel de l'équilibre des puissances, parce que, du fait des enjeux globaux environnementaux et technologiques, il s'est rétréci géographiquement, économiquement et sociologiquement. Le temps est passé où les continents pouvaient s'ignorer et où les hégémonies pouvaient être régionales ; le temps est également passé où seuls les États comptaient. La communauté internationale, expression à juste titre raillée par le passé, devient une réalité parce que l'environnement, le climat mais aussi la finance, les grandes entreprises et l'opinion publique nourrie aux médias sociaux sont devenues des réalités globales que nulle puissance ne peut contrôler.

Nous devons naviguer entre réalisme et innovation.

Le réalisme nous commande de rester militairement sur nos gardes et d'accepter de dialoguer avec tout le monde en gardant à l'esprit l'impératif que constitue la défense de nos intérêts, que ce soit pour nous ou pour nos interlocuteurs. La diplomatie est toujours la meilleure voie. Réalisme également dans nos attentes vis-à-vis de l'UE et des institutions multilatérales, avec à l'esprit deux réalités. D'une part, coopérer avec des partenaires européens guère enclins à assumer des responsabilités est certes utile, mais ne doit pas réduire notre autonomie stratégique ; d'autre part, plutôt que de parier sur des institutions multilatérales, qui resteront faibles face à la résistance invincible des souverainetés, créer, au cas par cas, des coalitions de pays qui partagent nos objectifs sur un sujet particulier.

Mais nous devons également innover, ce qui suppose que notre diplomatie soit agile et créative ; qu'elle ne soit pas prisonnière d'un supposé camp occidental et qu'elle soit présente partout. Partout géographiquement, mais peut-être encore plus sur des thèmes nouveaux qui restent encore largement en friche alors qu'ils concernent l'ensemble de l'humanité, au besoin en recourant à la « méthode COP21 » : biodiversité, océans mais aussi droit dans le cyberespace, cybersécurité, protection des données personnelles, fiscalité de la haute technologie. Les sujets ne manquent pas qui peuvent réunir la communauté internationale pour trouver des solutions communes. Nous sommes peut-être les seuls à pouvoir y jouer le rôle d'honnêtes courtiers.

Conclusion

En classe de troisième, notre professeur de français nous avait donné comme sujet de rédaction la devise que nous aimerions adopter. J'avais choisi *Je comprendrai*. J'y suis resté fidèle tout au long de ces quelque quarante années de carrière diplomatique.

J'ai toujours analysé les relations internationales à l'aune du constat que la vie internationale est une jungle sans juge ni gendarme où chaque État doit veiller à sa sécurité, seul gage de sa survie.

Il faut donc, pour les comprendre, revenir aux données de base, l'histoire, la géographie et le rapport des forces sur le terrain dont l'essentiel dépend afin d'en déduire les intérêts des parties ou plutôt la vision qu'ont les parties de leurs intérêts. En découleront les initiatives qu'elles prendront pour les défendre. Il faut n'attacher qu'une attention distraite à leurs discours, qui masquent plus qu'ils n'expliquent, et intégrer les passions et les erreurs dans les calculs de l'homme en sachant que le pire est toujours possible. Il ne s'agit pas d'être indifférent à la justice supposée d'une cause, mais de se rappeler que toute partie croit que la justice est de son côté et que la victoire ne couronne pas la justice mais la force, l'habileté et la chance. Je ne me félicite pas que «la force prime le droit», mais je constate que c'est souvent le cas. Je suis ce qu'on appelle en relations internationales un «réaliste», qui croit qu'une politique étrangère ne doit rechercher ni solution parfaite ni règlement définitif mais, plus modestement, doit éviter le pire à coups de compromis insatisfaisants. Je ne crois pas aux solutions globales et aux cathédrales intellectuelles qu'affectionne le Quai d'Orsay. Un accord partiel est toujours bon à prendre; qu'il soit temporaire est mieux que rien. Je sais qu'agir, c'est se salir les mains, et je l'accepte.

Cette exigence de lucidité, je l'ai mise au service des autorités de la République lorsqu'elles m'ont demandé mon avis. Qu'elles aient suivi ou pas la politique que je proposais, j'ai mis en œuvre leur décision avec toute ma loyauté, tout mon zèle et toute mon intelligence.

Ces mémoires ont essayé de décrire comment un diplomate a pu jouer ce rôle dans une société démocratique, plus précisément dans la France des quarante dernières années; ils ont aussi souligné qu'il ne peut plus le faire en 2019 comme en 1982.

Je quitte, avec un pincement de cœur, une maison où j'ai été heureux. Lorsque j'y suis entré, on m'annonçait que je serais la dernière génération de diplomate national avant le passage à une politique étrangère européenne. Cette prédiction était fausse. Il y a et il y aura toujours une place pour une diplomatie française évoluant en coordination avec les institutions européennes. Patriote, dans ma génération, je ne pouvais qu'être pro-européen par réalisme. Descendant d'une famille alsacienne qui a tout quitté en 1871 pour rester française, élevé dans les souvenirs des deux guerres inlassablement rabâchés durant les déjeuners de famille de mon enfance et conscient que notre pays avait failli y sombrer physiquement et moralement, j'ai vu la construction européenne comme une garantie que l'horreur que notre continent avait subie à deux reprises, jusqu'au génocide, ne se reproduirait pas. Le pire était possible. Il fallait l'exorciser. En forçant le trait, l'Europe, pour moi, c'est transférer les rivalités inévitables entre nations des champs de bataille aux corridors de Bruxelles ; c'est un mécanisme permanent de solution pacifique des conflits de notre continent. Je sais que, pour les jeunes Européens, cette vision n'a pas beaucoup de sens et que parler de conflit en Europe occidentale paraît absurde, mais je connais trop bien l'histoire, je me méfie trop de la nature humaine pour partager leur optimisme. Que serait une « Europe des Nations », c'est-à-dire l'Europe que nous connaissions avant 1939, dans une ou deux générations ? Ne voyons-nous pas déjà renaître partout les nationalismes qui nous ont menés au désastre ?

En revanche, je ne suis pas fédéraliste, là aussi par réalisme. Les vieilles nations européennes ne l'accepteront pas, aujourd'hui moins que jamais. Ce serait ignorer la revendication identitaire qui traverse nos sociétés, que nous la partagions ou pas. Porter le débat sur ce terrain, c'est l'hystériser, c'est oublier les réalités pour s'affronter sur des principes sur lesquels, par définition, il n'y a pas de compromis possible.

Revenons au pragmatisme des Pères fondateurs; mettons en œuvre la subsidiarité, c'est-à-dire soyons résolument européens là où l'Europe sert les nations européennes.

En 1990, mon collègue britannique à Washington, qui semblait sortir d'une série télévisée – accent « *public school* » et costume –, me dit un jour, avec une légère expression de surprise, qu'aux États-Unis, il se sentait européen. Européens, nous nous le sentons à Washington, à Pékin ou à New Delhi parce que nous le sommes; européens de civilisation mais aussi d'intérêts. La liste est longue des sujets où la négociation ne peut être conduite avec ces pays que sur une base européenne pour peser dans le rapport de force. Pour le commerce, Trump nous le rappelle de manière exemplaire. Le Royaume-Uni va le vérifier, à ses dépens, lorsqu'il voudra conclure un traité de libre-échange avec les États-Unis. Il en est de même pour la réglementation des flux financiers, pour la gestion du cyberespace, pour la lutte contre le changement climatique, pour la lutte antiterroriste, pour la taxation des sociétés de haute technologie, etc. Les intérêts en jeu sont majeurs, la liste est longue et non exhaustive. Encore faut-il que les nations européennes parviennent à s'entendre, puisque ce sont elles et non Bruxelles qui définissent les politiques que l'UE mettra en œuvre.

En d'autres termes, je suis convaincu que le cadre national reste pertinent pour conduire une politique étrangère. La France est encore aujourd'hui cinquième ou sixième puissance économique du monde, membre permanent du Conseil de sécurité et détentrice de l'arme nucléaire ; elle dispose d'une des deux meilleures armées d'Europe. Elle peut peser sur les grandes affaires du monde. Il ne s'agit pas d'en écarter l'Union européenne mais de tirer les conséquences des divisions, de l'impuissance ou de l'inaction de celle-ci. Si nos partenaires ne partagent pas nos analyses ou ne se sentent pas concernés par une crise, il serait absurde d'en conclure que nous ne devons pas agir, quitte à tout faire pour associer ultérieurement l'Union à nos efforts.

C'est là qu'intervient notre diplomatie. C'est elle qui doit proposer et mettre en œuvre notre politique étrangère. Pour ce faire, elle a besoin de compétences et de moyens. Elle a les premières ; elle a de moins en moins les seconds. On m'a demandé, à l'automne 2018, de réduire de 13 % la masse salariale du réseau français aux États-Unis ; réseau qui avait déjà été substantiellement amputé au cours de « coups de rabot » précédents. Nous ferons donc moins, moins d'action culturelle, moins de diplomatie économique et moins de relations publiques, le tout pour une économie dérisoire. Le Quai d'Orsay aura perdu plus de 20 % de ses effectifs depuis 2000. Nos ambassades ont toujours moins de personnel et moins de moyens que celles du Royaume-Uni ou de l'Allemagne. Mais, en ces temps populistes, personne ne pleure sur le sort des diplomates, au contraire. Je ne prolongerai donc pas mon plaidoyer sur ce thème.

Mon plus grand bonheur aura été de servir la France. J'aime profondément notre pays, je l'aime dans ses lumières et malgré ses ombres. *La Marseillaise* me fait vibrer. La basilique de Vézelay me bouleverse. La dernière lettre d'un des martyrs du lycée Buffon me fait pleurer. J'aime la France de la petite église sur la colline, mais j'aime aussi celle du grand large. L'une et l'autre sont inséparables pour faire la France, une France enracinée dans sa culture et ses paysages, mais une France généreuse et ouverte sur le monde. Pour citer l'historien Marc Bloch, un héros de mon panthéon personnel, la France du sacre de nos rois à Reims et celle de la fête de la Fédération. Quoique provincial issu de la classe moyenne, j'ai pu atteindre les postes les plus prestigieux de la diplomatie de mon pays. Je n'oublie pas que je le dois à mes parents et à l'école de la République. Je suis également reconnaissant de la confiance que m'ont accordée les ministres des Affaires étrangères sous l'autorité desquels j'ai servi.

Je veux rendre un hommage particulier à Emmanuel Macron. Ce fut pour moi un honneur de servir un président de la République conscient des enjeux géopolitiques, économiques et technologiques de notre époque, ouvert aux idées nouvelles et à l'écoute du vaste monde. Ce fut également un plaisir de découvrir sa culture et son humour. Nos réalismes se sont souvent accordés.

Je vais commencer une nouvelle carrière international, autre dans ses logiques comme dans ses fins, mais je continuerai d'interroger le monde pour deviner ce qui suivra l'aube qui se lève aujourd'hui.

Table